McGRAW-HILL

French

connaissances

Conrad J. Schmitt

Jo Helstrom

McGraw-Hill School Division

NEW YORK • OKLAHOMA CITY • ST. LOUIS
SAN FRANCISCO • DALLAS • ATLANTA

credits

EDITOR · Jacqueline Rebisz
DESIGN SUPERVISOR · James Darby
PRODUCTION SUPERVISOR · Salvador Gonzales
ILLUSTRATORS · Ric Del Rossi · Les Gray ·
      Jane McCreary · Jim Pearson ·
      Susan Swan · George Ulrich
CARTOGRAPHER · David Lindroth
PHOTO EDITOR · Alan Forman
PHOTO RESEARCH · Ellen Horan
LAYOUT AND DESIGN · Function thru Form, Inc.
COVER DESIGN · Group Four, Inc.
LANGUAGE CONSULTANT · Jean-Jacques Sicard,
      Alliance Française
EDITORIAL CONSULTANTS · Lorraine Garrand ·
      Carroll Moulton · Jean-Jacques Sicard
      · Carolyn Weir

This book was set in 10 point Century Schoolbook by Monotype Composition Co., Inc. Color separation was done by Schawkgraphics, Inc.

ISBN 0-07-056455-8

2 3 4 5 6 7 8 9 DOCDOC 94 93 92 91 90 89

acknowledgments

The authors wish to express their appreciation to the many foreign language teachers throughout the United States who have shared their thoughts and experiences with us. We express our particular gratitude to those teachers listed below who have carefully reviewed samples of the original manuscript and have willingly given of their time to offer their comments, suggestions, and recommendations. With the aid of the information supplied to us by these educators, we have attempted to produce a text that is contemporary, communicative, authentic, and useful to a wide variety of students from all geographic areas.

Delores Allen
Woodrow Wilson High School
Middletown, Connecticut

Richard W. Ayotte
Cony High School
Augusta, Maine

Evelyn Brega
Lexington Public Schools
Lexington, Massachusetts

Julia T. Bressler
Nashua Senior High School
Nashua, New Hampshire

Robert J. Bruggeman
Colonel White High School
Dayton, Ohio

Gail Castaldo
Pingry School
Hillside, New Jersey

Nelly D. Chinn
Voorhees High School
Glen Gardner, New Jersey

Renay Compton
Stivers Intermediate School
Dayton, Ohio

Robert Decker
Long Beach Unified Schools
Long Beach, California

Mary-Jo Fassié
William Fleming High School
Roanoke, Virginia

Regina Grammatico
Amity Regional Senior High School
Woodbridge, Connecticut

Helen Grenier
Baton Rouge Magnet High School
Baton Rouge, Louisiana

Michaele P. Hawthornthwaite
Hillcrest High School
Simpsonville, South Carolina

Marion E. Hines
District of Columbia Public Schools
Washington, D.C.

Lannie B. Martin
Jefferson-Huguenot-Wythe High School
Richmond, Virginia

David M. Oliver
Bureau of Foreign Language
Chicago Board of Education
Chicago, Illinois

Eunice T. Pavageau
Zachary High School
Baton Rouge, Louisiana

John Peters
Cardinal O'Hara High School
Springfield, Pennsylvania

James L. Reed
Orange High School
Cleveland, Ohio

Charlene Sawyer
J. L. Mann High School
Greenville, South Carolina

James J. Schuster
Olney High School
Philadelphia, Pennsylvania

Alice Stanley
Southfield-Lathrup High School
Lathrup Village, Michigan

Mary Margaret Sullivan
George Washington High School
Charleston, West Virginia

Nina von Isakovics
South Lakes High School
Reston, Virginia

Marie S. Wallace
Tilden Intermediate School
Rockville, Maryland

The authors would like to thank Stuart Rachlin for preparing the end vocabulary.
The authors would also like to thank the following persons and organizations for permission to include the following photographs:

vi: Richard Hackett; **vii:** (t) Richard Hackett; **vii:** (b) Palmer/Brilliant

3: (br), **3:** (tl), **4:** Stuart Cohen; **5:** Richard Kalvar/Magnum Photos; **6:** Frederick Ayer/Photo Researchers; **7:** Richard Hackett; **9:** (b) Peter Menzel; **9:** (t) Stuart Cohen; **10:** Université Laval; **13, 15:** (b), **15:** (b), **15:** (t) Palmer/ Brilliant; **18, 19, 20:** Beryl Goldberg; **21:** James Foote/Photo Researchers; **29:** Peter Menzel; **31:** Hugh Rogers/ Monkmeyer; **32:** Leonard Freed/Magnum Photos; **34:** Pascal Parrot/Sygma; **37:** Beryl Goldberg; **38:** Andrew Brilliant; **39:** Pascal Parrot/Sygma; **40:** Robert Clark/Photo Researchers; **40:** (b) Yves Le Roux/Gamma-Liaison; **40:** (t) Robert Clark/Photo Researchers; **41:** Mark Antman/The Image Works; **46:** Hugh Rogers/Monkmeyer; **47:** Len Speier/; **48:** Lambert/Gamma-Liaison; **49:** (l) Van der Hilst/Gamma-Liaison; **49:** (r) Beryl Goldberg; **52:** Richard Kalvar/Magnum Photos; **53:** Herve Donnezan/Photo Researchers; **54:** (l) George Gerster/Photo Researchers; **54:** (r) Jean Gaumy/Magnum Photos; **58:** Charles Weckler/Image Bank; **59:** Bullaty Lomeo/Image Bank; **62:** Bernard Gerard/Gamma-Liaison; **63:** (b) Shlomo Shay/Photo Researchers; **63:** (t) Lawrence L. Smith/Photo Researchers; **64, 68:** (br) Robert Clark/Photo Researchers; **69:** (b) French Embassy Press & Information Division; **69:** (tl) Robert Clark/Photo Researchers; **69:** (tr) Michael Philip Manheim/Photo Researchers; **70:** P. Thomann/The Image Bank; **71:** (t) Luis Casaneda/The Image Bank; **75:** James R. Fisher/Photo Researchers; **76:** Dr. M. P. Kahl/Bruce Coleman Inc.; **77:** De Sazo-Rapho/Photo Researchers; **81:** (m) Hugh Rogers/Monkmeyer Press Photos; **81:** (t) Raymond de Seynes/Photo Researchers; **82, 83, 85:** Bruno Barbey/Magnum Photos; **86:** Fouad/Sygma; **87:** John Elk/Bruce Coleman; **89:** Richard Hackett; **90:** (br) Richard Kalvar/Magnum Photos; **90:** (l) Abbas/Magnum Photos; **90:** (tr) J. Guichard/Sygma; **93:** (br) Bruno Barbey/Magnum Photos; **93:** (tl) Richard Kalvar/Magnum Photos; **93:** (tr) Bruno Barbey/Magnum Photos; **94:** (b) Gilbert Uzan/Gamma; **94:** (t) Bruno Barbey/Magnum Photos; **95:** (b) Theodore Vogel/Photo Researchers; **95:** (m) Bruno Barbey/Magnum Photos; **95:** (t) J.C. Carton/Bruce Coleman, Inc.; **96:** (br) NYPL; **96:** (tl) Rozine Mazin/Photo Researchers; **99:** Vizo/Gamma-Liaison; **100, 101:** NYPL; **102:** Richard Hackett; **103:** Peter Menzel; **106:** Palmer/Brilliant; **108:** (ml), **108:** (mr) Palmer/Brilliant; **109:** Mark Antman/The Image Works; **110–111:** (t) Richard Kalvar/Magnum; **110:** (bl) Palmer/Brilliant; **111:** (br) Chris Brown/Stock, Boston; **113:** Peter Menzel; **114:** (m) Chris Brown/Stock, Boston; **114:** (t) Beryl Goldberg; **115:** Catherine Ursillo/Photo Researchers; **116:** (b) P. Habans/Sygma; **116:** (t) Mark Antman/The Image Works; **117:** (l) Beryl Goldberg; **117:** (r), **118:** (bl) P. Habans/ Sygma; **118:** (tr) David Burnett/Contact; **119:** D. Kupferschmid; **124:** David Burnett/Contact/Woodfin Camp; **125:** (ml) Mark Antman/The Image Works; **125:** (mr) Kerdiles M./Rapho/Photo Researchers; **126:** (ml) P. Habans/Sygma; **126:** (mr) AP/Wide World Photos; **127:** Stuart Cohen; **128:** Beryl Goldberg; **129:** Hugh Rogers/Monkmeyer Press Photo; **130:** Len Speier; **130:** (b) Daniel Simon/Gamma; **131:** Joyce Photographics/Photo Researchers; **133:** Bernard Gerard/Gamma; **135:** Adam Woolfitt/Woodfin Camp & Associates; **138:** Lionel Isy-Schwart/The Image Bank; **144:** (l) Richard Kalvar/Magnum Photos; **144:** (r) Robert Clark/Photo Researchers, Inc.; **145:** (l) Eric Carle/Bruce Coleman, Inc.; **145:** (r) Bruno Barbey/Magnum Photos; **146:** Jean Gaumy/Magnum Photos; **150:** Stuart Cohen; **152:** Bruno Barbey/Magnum Photos; **157:** George Rodger/Magnum Photos; **158:** Bruno Barbey/Magnum Photos; **159:** Alex Webb/Magnum Photos; **160:** William Mares/Monkmeyer Press Photo; **161:** (b) Ian Berry/Magnum Photos; **161:** (ml), **161:** (t) Bruno Barbey/Magnum Photos; **163:** French Embassy Press & Information Division; **164:** (t) Bruno Barbey/Magnum Photos; **165:** Marc Riboud/Magnum Photos; **166:** Richard Hackett; **169:** Susan McCartney; **170:** (l) Gilles Peress/Magnum Photos; **170:** (r) Stuart Cohen; **171:** (r) Richard Hackett; **171:** (r) Peter Miller/Photo Researchers; **172:** Dennis Stock/Magnum Photos; **173:** (l) Christian Vioujard/Gamma; **173:** (r) François Lochon/ Gamma; **178:** Palmer/Brilliant; **180:** ABBAS/Magnum Photos; **181:** Richard Hackett; **183:** (b) Arthur d'Arazien/The Image Bank; **183:** (l), **183:** (m), **183:** (t) The Bettmann Archive; **185:** (l), **185:** (r) New York Public Library/Picture Collection; **188:** (b) Palmer/Brilliant; **188:** (m) Rene Burri/Magnum Photos; **188:** (l) Beryl Goldberg; **195:** Richard Hackett; **196:** Marcel Isy-Schwart/The Image Bank; **197:** Palmer/Brilliant; **200:** (r), **200:** (t) Stuart Cohen; **202:** (b) Hugh Rogers/Monkmeyer Press Photo Service; **202:** (m) Fabrice Rouland/Photo Researchers, Inc.; **202:** (t) Francis Apesteguy/Gamma; **203:** (bl) Beryl Goldberg; **203:** (m) Stuart Cohen; **203:** (tl) Hugh Rogers/Monkmeyer Press Photo Service; **203:** (tr) Richard Hackett; **204:** (ml) Beryl Goldberg; **204:** (mr) Hugh Rogers/Monkmeyer Press Photo

Service; **204:** (tr) Fabrice Rouland/Photo Researchers, Inc.; **205:** Hugh Rogers/Monkmeyer Press Photo Service; **207:** Beryl Goldberg; **210:** J.E. Pasquier/Photo Researchers, Inc.; **212:** (br) Richard Hackett; **212:** (tl) Stuart Cohen; **212:** (tr) Hugh Rogers/Monkmeyer Press Photo; **213:** (l) Mark Antman/The Image Works; **213:** (r) Palmer/Brilliant; **214:** (l) Stuart Cohen; **214:** (r) Mark Antman/The Image Works; **216:** Stuart Cohen; **217:** Beryl Goldberg; **219:** Mark Antman/The Image Works; **220:** Richard Hackett, **221:** (b), **221:** (t) Mark Antman/The Image Works; **223:** (b) J.M. Charles/Photo Researchers; **224:** (b) Richard Hackett; **226:** Gilles Peress/Magnum Photos; **231:** Stuart Cohen; **232–233:** (t) Stuart Cohen; **232:** (l) Peter Miller/Photo Researchers; **234:** Photo Researchers; **235:** Richard Hackett; **237:** Robert Knowles/Photo Researchers; **243, 244:** (b) Stuart Cohen; **244:** (t) Michelline Pelletier-Lattes/Liaison Agency/Gamma; **245:** Stuart Cohen; **246:** Jean Gaumy/Magnum Photos; **247:** Eric Kroll/Taurus Photos; **247:** (br) D. Millar/Photo Researchers; **247:** (ml) Jean Gaumy/Magnum Photos; **247:** (tr) The Bettmann Archive; **248:** (t), **248:** (bl) Jean Gaumy/Magnum Photos; **248:** (r) Stuart Cohen; **249:** (b) Dennis/The Image Bank; **249:** (m) Gerald Brimacombe/The Image Bank; **249:** (t) Stuart Cohen; **253:** Stuart Cohen; **255:** Scott Thode/Int'l Stock Photo; **256:** Peter Menzel/Stock, Boston; **257:** Mark Antman/The Image Works; **261:** (bl), **261:** (m) Gamma Liaison; **262:** (b) Beryl Goldberg; **262:** (t) Rouland/Photo Researchers; **263:** (bl) Olivier Villeneuve/Gamma; **263:** (r) Peter Tatiner/ Liaison Agency; **263:** (mb) Robert Capece/McGraw-Hill; **263:** (tl) Richard Hackett; **263:** (tr) Clery/Photo Researchers; **264:** Richard Hackett; **266:** Beryl Goldberg; **261:** (t) Gamma Liaison; **271:** (b) Richard Hackett; **271:** (m) M. Lambert/Gamma; **271:** (t) Guy Le Querrec/Magnum Photos; **272:** Donnelan/Photo Researchers; **273:** Elizabeth Crews; **273:** Elizabeth Crews/Stock, Boston; **274:** Hugh Rogers/Monkmeyer Press Photos; **275:** (b) Mark Antman/The Image Works; **275:** (m) Daiuoux/Photo Researchers; **275:** (t) Charles/Photo Researchers; **283:** Stuart Cohen; **285:** (tl) Christian Vioujard/Gamma; **285:** (tr) Richard Hackett; **286:** Mark Antman/The Image Works; **288:** (m) Christian Vioujard/Gamma; **288:** (t) Stuart Cohen; **289:** (m) Hugh Rogers/Monkmeyer Press Photo; **289:** (t) Richard Hackett; **290:** Jean Gaumy/Magnum; **294:** (bl) Richard Hackett; **294:** (br) Peter Turnley/Photo Researchers; **295:** J. Gerard Smith/Monkmeyer Press Photo; **297:** (r) P. Miller/The Image Bank; **297:** (tl) Fournier/Photo Researchers; **298:** (l) Christopher R. Harris/Gamma-Liaison; **298:** (r) Hans Namuth/Photo Researchers; **299:** (l) Katrina Thomas/Photo Researchers; **300:** (bl) Hans Namuth/Photo Researchers; **300:** (mr) Alex Webb/Magnum Photos; **300:** (tl) Katrina Thomas/Photo Researchers; **300:** (tr) Alex Webb/Magnum Photos; **303:** Edna Douthat/ Photo Researchers; **305:** Alex Webb/Magnum Photos; **306:** Katrina Thomas/Photo Researchers; **307:** I. Claude Francolon/Gamma/Liaison; **309:** (br) Hans Namuth/Photo Researchers; **309:** (mr) Carl Purcell/Photo Researchers; **309:** (tr) The Bettmann Archive; **309:** (tr) Katrina Thomas/Photo Researchers; **310:** (b) R. Rowan/Photo Researchers; **310:** (m) Alex Webb/Magnum Photos; **310:** (t) Katrina Thomas/Photo Researchers; **311:** (ml) Alex Webb/Magnum Photos; **311:** (tr) R. Rowan/Photo Researchers; **312:** (bl) Palmer/Brilliant; **312:** (tl) Hugh Rogers/Monkmeyer Press Photo; **312:** (tr) Jean-Jacques Bernier/Gamma; **314:** Richard Hackett; **314:** Stuart Cohen; **317:** Peter Menzel; **318:** Mark Antman/The Image Works; **320:** (t) Palmer/Brilliant; **328:** Jean Mounicq/Woodfin Camp; **329:** NYPL Picture Collection; **330:** (l) Culver Pictures; **330:** (r) Folco/Gamma; **331:** Charles Weckler/The Image Bank; **333:** (l) NYPL Picture Collection; **333:** (r) Yves Bresson/Gamma; **334:** (b) Jean-Pierre Bonnotte/Gamma; **334:** (t) Culver Pictures; **335:** (b) Rene Burri/Magnum Photos; **335:** (m) Michel Folco/Gamma; **335:** (t) Peter Frey/The Image Bank; **337:** Richard Kalvar/Magnum Photos; **339:** Fournier/Photo Researchers; **340:** Pascal Parrot/Sygma; **342:** Stuart Cohen; **343:** David Kupferschmid; **344:** (l) Jack Fields/Photo Researchers; **344:** (r) De Chatillon/Photo Researchers; **345:** (l) Richard Hackett; **345:** (r) Beryl Goldberg; **346:** Stuart Cohen; **349:** Stuart Cohen; **350:** (b) Stuart Cohen/Comstock; **350:** G. Rancinan/Sygma; **352:** Richard Hackett; **355:** Guy Le Querrec/Magnum Photos; **356:** Katrina Thomas/Photo Researchers; **357:** (l) French Embassy Press & Information Division; **357:** (r) Neyrat/Photo Researchers; **359, 360:** Palmer/Brilliant; **364:** Bajande/Photo Researchers; **366:** Richard Hackett; **368, 369:** (br) Palmer/Brilliant; **369:** (tl) Beryl Goldberg; **370:** Stuart Cohen; **372:** (t) Beryl Goldberg; **373:** (b) Norman Owen Tomalin/Bruce Coleman, Inc.; **373:** (m) Palmer/Brilliant; **373:** (t), **374:** (bl) Stuart Cohen; **374:** (br) Palmer/Brilliant; **378:** Palmer/Brilliant; **379:** (l) Stuart Cohen; **379:** (r) David Kupferschmid; **381:** (b) Stuart Cohen; **381:** (t) Richard Hackett; **382:** (b) Palmer/ Brilliant; **382:** (t) Beryl Goldberg; **383:** (b) Palmer/Brilliant; **383:** (m) Stuart Cohen; **383:** (t) Richard Hackett; **384:** (Fl) Owen Franken/Stock, Boston; **384:** (b) Tom W. Parkin/Valan Photos; **384:** (r) Elliott Erwitt/Magnum Photos; **389:** F. Jalain/Photo Researchers; **390:** Gilles Peress/Magnum Photos; **391:** Pierre Boulat/Woodfin Camp & Associates; **392–393:** (t) Frederick Ayer/Photo Researchers; **393:** (r) Mark Antman/The Image Works; **396:** (b) Martine Franck/ Magnum Photos; **396:** (m) Bruno Barbey/Magnum Photos; **396:** (t) Gary Bigham/Int'l Stock Photo; **397:** (b) Harry Gruyaert/Magnum Photos.

Preface

Bonjour! Now that we have become acquainted, it is time to make a few friends and establish some long-lasting friendships. One of the most valuable parts of learning a language is its application to the understanding of the people who speak that language and their way of life. *McGraw-Hill French* **Connaissances** invites you to get to know more about other cultures, about other people, about yourself, and those around you as you meet and form new friendships with the people who speak this language.

McGraw-Hill French **Connaissances** has been written to help you develop your language skills through activities that focus on meaningful, personal communication. You will learn about other cultures, about other people, about each other, and about yourself. As you become increasingly aware of the similarities and differences among cultures and among people, we hope you will become more appreciative and enjoy the diversity and uniqueness of both.

The unraveling of the foreign language "mystery" continues. This year you will continue your study of French by learning new concepts and functions, by broadening your communication skills, and by practicing and using them in meaningful, realistic situations and interactions. You will learn to convey messages and to express your ideas, feelings, and opinions in authentic, natural, everyday settings.

If you want to communicate, you must acquire the ability to speak fluently and express your ideas in French. The acquisition of another language takes time. You therefore need practice in using the language. The activities provided in *McGraw-Hill French Connaissances* focus on real communication and encourage you to talk about the themes presented. The exercises in the text have been written to help you develop active control of the vocabulary and structure concepts presented. A large number of communicative activities reflecting a wide variety of themes have been included—visiting the doctor, making a telephone call, checking into a hotel, banking, asking for directions, celebrating holidays, going to school, watching television.

Remember the excitement and enthusiasm you felt when you first began to study a foreign language? Let's keep that enthusiasm alive! *McGraw-Hill French Connaissances* is a lively, youth-oriented, interesting textbook with many activities which are valuable and fun. Accept each assignment as just another step closer to fluency and proficiency in French. Take every opportunity to practice what you have learned. Never be afraid to make a mistake. Everyone makes mistakes while learning. Learn to use your new language to communicate with one another and with native speakers of the language.

Et maintenant, en avant!

about the authors

Conrad J. Schmitt

Mr. Schmitt was Editor-in-Chief of Foreign Language, ESL, and bilingual publishing with McGraw-Hill Book Company. Prior to joining McGraw-Hill, Mr. Schmitt taught languages at all levels of instruction, from elementary school through college. He has taught Spanish at Montclair State College, Upper Montclair, New Jersey; French at Upsala College, East Orange, New Jersey; and Methods of Teaching a Foreign Language at the Graduate School of Education, Rutgers University, New Brunswick, New Jersey. He also served as Coordinator of Foreign Languages for the Hackensack, New Jersey, Public Schools. Mr. Schmitt is the author of *Schaum's Outline of Spanish Grammar, Schaum's Outline of Spanish Vocabulary, Español; Comencemos, Español; Sigamos,* and the *Let's Speak Spanish* and *A Cada Paso* series. He is also coauthor of *Español: A Descubrirlo, Español: A Sentirlo, McGraw-Hill Spanish: Saludos* and *Amistades, La Fuente Hispana, Le Français: Commençons, Le Français: Continuons,* and *Schaum's Outline of Italian Grammar.* Mr. Schmitt has traveled extensively throughout France, Martinique, Guadeloupe, Haiti, and North Africa.

Jo Helstrom

Mrs. Helstrom is the former Chairperson of the Language Department of the public schools of Madison, New Jersey. She has taught French and Spanish at the junior and senior high school levels. For a number of years she was Lecturer in French at Douglass College, Rutgers, the State University of New Jersey, where she taught methods of teaching French. She has been a Field Consultant in Foreign Languages for the New Jersey State Department of Education and a member of the Executive Committee of the New Jersey Foreign Language Teacher's Association. Mrs. Helstrom was presented the New Jersey Foreign Language Teachers' Association Award for Outstanding Contribution to Foreign language Education. She is co-author of *La France: Une Tapisserie* and *La France: Ses Grandes Heures Littéraires.* She has studied at the Université de Paris and the Universidad Nacional de México and has traveled extensively in France, Mexico, Canada, Puerto Rico, and South America.

Contents

Révision *A* . . . **2**

    Structure   Les verbes réguliers au présent . . . **4**
                       Les verbes *aller* et *avoir* au présent . . . **7**
                       Le verbe *être* au présent . . . **8**

Révision *B* . . . **10**

    Structure   Les verbes *pouvoir* et *vouloir* au présent . . . **11**
                       Les verbes *faire* et *dire* au présent . . . **12**
                       Le partitif . . . **14**

Révision *C* . . . **16**

      Structure   Les verbes *sortir, partir, servir, dormir* au présent . . . **17**
                           Les verbes *prendre, apprendre, comprendre* au présent . . . **18**
                           Les verbes *écrire* et *lire* . . . **19**
                           Les compléments directs . . . **20**

Révision *D* . . . **24**

      Structure   Le passé composé des verbes réguliers . . . **25**
                           Les compléments indirects . . . **27**

Révision *E* . . . **30**

      Structure   Le passé composé des verbes irréguliers . . . **31**

Révision *F* . . . **34**

      Structure   Les verbes réfléchis au présent . . . **35**

Leçon *1* **Les jours de fête . . . 40**

      Structure   Révision des participes passés irréguliers . . . **44**
                           Révision des verbes réfléchis . . . **45**
                           Parce que et *à cause de* . . . **46**
      Conversation   Ce n'est pas tous les jours fête! . . . **47**
      Lecture culturelle   Les fêtes en France . . . **48**

Leçon **2** **Le Mont-Saint-Michel . . . 54**

Structure   Le passé composé avec *être* . . . **57**
                       D'autres verbes avec *être* . . . **59**
                       Descendre, monter et *sortir* avec *avoir* et *être* . . . **61**
Conversation   Un grand gigot! . . . **62**
Lecture culturelle   La Merveille de l'Occident . . . **63**

Leçon **3** **L'écologie . . . 70**

Structure   L'accord du participe passé avec les objets directs . . . **73**
Conversation   Un nid caché . . . **75**
Lecture culturelle   L'écologie en Alsace et en Picardie . . . **76**

Leçon **4** **Les Maghrébins . . . 82**

Structure   Des expressions interrogatives avec *qui, qu'est-ce qui* . . . **84**
                       Qui et *que* comme objet direct . . . **85**
                       Qui et *quoi* comme objet de préposition . . . **86**
                       L'accord du participe passé . . . **87**
Conversation   Des figues avec du café? . . . **88**
Lecture culturelle   Fille d'Algériens . . . **89**

Révision . . . **96**

Lectures culturelles supplémentaires
        L'histoire du Mont-Saint-Michel . . . **99**
        Un célèbre naturaliste . . . **100**

Leçon **5** | **La journée d'un lycéen . . . 102**

Structure   Le passé composé des verbes réfléchis . . . **104**
L'accord du participe passé avec les pronoms réfléchis . . . **106**
Expressions négatives au passé composé . . . **107**
Conversation   Elle n'a rien regardé . . . **109**
Lecture culturelle   Les activités des jeunes en semaine . . . **110**

Leçon **6** | **Chanteurs d'hier et d'aujourd'hui . . . 116**

Structure   L'imparfait . . . **120**
L'imparfait du verbe *être* . . . **122**
Les emplois de l'imparfait . . . **123**
Expressions négatives *ne...que* et *ne...ni...ni* . . . **124**
Conversation   Il n'y avait qu'un chanteur! . . . **125**
Lecture culturelle   La chanson française . . . **126**

Leçon **7** | **On mange bien en France . . . 132**

Structure   L'imparfait et le passé composé . . . **137**
Deux actions dans la même phrase . . . **139**
La formation des adverbes en *-ment* . . . **142**
Conversation   Un restaurant français . . . **143**
Lecture culturelle   Un voyage gastronomique . . . **143**

Leçon **8** | **L'Afrique noire francophone . . . 152**

Structure   Les verbes *suivre* et *vivre* . . . **155**
Depuis + le présent . . . **156**

Conversation   Tout le monde veut devenir docteur! . . . **158**
Lecture culturelle   L'Afrique francophone . . . **159**

Révision . . . **166**

Lectures culturelles supplémentaires
    Les loisirs des jeunes Français . . . **170**
    Le vieux Montmartre . . . **172**

Leçon **9**   **Un sculpteur imaginatif . . . 174**

Structure   Révision des expressions avec *avoir* . . . **176**
                 Le pronom *en* . . . **177**
                 En avec le passé composé et l'impératif . . . **179**
Conversation   La belle Vénus! . . . **181**
Lecture culturelle La Liberté éclairant le monde . . . **182**

Leçon **10**   **À l'hôtel . . . 188**

Structure   Le futur . . . **191**
                 Le pronom *en* avec des expressions de quantité . . . **193**
Conversation   À la réception d'un hôtel . . . **195**
Lecture culturelle Les hôtels en France . . . **196**

Leçon **11**   **On est en route . . . 202**

Structure   Le futur des verbes *avoir, savoir, faire, être* et *aller* . . . **206**
                 Si + le présent . . . **207**
                 Quand + le futur . . . **208**
Conversation   Trop vite? Pas moi! . . . **209**
Lecture culturelle Sur la route de Fontainebleau . . . **210**

Leçon **12** **Une lycéenne . . . 214**

Structure   Le futur des verbes *voir, envoyer, pouvoir, devoir, recevoir, vouloir, venir* . . . **216**
                   Personne ne, rien ne . . . **217**
                   Le pronom *y* . . . **218**
Conversation   Il sera ceinture noire! . . . **219**
Lecture culturelle Au lycée Carnot . . . **220**

Révision . . . **226**
Lecture culturelles supplémentaires
     Les activités sportives . . . **231**
     L'argot . . . **234**

Leçon **13** **Une île tropicale . . . 236**

Structure   Révision des pronoms *me, te, nous, vous* . . . **237**
                   Révision des pronoms *le, la, les, l'* . . . **238**
                   Deux pronoms compléments d'objet . . . **238**
                   Venir de . . . **240**
Conversation   Deux étudiants antillais . . . **242**
Lecture culturelle Un étudiant martiniquais . . . **243**

Leçon **14** **Téléviseur ou transistor?. . . 250**

Structure   Verbes irréguliers comme *traduire* . . . **252**
                   Révision des pronoms compléments *lui, leur* . . . **253**
                   Deux pronoms compléments d'objet: *le, la, les* et *lui, leur* . . . **254**
Conversation   On met la télé? . . . **256**
Lecture culturelle La télévision en France . . . **257**

Leçon *15* **Le système scolaire . . . 262**

Structure Les pronoms compléments à l'impératif affirmatif . . . **265**
Le conditionnel . . . **266**
Lecture culturelle Le système scolaire . . . **270**

Leçon *16* **À la banque . . . 276**

Structure Les pronoms avec l'infinitif . . . **279**
Les propositions avec *si* . . . **280**
Y et *en* à l'impératif . . . **282**
Conversation À la banque . . . **283**
Lecture culturelle Les dépenses des jeunes . . . **284**

Révision . . . **290**

Lectures culturelles supplémentaires
L'enseignement supérieur . . . **294**
La Martinique et la Guadeloupe . . . **296**

Leçon *17* **Haïti . . . 298**

Structure Le subjonctif . . . **301**
Verbes irréguliers au subjonctif: *dire, dormir, écrire, lire, partir, servir, sortir* . . . **303**
Lecture culturelle Je suis en Haïti! . . . **305**

Leçon	18	**Le téléphone . . . 312**

Structure	Le subjonctif des verbes *avoir, être, faire, aller* . . . **315**
	Le subjonctif avec des expressions de volonté . . . **316**
	Le subjonctif avec des expressions de jugement . . . **316**
Conversation	Un appel téléphonique . . . **317**
Lecture culturelle	L'emploi du téléphone . . . **318**

Leçon	19	**Les immeubles d'autrefois . . . 322**

Structure	Révision du comparatif et du superlatif de *bon* . . . **325**
	Le comparatif et le superlatif de *bien* . . . **325**
	Le subjonctif avec des expressions d'émotion . . . **326**
	Le subjonctif de *pouvoir, savoir, vouloir* et *venir* . . . **327**
Conversation	La musique des voisins . . . **328**
Lecture culturelle	Hôtels? Concierges? . . . **329**

Leçon	20	**La voiture . . . 336**

Structure	Le subjonctif des verbes *appeler, compléter, lever, prendre, boire, recevoir* . . . **338**
	Le subjonctif avec des conjonctions subordonnées . . . **339**
	Le subjonctif avec des expressions de doute . . . **341**
Conversation	Sans me vanter! . . . **343**
Lecture culturelle	En route! . . . **344**

Révision . . . **350**
Lectures culturelles supplémentaires
        La mode parmi les jeunes . . . **357**
        À la teinturerie . . . **359**

XVI

Leçon *21* **Chez le médecin . . . 360**

Structure   L'infinitif après les prépositions . . . **364**

Infinitif ou subjonctif . . . **365**

Les verbes irréguliers *offrir* et *ouvrir* . . . **367**

Conversation   Dans le cabinet du médecin . . . **368**

Lecture culturelle   Le système médical en France . . . **369**

Leçon *22* **Le savoir-vivre . . . 374**

Structure   Les interrogatifs indirects *ce qui* et *ce que* . . . **376**

Le pronom interrogatif *lequel* . . . **377**

Conversation   Une présentation . . . **378**

Lecture culturelle   La politesse française . . . **379**

Leçon *23* **À la ferme . . . 384**

Structure   Les pronoms démonstratifs . . . **388**

Expressions comme *demander à quelqu'un de* . . . **389**

Lecture culturelle   La vie à la campagne . . . **391**

Verbs . . . **398**

French-English Vocabulary . . . **405**

English-French Vocabulary . . . **417**

Index . . . **424**

Le monde du français

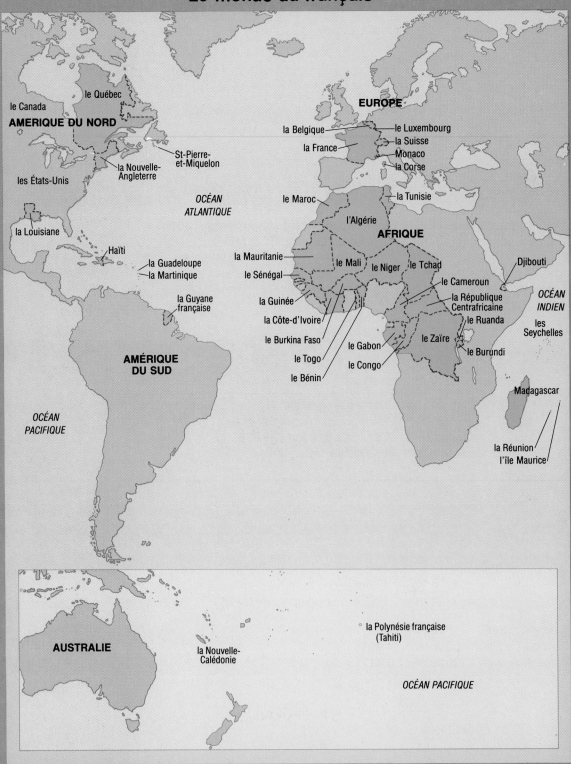

le Canada
le Québec
AMÉRIQUE DU NORD
St-Pierre-et-Miquelon
la Nouvelle-Angleterre
les États-Unis
la Louisiane
Haïti
la Guadeloupe
la Martinique
la Guyane française

AMÉRIQUE DU SUD

OCÉAN PACIFIQUE

OCÉAN ATLANTIQUE

EUROPE
la Belgique
le Luxembourg
la France
la Suisse
Monaco
la Corse
le Maroc
la Tunisie
l'Algérie
AFRIQUE
la Mauritanie
le Mali
le Niger
le Tchad
Djibouti
le Sénégal
le Cameroun
la Guinée
la République Centrafricaine
la Côte-d'Ivoire
le Ruanda
le Burkina Faso
le Zaïre
le Burundi
le Gabon
le Togo
le Congo
le Bénin

OCÉAN INDIEN

les Seychelles

Madagascar

la Réunion
l'île Maurice

AUSTRALIE
la Nouvelle-Calédonie
la Polynésie française (Tahiti)

OCÉAN PACIFIQUE

XVIII

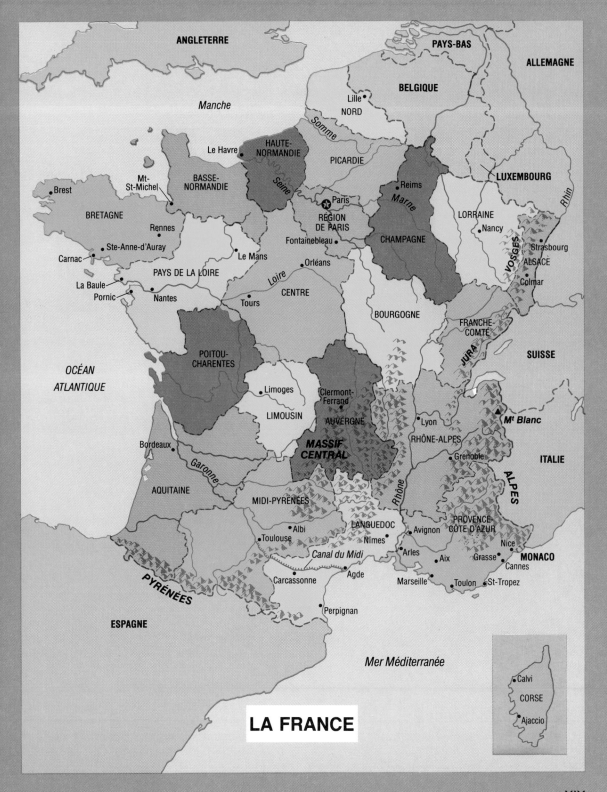

LA FRANCE

XIX

La rentrée des classes

ℛévision A

C'est aujourd'hui la rentrée des classes.
Ginette et Claude vont à l'école.

Ils descendent du bus.

Ginette et Claude arrivent à l'école à huit
  heures.

Les lycéens ne choisissent pas leurs cours.

Exercice 1   Répondez.

1. Quelle est la date aujourd'hui?
2. C'est la rentrée des classes?
3. Est-ce que les élèves vont à l'école?
4. Descendent-ils du bus devant l'école?
5. À quelle heure arrivent-ils à l'école?
6. Est-ce qu'ils choisissent leurs cours?

2

Salutations

Bonjour.
Salut.
Ça va?
Comment vas-tu?
Comment allez-vous?

Au revoir.
À bientôt.
À tout à l'heure.
À la prochaine.

Exercice 2 Salutations
Greet several classmates.
Use their French names.

Exercice 3 Au revoir
Bid farewell to several classmates.

Les verbes réguliers au présent

French verbs belong to a family, or conjugation. There are three conjugations of regular verbs. They are referred to as the **-er, -ir,** or **-re** verbs because their infinitive (for example, **parler, choisir, attendre**) ends in **-er, -ir,** or **-re.** Remember that French verbs change endings according to the subject. Review the present tense forms of regular verbs.

Infinitive	**parler**	**choisir**	**attendre**
Stem	parl	chois	attend
Present tense	je parl<u>e</u>	je chois<u>is</u>	j'attend<u>s</u>
	tu parl<u>es</u>	tu chois<u>is</u>	tu attend<u>s</u>
	il/elle parl<u>e</u>	il chois<u>it</u>	il attend
	nous parl<u>ons</u>	nous chois<u>issons</u>	nous attend<u>ons</u>
	vous parl<u>ez</u>	vous chois<u>issez</u>	vous attend<u>ez</u>
	ils/elles parl<u>ent</u>	ils chois<u>issent</u>	ils attend<u>ent</u>

Remember that if a verb begins with a vowel or a silent **h, je** becomes **j'.**

J'arrive.   J'habite.   J'entends.   J'attends.

Remember, too, that there is a liaison with **nous, vous, ils,** and **elles.**

Nous͜arrivons.   Ils͜entendent la question.
Vous͜habitez.   Elles͜attendent le bus.

4

Exercice 4 **Personnellement**
Répondez.

1. À quelle heure arrives-tu à l'école?
2. Est-ce que tu aimes la classe de français?
3. Les élèves travaillent beaucoup dans la classe de français?
4. Est-ce que vous parlez beaucoup dans la classe?
5. Vous parlez bien le français?
6. Est-ce que le professeur chante des chansons françaises?
7. Donne-t-il (Donne-t-elle) beaucoup de travail?
8. Tu prépares tes leçons à la maison?

Exercice 5 **Quel cours est-ce qu'on choisit?**

Suzanne? Les maths?
Oui, Suzanne choisit les maths.

1. Robert? La biologie?
2. Moi? L'histoire?
3. Claude et Ginette? L'anglais?
4. Nous? Le français?
5. Toi? L'espagnol?
6. Henriette? La géographie?

Exercice 6 Le grand casse-cou

Complétez.

Richard _____ (décider) d'aller faire du ski. Il m'_____ (inviter) à aller avec lui. Comme j'_____ (aimer) beaucoup faire du ski, je _____ (décider) d'aller avec lui.

Nous _____ (attendre) le téléski et en quelques minutes nous sommes au sommet de la montagne. Richard _____ (choisir) une piste difficile.

— Richard, je t'en prie. Pour notre première descente, pourquoi ne _____-nous (choisir) pas une piste plus facile?

— Non, non. Je _____ (descendre) toujours les pistes difficiles.

— D'accord!

Nous _____ (descendre) ensemble. Tout de suite notre «champion» _____ (perdre) un bâton et _____ (tomber) dans la neige. Deux moniteurs _____ (arriver). Ils _____ (descendre) avec Richard et moi, je _____ (descendre) tout seul.

Le ski à Valmore

Les verbes *aller* et *avoir* au présent

Review the present tense forms of the irregular verbs **aller** and **avoir**.

Infinitive	aller	avoir
Present tense	je vais	j'ai
	tu vas	tu as
	il/elle va	il a
	nous allons	nous avons
	vous allez	vous avez
	ils/elles vont	ils ont

Remember that the verb **aller** in French is used to express how one feels.

Comment vas-tu (allez-vous)?   **Je vais bien, merci.**

The verb **avoir** is also used to express age.

Quel âge as-tu (avez-vous)?   **J'ai seize ans.**

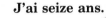

Exercice 7   Pratiquez la conversation.

Paul   Salut, René! Comment vas-tu?
René   Je vais bien, merci. Et toi?
Paul   Pas mal.
René   Paul, tu as une sœur, n'est-ce pas?
Paul   Oui, j'ai une sœur. Elle va à notre école.
René   Qui est ta sœur?
Paul   Adrienne.
René   Adrienne est ta sœur? Elle est dans ma classe de français. Elle est très sympa.

Exercice 8   Personnellement
Répondez.

1. Quel âge as-tu?
2. Combien de frères as-tu?
3. Quel âge ont-ils?
4. Combien de sœurs as-tu?
5. Quel âge ont-elles?
6. Avez-vous un chat ou un chien?
7. À quelle école vas-tu?
8. Vas-tu à l'école avec tes amis?
9. Allez-vous à l'école à pied ou en bus?

Exercice 9 La famille Leclerc
Complétez.

Voici la famille Leclerc. Monsieur et Madame Leclerc _____ deux enfants, Claude et Irène. Claude _____ quinze ans et Irène _____ dix-sept ans. Claude et Irène _____ à la même école. Ils _____ à une école secondaire à Boston.

Le verbe *être* au présent

Review the forms of the irregular verb **être** in the present tense.

Infinitive	être
Present tense	je suis
	tu es
	il/elle est
	nous sommes
	vous êtes
	ils/elles sont

Exercice 10 Personnellement
Répondez.

1. Tu es américain(e) ou français(e)?
2. Tu es brun(e) ou blond(e)?
3. Tu es un(e) ami(e) de _____ ?
4. Vous êtes élèves?
5. Dans quelle école êtes-vous élèves?
6. Vous êtes maintenant dans la classe de français?
7. Est-ce que le français est facile ou difficile?
8. Les élèves de français sont intelligents?

Activités

1 It's the first Friday after the opening of school. A few friends are getting together at René's house. Say all you can about what they are doing. To refresh your memory, here are some expressions you may want to use: **aller chez René, donner une surprise-partie, inviter des amis, préparer des sandwiches, écouter des disques, chanter, danser, parler avec des amis, parler des vacances.**

2 Write a letter to a pen pal. Tell him or her:

- who you are
- where you live
- how many people there are in your family
- where you go to school
- some of the things you like to do

3 Voici la famille Dejarnac et un plan de leur appartement. Ils habitent Paris. Décrivez la famille et leur appartement.

Révision B

Vive le week-end!

Roger	Thérèse, tu veux aller au match de football samedi?
Thérèse	Je veux bien mais je ne peux pas.
Roger	Pourquoi pas? Tu aimes bien le football.
Thérèse	Oui, c'est vrai, mais je vais rendre visite à ma sœur.
Roger	Ta sœur? Où habite-t-elle?
Thérèse	Elle habite à Québec. Elle fait ses études universitaires à Laval.

Exercice 1 Choisissez.

1. Qu'est-ce qu'il y a samedi?
   - a. Il y a une fête à l'Université Laval.
   - b. Il y a un match de football.
   - c. Roger va donner une surprise-partie.

2. Est-ce que Thérèse veut aller au match?
   - a. Non, elle ne veut pas aller au match.
   - b. Non, mais sa sœur veut aller au match.
   - c. Oui, elle veut aller au match mais elle ne peut pas.

3. Pourquoi ne peut-elle pas aller au match?
   - a. Elle va chez sa sœur.
   - b. Parce qu'il n'y a pas de match.
   - c. Parce qu'elle n'aime pas le football.

4. Où est la sœur de Thérèse?
   - a. Thérèse n'a pas de sœur.
   - b. Elle est chez elle.
   - c. Elle est à Québec.

5. Qu'est-ce qu'elle fait à Québec?
   - a. Elle étudie à l'Université Laval.
   - b. Elle travaille.
   - c. Elle joue au football.

Les verbes *pouvoir* et *vouloir* au présent

Review the forms of the present tense of the irregular verbs **pouvoir** and **vouloir**.

Infinitive	pouvoir	vouloir
Present tense	je peux	je veux
	tu peux	tu veux
	il/elle peut	il veut
	nous pouvons	nous voulons
	vous pouvez	vous voulez
	ils/elles peuvent	ils veulent

Note that the verbs **pouvoir** and **vouloir** are frequently followed by an infinitive.

Je veux danser.
Tu peux aller à la fête.

Exercice 2 Tu ne peux pas. C'est dommage!
Répondez d'après le modèle.

Tu veux aller au concert?
Je veux bien. Mais je ne peux pas. J'ai
beaucoup de travail à faire.

1. Tu veux jouer au tennis?
2. Henri veut aller au match?
3. Henri et Paul veulent aller à la fête?
4. Vous voulez aller au cinéma?
5. Ginette veut dîner avec nous?
6. Tu veux partir en vacances?

Les verbes *faire* et *dire* au présent

Review the present tense forms of the verbs **faire** and **dire.** Pay particular attention to the **vous** and **ils/elles** forms.

Infinitive	faire	dire
Present tense	je fais	je dis
	tu fais	tu dis
	il/elle fait	il dit
	nous faisons	nous disons
	vous faites	vous dites
	ils/elles font	ils disent

Remember that the verb **faire** is used in many idiomatic expressions. An idiomatic expression is one that does not translate directly from one language to another. The expression **faire des courses** is an example. It is an idiomatic expression because in French the verb **faire** is used whereas in English we would use the verb *to go*. The verb **faire** is also used with school subjects.

> **Je fais du français et des maths.**

Remember, too, that the verb **faire** is used in French for many weather expressions.

> **En été il fait beau et il fait chaud.**
> **En hiver il fait mauvais et il fait froid.**

Exercice 3 Complétez la conversation.

Qu'est-ce que vous _____? **dire**
Nous _____ que nous _____ fatigués. **dire, être**
Bien sûr vous _____ fatigués. Vous _____ trop de choses. **être, faire**

Exercice 4 Pardon?

Répondez d'après le modèle.

Pardon? Qu'est-ce que tu dis?
Je dis que je fais attention.

1. Pardon? Qu'est-ce que tu dis?
2. Pardon? Qu'est-ce qu'Étienne dit?
3. Pardon? Qu'est-ce qu'elle dit?
4. Pardon? Qu'est-ce que vous dites?
5. Pardon? Qu'est-ce que Paul et Richard disent?

Exercice 5 On fait les courses.

Répondez d'après le modèle.

Tu aides ta mère?
Oui, je fais les courses.

1. Diana aide sa mère?
2. René aide sa mère?
3. Vous aidez votre mère?
4. Tes amis aident leur mère?
5. Olivier aide sa mère?

Exercice 6 Personnellement

Répondez.

1. Tu nages en été quand il fait chaud?
2. Tu skies en hiver quand il fait froid?
3. Tu vas à la plage quand il fait beau?
4. Tu restes à la maison quand il fait mauvais?

Le partitif

In French the definite article (**le, la, l', les**) is used when speaking of a specific object.

La salade est dans la cuisine.

The definite article is also used when speaking about a noun in the general sense.

Moi, j'aime beaucoup le chocolat.   *I like chocolate. (in general)*

However, when only a part or a certain quantity of the item is referred to, the partitive construction is used. The partitive is expressed in French by **de** plus the definite article.

de + le = du	**J'ai du pain.**
de + la = de la	**J'ai de la crème.**
de + l' = de l'	**J'ai de l'argent.**
de + les = des	**J'ai des légumes.**

When the partitive follows a verb in the negative, **du, de la, de l',** and **des** all become **de (d')**.

Affirmative	*Negative*
J'ai du pain.	**Je n'ai pas de pain.**
J'ai de la crème.	**Je n'ai pas de crème.**
J'ai de l'argent.	**Je n'ai pas d'argent.**
J'ai des légumes.	**Je n'ai pas de légumes.**

Exercice 7 Répondez d'après le modèle.

Le dessert?
Moi, j'aime beaucoup le dessert.
Mais je ne mange pas de dessert.
Si je mange du dessert, je grossis.

1. Le dessert?
2. Le chocolat?
3. Les glaces?
4. Les bonbons?
5. Les gâteaux?

Exercice 8 Qu'est-ce que tu étudies?

le latin / le français
Je ne fais pas de latin. Je fais du français.

1. la chimie / la biologie
2. l'algèbre / la géométrie
3. l'histoire européenne / l'histoire américaine
4. la guitare / le piano

Lycée Henri IV
EMPLOI DU TEMPS — Anne Thevenet

	Lundi	Mardi	Mercredi	Jeudi	Vendredi	Samedi
8½ h	Maths					
9½ h			Maths			
10½ h	Chimie	Français			Histoire	Anglais
11½ h	Anglais	Chimie	Education physique	Chimie	Géographie	Français
13½ h			Géographie	Anglais	Espagnol	Latin
14½ h	Education physique	Histoire			Chimie	Maths
15½ h	Espagnol	Géographie		Maths	Français	
		Latin			Latin	

1 Here's Anne Thevenet's school schedule. Tell what school she goes to and what subjects she is taking this year. Also tell what days each class meets.

2 Une interview

Tell some of the things you like to do over the weekend. Here are some expressions you may want to use: **aller au cinéma, aller voir un match de football, jouer au football, discuter (parler) avec des amis, dîner dans un restaurant, aller à une surprise-partie, écouter des disques, aller dans une disco, faire des courses, faire du sport.**

3 Complete the following little conversation, giving as many reasons as you can think of that make sense.

— Veux-tu venir avec nous?
— Ah, oui. Je veux bien mais je ne peux pas parce que je …

Révision C

Un voyage en train

Alain	Charles me dit que tu vas au Canada.
Thérèse	Oui, je pars vendredi après les classes.
Alain	Tu vas au Canada en voiture?
Thérèse	Non. Je prends le train. Je vais rendre visite à ma sœur. Tu la connais, n'est-ce pas?
Alain	Ta sœur Sophie? Oui, je la connais bien.

Exercice 1 Choisissez.

1. Qui va au Canada?
   a. Thérèse
   b. Sophie
   c. le train

2. Quand part-elle?
   a. en train
   b. vendredi
   c. avec Alain

3. Comment va-t-elle au Canada?
   a. pour rendre visite à sa sœur
   b. après les classes
   c. en train

4. Qu'est-ce qu'elle prend?
   a. le train
   b. la voiture
   c. sa sœur

5. Est-ce qu'Alain connaît la sœur de Thérèse?
   a. Oui, elle le connaît.
   b. Oui, il connaît Sophie.
   c. Oui, il connaît bien le Canada.

Les verbes *sortir, partir, servir, dormir* au présent

Review the following forms of the present tense of these irregular verbs.

sortir	partir	servir	dormir
je sors	je pars	je sers	je dors
tu sors	tu pars	tu sers	tu dors
il sort	il part	il sert	il dort
nous sortons	nous partons	nous servons	nous dormons
vous sortez	vous partez	vous servez	vous dormez
ils sortent	ils partent	ils servent	ils dorment

Remember that the verb **sortir** when used alone means *to go out.* **Sortir de** means *to leave* in the sense of to get out of a place. When **sortir** is followed by an object it means *to take out.*

> **Je sors toujours avec mes amis.**
> **Le train sort de la gare.**
> **Le passager sort son billet de sa poche.**

The verb **partir** means *to leave a place* or *to leave for a place.*

> **Elle part de New York à dix-huit heures.**
> **Elle part pour Montréal.**

Exercice 2 Un voyage en train
Complétez.

1. Vous _____ ce week-end? **partir**
2. Oui, nous _____ vendredi soir pour le Canada. **partir**
3. Notre train _____ à dix-huit heures. **partir**
4. À quelle heure _____-tu de ton bureau? **sortir**
5. Moi, je _____ à cinq heures, et Philippe _____ à cinq heures et demie. **sortir, sortir**
6. Alors, vous n'avez pas le temps de dîner. Mais on _____ le dîner dans le wagon-restaurant, n'est-ce pas? **servir**
7. Oui, on _____ le dîner dans le train. **servir**
8. Malheureusement, notre train n'a pas de wagons-lits. Moi, je _____ très bien dans le train, mais le pauvre Philippe ne _____ pas du tout. **dormir, dormir**

Les verbes *prendre, apprendre, comprendre* au présent

Review the present tense forms of these irregular verbs.

prendre	apprendre	comprendre
je prends	j' apprends	je comprends
tu prends	tu apprends	tu comprends
il prend	il apprend	il comprend
nous prenons	nous apprenons	nous comprenons
vous prenez	vous apprenez	vous comprenez
ils prennent	ils apprennent	ils comprennent

Exercice 3 Personnellement
Répondez.

1. Est-ce que tu apprends beaucoup dans la classe de français?
2. Tes amis apprennent beaucoup aussi?
3. Est-ce que vous apprenez à parler?
4. Vous apprenez à lire et à écrire aussi?
5. Tu comprends bien le français?
6. Et tes amis comprennent bien aussi?

Exercice 4 Au café
Complétez avec le verbe *prendre*.

Qu'est-ce qu'on _____ ?
Gilbert _____ de l'eau minérale.
Gilbert, tu _____ de l'eau plate ou de l'eau gazeuse?
De l'eau minérale gazeuse.
René et Suzanne _____ un coca.
Thérèse et moi, nous _____ un citron pressé.
Monsieur, nous _____ une eau minérale gazeuse,
   deux cocas et deux citrons pressés, s'il vous plaît.

18

Les verbes *écrire* et *lire*

Review the present tense forms of these irregular verbs.

Infinitive	écrire	lire
Present tense	j'écris	je lis
	tu écris	tu lis
	il écrit	il lit
	nous écrivons	nous lisons
	vous écrivez	vous lisez
	ils écrivent	ils lisent

Exercice 5 On lit ou on écrit?

Je / un livre
Je lis un livre. Je n'écris pas de livre.

1. Je / un roman
2. Nous / une lettre
3. Ils / une carte postale
4. Jean / un bouquin
5. Tu / un journal

Les compléments directs

A pronoun is a word that replaces a noun. A direct object is the word in the sentence that receives the action of the verb. Very often a pronoun is used as the direct object of a sentence. The pronoun must agree with the noun it replaces. Observe the following examples.

	Negative	*Affirmative*
Marie regarde le livre.	**Elle ne le lit pas.**	**Elle le regarde.**
Marie regarde la carte.	**Elle ne la lit pas.**	**Elle la regarde.**
Marie regarde les livres.	**Elle ne les lit pas.**	**Elle les regarde.**
Marie regarde les cartes.	**Elle ne les lit pas.**	**Elle les regarde.**

Note that the direct object pronoun comes immediately before the conjugated form of the verb.

If, however, the pronoun is the direct object of an infinitive, the pronoun precedes the infinitive. Observe the following examples.

Marie regarde le livre.	**Elle va l'acheter.**
Marie regarde la carte.	**Elle va l'acheter.**
Marie regarde les livres.	**Elle va les acheter.**
Marie regarde les cartes.	**Elle va les acheter.**

Note, too, that **le** and **la** become **l'** before a vowel or a silent **h**.

The pronouns **me, te, nous,** and **vous** can be used either as direct or indirect object pronouns.

Richard te regarde? Oui, il me regarde.
Il te donne le livre? Oui, il me donne le livre.

Exercice 6   Thérèse prend le train.
Répondez avec *le, la, l'* ou *les.*

1. Thérèse prend *le train?*
2. Elle achète *son billet* au guichet?
3. Elle attend *le train* dans la salle d'attente?
4. Dans le train, elle trouve *sa place* sans difficulté?
5. Le contrôleur poinçonne *les billets?*
6. Elle lit *le journal* pendant le voyage?

Exercice 7 Complétez.

Marie   Ginette, Richard _____ cherche.

Ginette   Richard _____ cherche? Qu'est-ce qu'il veut?

Marie   Il veut _____ dire quelque chose.

Ginette   Qu'est-ce qu'il veut _____ dire? Tu sais, je suis un
peu fâchée avec lui.

Marie   Ah, oui. Je le sais. Mais il _____ adore et je
sais que tu _____ adores aussi.

Ginette   Ah, oui, oui. Qu'est-ce qu'il est adorable!

Richard   Ginette, je veux _____ parler. Marie _____ invite, toi et moi,
chez elle ce soir.

Ginette   Marie, c'est vrai? Tu _____ invites chez toi?

Marie   Oui, je _____ invite. Je vais _____ préparer un bon
dîner et après le dîner je _____ invite à aller avec Gilbert et
moi au cinéma.

Activités

1 Thérèse is at the railroad station. What are some of the things she does at the train station? Here are some expressions you may want to use:

arriver à la gare
descendre du taxi

aller au guichet
acheter son billet
un aller
un billet aller et retour

regarder l'horaire
attendre le train
la salle d'attente

ARRIVÉES

DÉPARTS

TAXI

partir de la voie 5
aller sur le quai

2 Voici une réservation pour le train.
Répondez aux questions.

- Quel est le numéro du train?
- Quel est le numéro de la voiture?
- De quelle ville part le train?
- Où va le train?

- À quelle gare arrive le train?
- Quel est le prix du billet?
- Est-ce que c'est pour la section fumeurs ou non-fumeurs?

SNCF		Réservation classe 2

Départ	17.00 LYON PART DIEU	Train	628 TGV	Voiture 07
Arrivée	19.10 PARIS GARE DE LYON	01 Places	73	

Date   LE 02.10.83

8713606385 Particularités SALLE NON FUMEURS
03   1COULOIR
    007036
YON PART DI
2.10.83   08

Prestations   Réduction Nombre

ASSISE   00 01
SUPPLEMENT   00 01

Prix

F****45,00 *

16 0015 17900752

Révision D — Les jeux vidéo

Qu'est-ce que Luc a fait hier?
Hier Luc a passé quelques heures à la
    Samaritaine.
Il a regardé des machines à jeux vidéo.
Il a acheté une machine.
Ensuite il a choisi deux cassettes.

Il a invité des amis chez lui.
Ils ont joué aux *Envahisseurs de l'espace*.
Luc n'a pas gagné?
Non, il a perdu.
Caroline a gagné.

Exercice 1   Répondez.

1. Où est-ce que Luc a passé quelques heures hier?
2. Qu'est-ce qu'il a regardé?
3. Il a acheté une machine à jeux vidéo?
4. Qu'est-ce qu'il a choisi?
5. Il a invité des amis chez lui?
6. À quoi ont-ils joué?
7. Qui a perdu?
8. Qui a gagné?

Expressions de temps

aujourd'hui	hier
ce soir	hier soir
demain	avant-hier
la semaine prochaine	la semaine dernière (passée)
l'année prochaine	l'année dernière

Le passé composé des verbes réguliers

The **passé composé** is used in French to express an action completed sometime in the past. The **passé composé** of most French verbs is formed by using the present tense of the verb **avoir** and the past participle. Review the formation of the past participle of regular verbs.

Infinitive	parler	choisir	perdre
Stem	parl	chois	perd
Past participle	parlé	choisi	perdu

Now review the **passé composé** of regular French verbs.

parler	choisir	perdre
j'ai parlé	j'ai choisi	j'ai perdu
tu as parlé	tu as choisi	tu as perdu
il a parlé	il a choisi	il a perdu
nous avons parlé	nous avons choisi	nous avons perdu
vous avez parlé	vous avez choisi	vous avez perdu
ils ont parlé	ils ont choisi	ils ont perdu

In the negative the **ne... pas** encloses the verb **avoir.**

Je n'ai pas parlé au téléphone.
Henri n'a pas choisi cette machine.
Mes amis n'ont pas perdu leur temps.

Note that the past participles of the verbs **faire** and **être** are irregular.

faire	fait
être	été

Exercice 2 Qu'est-ce que tu as fait hier?
Répondez avec *oui* ou *non*.

Tu as joué au *Pac-man*?
Oui, j'ai joué au Pac-man.

ou

Non, je n'ai pas joué au Pac-man.

1. Tu as parlé avec tes amis?
2. Tu as aidé tes parents?
3. Tu as invité des amis chez toi?
4. Tu as écouté des disques?
5. Tu as regardé la télé?
6. Tu as acheté une machine à jeux vidéo?

7. Tu as joué aux *Envahisseurs de l'espace*?
8. Tu as choisi une nouvelle chemise?
9. Tu as fini tous tes devoirs?
10. Tu as perdu au jeu vidéo?
11. Tu as rendu visite à tes grands-parents?

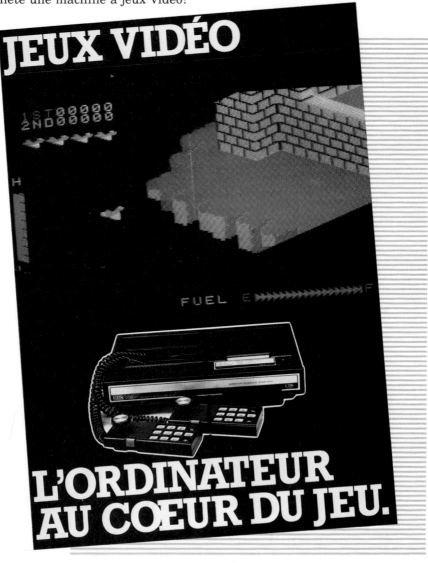

26

Exercice 3   Personnellement
Répondez.

1. Hier soir, as-tu dîné avec ta famille?
2. Avez-vous bien mangé?
3. Qui a préparé le dîner?
4. As-tu aidé tes parents dans la cuisine?
5. Est-ce que le téléphone a sonné?
6. Combien de fois le téléphone a-t-il sonné?
7. Tu as répondu au téléphone?
8. Tes amis t'ont téléphoné?
9. Tu as fait tes devoirs?
10. Tu as fini tout ton travail?
11. Tu as bien dormi?
12. Tes parents ont bien dormi aussi?

Les compléments indirects

We have already reviewed the pronouns **me, te, nous,** and **vous,** which can be used either as direct or indirect object pronouns.

The pronouns **le, la, l',** and **les** can be used as direct object pronouns only. The indirect object pronouns are **lui** and **leur.** Remember that the indirect object of the sentence is the indirect receiver of the action of the verb. Let's analyze the following sentence.

Jean a envoyé une lettre à Suzanne.

What John actually sent is the direct object of the sentence. The person to whom John sent the letter is the indirect object. What is the direct object of the above sentence? What is the indirect object of the above sentence?

Review the following indirect object pronouns.

Marie a donné un cadeau à Jean.	**Marie lui a donné un cadeau.**
Jean a donné un cadeau à Marie.	**Jean lui a donné un cadeau.**
Jean a donné un cadeau à ses amis.	**Jean leur a donné un cadeau.**
Marie a donné un cadeau à ses amies.	**Marie leur a donné un cadeau.**

Exercice 4   Répondez avec *lui* ou *leur.*

1. Hier soir, tu as parlé *à Jean*?
2. Tu as parlé *à Marie* aussi?
3. Tu *leur* as parlé en anglais ou en français?
4. Tu as donné des cadeaux *à Jean et à Marie*?
5. Tu as donné un cadeau *à Jean*?
6. Tu as donné un cadeau *à Marie*?
7. Tu as donné le même cadeau *à Jean et à Marie*?

ⒶActivités

1 Vendredi soir Michel a donné une surprise-partie. Il a invité beaucoup d'amis chez lui. Qu'est-ce qu'ils ont fait pendant la surprise-partie?

28

2 Luc a passé toute la journée à la Samaritaine. Qu'est-ce qu'il a fait? Employez les expressions suivantes: **chercher le rayon des jeux vidéo, regarder des machines à jeux vidéo, attendre la vendeuse, parler avec la vendeuse, choisir une cassette, demander le prix, acheter la cassette, payer à la caisse.**

3 Complétez la conversation entre Luc et son ami au passé composé.

— Luc, qu'est-ce que tu _____ ? **acheter**

— Regarde! J'_____ une cassette. **acheter**

— C'est extra! Elle t'_____ combien?
  coûter

— Oh, elle m'_____ très peu. **coûter**

— Non! Dis-moi! Tu _____ combien? **payer**

— J'_____ quarante francs. **payer**

— Pas mal, ça!

Révision E Les vacances d'été

Carole habite Lexington dans le Massachusetts.
Elle a reçu une lettre de son amie française.

Paris, le 17 septembre 19___

Chère Carole,

Je ne peux pas le croire. Les vacances sont finies. Demain c'est la rentrée des classes en France. Mais je suis contente. J'ai passé des vacances superbes au bord de la mer. Il a fait très beau et je suis très bronzée. J'ai beaucoup nagé, et j'ai appris à faire de la planche à voile. Tu as déjà fait de la planche à voile? Je trouve ça très amusant et pas trop difficile. Pendant l'été j'ai rencontré beaucoup de jeunes de toute la France. J'espère les revoir l'année prochaine. Didier et Geneviève Debussy habitent Lille. Lille n'est pas très loin de Paris. Ils vont me rendre visite pendant l'hiver.
Carole, tu ne m'as pas écrit depuis longtemps. J'ai reçu ta lettre du quinze juin, mais je n'ai rien reçu pendant l'été. J'espère que tout va bien et je voudrais bien avoir de tes nouvelles.

Bien affectueusement,

Françoise

Exercice 1 Répondez.

1. Qui a écrit la lettre?
2. Qui a reçu la lettre?
3. Est-ce que Françoise a passé de bonnes vacances?
4. Où est-ce qu'elle a passé l'été?
5. Pourquoi est-elle très bronzée?
6. Qu'est-ce qu'elle a appris au bord de la mer?
7. Est-ce que tu as fait de la planche à voile?
8. Est-ce que Françoise a fait la connaissance de jeunes gens au bord de la mer?
9. Qui va rendre visite à Françoise pendant l'hiver?
10. Est-ce que Françoise a reçu beaucoup de lettres de Carole?

Le *passé composé* des verbes irréguliers

Quite a few verbs in French have irregular past participles. Note, however, that most of the irregular past participles end in the **i** or **u** sound of regular **-ir** and **-re** verbs. Here is a list of important verbs with irregular past participles. Review them carefully.

mettre	**mis**	**dire**	**dit**
promettre	**promis**	**écrire**	**écrit**
prendre	**pris**	**faire**	**fait**
apprendre	**appris**		
comprendre	**compris**		
recevoir	**reçu**		
boire	**bu**		
avoir	**eu**		
lire	**lu**		
connaître	**connu**		

The following verbs also have irregular past participles but these verbs are used less often in the **passé composé**.

croire	**cru**	**pouvoir**	**pu**
savoir	**su**	**vouloir**	**voulu**

Exercice 2 Personnellement

Répondez.

1. Pendant l'été, as-tu fait la connaissance d'une fille ou d'un garçon?
2. As-tu lu beaucoup de livres?
3. As-tu pris des bains de soleil?
4. As-tu appris à faire de la planche à voile ou du ski nautique?
5. As-tu reçu ou as-tu écrit beaucoup de lettres?

Exercice 3 Complétez l'histoire.

Hier les élèves de la classe de français de Mme Benoît _____ (lire) une lettre.
Ils _____ (recevoir) la lettre d'un garçon qui habite Paris. Il s'appelle Éric Lyauty.
Tout le monde _____ (comprendre) la lettre sans difficulté. Éric leur écrit qu'il
_____ (passer) des vacances superbes au bord de la mer. Il dit qu'il _____
(apprendre) à faire de la planche à voile. Il _____ (promettre) de leur écrire
encore.

Activités

1 La classe de Mme Benoît a reçu une lettre d'Éric Lyauty. Voici l'enveloppe de sa lettre.

- Combien de timbres a-t-il mis sur la lettre?
- Combien est-ce qu'il a payé pour envoyer la lettre?
- Quelle est son adresse?
- Quel est son code postal?

EXPÉDITEUR :

Nom — Eric Lyauty

Adresse — 14, rue Lamartine
71100 Chalon-sur-Saône

PAR AVION

AÉROGRAMME

M — La classe de Mme Benoît
Jefferson High School
Centerville, Vermont 02740
U. S. A.

2 Répondez à la lettre de Françoise. Dites-lui tout ce que vous avez fait pendant vos vacances d'été.

F Le camping

Charles	Guillaume, tu fais beaucoup de camping, n'est-ce pas?
Guillaume	Ah, oui. Je m'amuse bien quand je fais du camping.
Charles	Je n'ai jamais fait de camping. Qu'est-ce que tu fais? Tu montes une tente?
Guillaume	Oui, et le soir je m'endors tout de suite sous la tente.
Charles	Tu as un lit?
Guillaume	Non, non. Je me couche dans un sac de couchage.
Charles	Et pendant la journée, qu'est-ce que tu fais?
Guillaume	Je me lève toujours avec le soleil. Je me promène dans les bois, je nage, je joue au volley-ball ou je bronze au soleil. Mais il y a une chose que je ne fais pas—je ne me rase jamais!

Exercice 1 Guillaume fait beaucoup de camping.
Qu'est-ce qu'il fait et qu'est-ce qu'il ne fait pas?

1. Il se rase *tous les jours*.
2. Il s'amuse quand il fait *ses devoirs*.
3. *Après une heure* sous la tente, il s'endort.
4. Il se couche *dans un grand lit*.
5. Il se couche *dans la caravane*.
6. Il se promène *sur la plage*.
7. Il bronze *dans les bois*.

Les verbes réfléchis au présent

Observe and compare the following sentences.

Hélène lave la voiture.

Hélène se lave.

Elle habille le bébé.

Elle s'habille.

Elle regarde son ami.

Elle se regarde.

Note that in the sentences in the first column Hélène is doing something to someone or something else. She is performing the action of the verb on someone or something. In the sentences in the second column Hélène herself is the receiver of the action of the verb. She both executes and receives the action of the verb. For this reason the pronoun **se** must be used. **Se** refers to Hélène and is called a reflexive pronoun. This pronoun indicates that the action of the verb is reflected back to the subject.

Review the forms of reflexive verbs. Remember that a reflexive pronoun accompanies each subject pronoun.

Infinitive	se coucher	se laver
Present tense	je me couche	je me lave
	tu te couches	tu te laves
	il se couche	il se lave
	elle se couche	elle se lave
	nous nous couchons	nous nous lavons
	vous vous couchez	vous vous lavez
	ils se couchent	ils se lavent
	elles se couchent	elles se lavent

You have already learned these other important verbs that are used reflexively:

se raser   **se demander**
se brosser   **se dépêcher**
s'habiller   **s'amuser**
se réveiller   **s'arrêter**

Pay particular attention to the spelling changes in the following verbs.

s'appeler	se lever	se promener
je m'appelle	je me lève	je me promène
tu t'appelles	tu te lèves	tu te promènes
il s'appelle	il se lève	il se promène
nous nous appelons	nous nous levons	nous nous promenons
vous vous appelez	vous vous levez	vous vous promenez
ils s'appellent	ils se lèvent	ils se promènent

Remember, too, that the verb **s'endormir** is conjugated like the verb **dormir: je m'endors, nous nous endormons.**

36

Exercice 2 Mes activités quotidiennes
Répondez personnellement.

1. Tu te lèves à quelle heure?
2. Tu te brosses les dents?
3. Tu te laves la figure?
4. Tu t'habilles dans ta chambre ou dans la salle de bains?
5. Le matin, tu te dépêches?
6. Tu te couches à quelle heure?
7. Tu t'endors tout de suite?

Exercice 3 Tout le monde se lève à la même heure.
Suivez le modèle.

Vous?
Nous nous levons à sept heures.

1. Ton frère et toi?
2. Toi?
3. Ta sœur?
4. Tes parents?
5. Toute la famille?

Exercice 4 La matinée d'Anne

Complétez.

Bonjour! Je _____ (s'appeler) Anne. Mon frère _____ (s'appeler) Antoine. Lui et moi, nous _____ (se lever) à sept heures du matin. Quand je _____ (se lever), je vais tout de suite à la salle de bains. Dans la salle de bains, je _____ (se laver), je _____ (se brosser) les dents et je _____ (se peigner). Le matin je _____ (se dépêcher). Je ne reste pas longtemps dans la salle de bains. Je sors et tout de suite mon frère entre dans la salle de bains. Il _____ (se laver), il _____ (se brosser) les dents et il _____ (se raser).

À quelle heure est-ce que tu _____ (se lever) le matin? Tu as le même problème que nous? Est-ce que tu _____ (se dépêcher) pour arriver à l'école à l'heure?

Note

Many French verbs can be used either with or without a reflexive pronoun. Often the reflexive pronoun gives a different meaning to the verb. Note the following.

Elle appelle Richard.	*She calls Richard.*
Elle s'appelle Anne.	*Her name is Anne. (She calls herself Anne.)*
Elle amuse ses amis.	*She amuses her friends.*
Elle s'amuse.	*She has a good time. (She enjoys herself.)*
Elle couche le bébé.	*She puts the baby to bed.*
Elle se couche.	*She goes to bed.*

Exercice 5 Suivez le modèle.

Ils se regardent?
Non, ils ne se regardent pas.
Ils regardent le bébé.

1. Ils se lavent?
2. Ils se couchent?

3. Ils s'habillent?
4. Ils s'amusent?

Activités

1 La famille de Colette fait du camping. Ils s'amusent bien. Décrivez leurs activités. Voici quelques expressions qui peuvent vous aider: **choisir un terrain de camping, monter une tente, se promener, porter un sac à dos, faire du pédalo, bronzer, nager, se coucher par terre, dormir dans un sac de couchage.**

2 Une interview

Comment t'appelles-tu? Tu te lèves à quelle heure? Tu te couches à quelle heure? Quand tu te couches, tu t'endors tout de suite? Combien d'heures dors-tu? Quand tu te lèves, tu te laves la figure? Où est-ce que tu te laves? Tu te brosses les dents? Tu te brosses les cheveux? Tu prends le petit déjeuner à la maison? À quelle heure pars-tu pour l'école? Est-ce que tu déjeunes à la cantine de l'école? À quelle heure est-ce que tu sors de l'école? Après les classes, tu t'amuses avec tes copains?

3 Make a list of at least five good health habits that you practice on a daily basis.

1 Les jours de fête

Les jours de fête en France

la Toussaint

le Jour des morts

la fleur   la tombe

Noël

la messe de minuit

l'arbre de Noël

le cadeau   le Père Noël

le Jour de l'An

Pâques

40

la fête foraine

le manège

le stand

Qu'est-ce qu'on mange pour les fêtes?

Noël

le réveillon

**la dinde
aux marrons**

**la bûche
de Noël**

Pâques

l'agneau

les œufs durs colorés

Exercice 1　Les dates des fêtes importantes
Quelle est la date des fêtes suivantes?

1. Noël
2. la Toussaint
3. le jour de l'An
4. le jour des morts

Exercice 2　Quelle fête est-ce?

1. On reçoit beaucoup de cadeaux.
2. On va au cimetière.
3. On met des fleurs sur les tombes.
4. On décore des œufs.

Exercice 3　Les repas traditionnels
Répondez.

1. Le dîner de Noël, comment s'appelle-t-il?
2. Qu'est-ce qu'on mange pour Noël?
3. Qu'est-ce qu'on mange pour Pâques?

Exercice 4　Noël
Complétez.

1. La _____ est le plat traditionnel de Noël.
2. Le dessert traditionnel est la _____ de Noël.
3. Pour Noël les enfants décorent un _____.
4. Tout le monde met les _____ sous l'arbre de Noël.

Exercice 5　Quel dommage!

C'est aujourd'hui jour de fête. Il n'y a pas classe. On ne travaille pas. On a **congé**. Mais les enfants sont tristes. Ils **n'ont pas le moral**. Ils veulent aller à la fête foraine mais ils ne peuvent pas parce qu'il pleut. Ils ne peuvent pas sortir **à cause de** la pluie. Ils ne peuvent pas s'amuser sur les manèges.

Répondez.

1. Est-ce que c'est jour de fête?
2. Est-ce qu'il y a classe?
3. Est-ce qu'on travaille?
4. C'est un jour de congé?
5. Les enfants n'ont pas le moral. Comment sont-ils?
6. Où veulent-ils aller?
7. Ils peuvent aller à la fête foraine?
8. Pourquoi pas?
9. Est-ce qu'ils peuvent s'amuser sur les manèges?

Expressions utiles

Les saisons

le printemps   **au printemps**

l'été *(m)*   **en été**

l'automne *(m)*   **en automne**

l'hiver *(m)*   **en hiver**

Exercice 6   Personnellement
Répondez.

1. En quelle saison retournez-vous à l'école?
2. En quelle saison est-ce qu'on fait du ski?
3. En quelle saison est-ce que les fleurs commencent à fleurir *(bloom)*?
4. En quelle saison sont les grandes vacances?
5. Quelle est votre saison favorite? Pourquoi?

Structure

Révision des participes passés irréguliers

Review the following verbs that have irregular past participles.

/i/		/u/			
mettre	j'ai mis	avoir	j'ai eu	être	j'ai été
promettre	j'ai promis	voir	j'ai vu	faire	j'ai fait
permettre	j'ai permis	pouvoir	j'ai pu		
prendre	j'ai pris	recevoir	j'ai reçu		
apprendre	j'ai appris	vouloir	j'ai voulu		
comprendre	j'ai compris	boire	j'ai bu		
dire	j'ai dit	croire	j'ai cru		
écrire	j'ai écrit	lire	j'ai lu		

Exercice 1 Personnellement
Répondez.

1. Avez-vous fait un voyage cet été?
2. Avez-vous écrit à vos parents?
3. Avez-vous appris un nouveau jeu ou sport?
4. Avez-vous compris toutes les règles du jeu?
5. Avez-vous vu quelque chose d'intéressant?
6. Avez-vous reçu une lettre de vos parents?
7. Avez-vous promis de leur écrire souvent?

Exercice 2 On a écrit une lettre.
Complétez au passé composé.

Cher grandpère,

Nous ___ (passer) nos vacances d'hiver à Chamonix. Nous ___ (faire) du ski et nous ___ (apprendre) à conduire un motoneige. Le soir nous ___ (chanter) et nous ___ (jouer) au Scrabble. Nous ___ (voir) des films du Mont Blanc et des glaciers. Nous ___ (écrire) beaucoup de cartes postales à tous nos amis, mais nous ___ (écrire) seulement deux lettres — à nos parents et à vous!

Bien affectueusement,
Monique et Gilles

Révision des verbes réfléchis

Remember that the action of reflexive verbs reflects back on the subject. The subject both does and receives the action of the verb.

Je lave la voiture.   **Je me lave.**
Il lave le bébé.   **Il se lave.**

The reflexive construction may also indicate a reciprocal action. Study the following.

Nous nous aimons.   *We love one another (or each other).*
Vous vous écrivez souvent. *You write (to) each other often.*
Ils se souhaitent un joyeux Noël. *They wish one another a Merry Christmas.*

Remember that the reflexive pronoun is placed before the verb. In the negative, **ne** comes before the reflexive pronoun and **pas** follows the verb.

se laver	s'habiller
je me lave	je ne m'habille pas
tu te laves	tu ne t'habilles pas
il/elle se lave	il/elle ne s'habille pas
nous nous lavons	nous ne nous habillons pas
vous vous lavez	vous ne vous habillez pas
ils/elles se lavent	ils/elles ne s'habillent pas

Review these common reflexive verbs.

s'amuser	se dépêcher
s'appeler	se lever
s'arrêter	se raser
se coucher	se réveiller
se demander	se trouver - to be located

Exercice 3 Personnellement
Répondez.

1. Comment t'appelles-tu?
2. Et ton frère, comment s'appelle-t-il?
3. À quelle heure vous réveillez-vous?
4. Est-ce que vous vous levez tout de suite?
5. Tu te laves dans la salle de bains?
6. Est-ce que ton frère se rase?
7. Est-ce que vous vous habillez vite?
8. Vous vous dépêchez pour aller à l'école?
9. Est-ce que les élèves s'amusent à l'école?
10. À l'école, est-ce qu'on se lève pour répondre à une question?

Exercice 4 Je ne me réveille pas...
Répondez au négatif.

1. Vous réveillez-vous avec les coqs?
2. Vous levez-vous à cinq heures?
3. Vous lavez-vous avec du vin?
4. Vous regardez-vous longtemps?
5. Vous habillez-vous dans la cuisine?
6. Vous couchez-vous dans la piscine?
7. Vous amusez-vous à la fête foraine en décembre?

Exercice 5 Des questions
Demandez à un/une camarade...

1. comment il/elle s'appelle.
2. à quelle heure il/elle se réveille.
3. à quelle heure il/elle se lève.
4. où il/elle se lave.
5. où il/elle s'habille.
6. pourquoi il/elle se dépêche le matin.

Parce que et à cause de

Note the difference between **parce que** and **à cause de. Parce que** means *because* and **à cause de** means *because of.*

> **Jean est heureux parce qu'il a gagné.**
>
> *John is happy because he won.*
>
> **On reçoit beaucoup de cadeaux parce que c'est Noël.**
>
> *We receive a lot of presents because it's Christmas.*
>
> **On a remis le pique-nique à cause de la pluie.**
>
> *They postponed the picnic because of the rain.*
>
> **Jacques est triste à cause de toi.**
>
> *Jacques is unhappy because of you.*

Exercice 6 À cause de la musique
Complétez avec *parce que* ou *à cause de.*

Nous aimons les fêtes foraines _____ l'animation. Nous nous amusons bien _____ il y a beaucoup de choses à faire. Tout le monde est heureux _____ la musique. On n'a jamais faim _____ il y a des stands de glaces, de boissons et de bonbons.

Exercice 7 À cause de la neige
Dites pourquoi vous aimez ou vous n'aimez pas l'hiver. Utilisez *parce que* ou *à cause de* dans vos réponses.

la neige	on fait du ski
il fait froid	la fête de Noël
le jour de l'An	les deux semaines de vacances
on reste à la maison	

Expressions utiles

Sometimes you may want to tell someone that you think you have heard enough. An expression you may use is:

Assez! Assez!

Since this is a very familiar expression, you should use it only with a good friend or a family member with whom you can kid around.

Conversation

Ce n'est pas tous les jours fête!

Éliane Salut, les amis! Où allez-vous?

Valérie À la fête foraine. C'est à cause de Jojo.

Éliane À cause de Jojo? Je ne comprends pas.

Jean-Michel Jojo, mon petit frère, veut aller sur les manèges. Tu viens avec nous?

Éliane Pourquoi pas? Je m'amuse bien sur les manèges. On prend un coca après?

Valérie Bien sûr!

Jojo Et des frites! Et un esquimau! Et des bonbons!

Jean-Michel Assez! Assez! Ce n'est pas tous les jours fête, tu sais!

Exercice 1 Répondez.

1. Qui est-ce qu'Éliane rencontre?
2. Où est-ce qu'ils vont?
3. Pourquoi vont-ils à la fête foraine?
4. Qui est Jojo?
5. Où est-ce que Jojo veut aller?

Exercice 2 Complétez.

1. Éliane va avec eux parce que _____ .
2. Après, on va prendre _____ .
3. Jojo veut aussi _____ .
4. Le proverbe que Jean-Michel cite est: _____ .

ꟾecture culturelle

Les fêtes en France

C'est aujourd'hui le 14 septembre et il pleut. Les lycéens n'ont pas le moral. Mais pourquoi sont-ils tellement tristes? C'est à cause de la pluie? Mais non! Pas du tout! C'est le jour de la rentrée des classes. C'est la fin des grandes vacances.

Si cette date marque la fin, elle marque aussi le commencement. Elle marque le commencement d'une autre année scolaire, c'est vrai. Mais c'est aussi le commencement d'une longue série de fêtes et de congés.

Dans quelque temps c'est le premier novembre, la Toussaint, suivie du˚ Jour des morts. Le Jour des morts tout le monde va au cimetière pour mettre des chrysanthèmes sur les tombes des morts. Le onze du même mois on commémore l'armistice de 1918—la fin de la Première Guerre mondiale.˚

Le mois de décembre est un mois de joie. Tout le monde se prépare pour Noël. Le 24 décembre beaucoup de gens assistent à la messe de minuit. Après la messe on rentre à la maison pour le réveillon. Le repas traditionnel est une dinde aux marrons et pour le dessert une bûche de Noël. Tout le monde admire le traditionnel arbre de Noël et attend le Père Noël et les cadeaux. Une semaine plus tard tout le monde se souhaite une bonne et heureuse année. C'est le Jour de l'An.

˚**suivie du** *followed by*   ˚**Guerre mondiale** *World War*

48

En mars ou avril arrive Pâques. On décore la table avec des œufs colorés et des œufs en sucre et en chocolat. Le dimanche de Pâques il y a un autre repas traditionnel. On mange de l'agneau et on attend avec impatience l'arrivée du printemps et du beau temps.

Le premier mai on ne travaille pas. C'est la fête du Travail. C'est aussi la fête du muguet*—la fleur qui porte bonheur.* Le 8 du même mois on célèbre la fête de la Victoire pour commémorer la fin de la Deuxième Guerre mondiale, le 8 mai 1945.

Au printemps il y a d'autres fêtes ou jours fériés: l'Ascension et la Pentecôte. Beaucoup de fêtes en France sont religieuses.

Avec toutes ces fêtes et congés, l'année scolaire passe très vite. On arrive à la fin de juin et les onze semaines de vacances d'été commencent de nouveau.*

* **muguet**   *lily of the valley*   * **bonheur**   *happiness*   * **de nouveau**   *again*

Exercice 1 Répondez.

1. Quelle est la date?
2. Quel temps fait-il?
3. Qui n'a pas le moral?
4. Pourquoi les lycéens sont-ils tristes?
5. Qu'est-ce qui commence aujourd'hui? (Nommez deux choses.)

Exercice 2 Complétez.

1. On va au cimetière _____ .
2. On met des fleurs sur _____ .
3. Le onze novembre on célèbre _____ .
4. Au mois de décembre tout le monde se prépare _____ .
5. Le 24 décembre beaucoup de gens assistent _____ .
6. Le réveillon est _____ .
7. Le repas traditionnel de Noël est _____ .
8. Une semaine plus tard tout le monde se souhaite _____ .

Exercice 3 Choisissez.

1. La fête de Pâques se célèbre _____ .
   a. toujours en avril
   b. en avril ou mars
   c. pendant les grandes vacances

2. Pour Pâques, on décore la table
   avec _____ .
   a. de très jolis cadeaux
   b. un bel arbre
   c. des œufs durs colorés

3. Pour Pâques on mange _____ .
   a. une dinde aux marrons
   b. de l'agneau
   c. un steak pommes frites

4. Beaucoup de fêtes en France sont _____
   a. religieuses
   b. tristes
   c. en été

Activités

1 Indiquez la date (ou au moins la saison) des fêtes suivantes.

- Pâques
- La Pentecôte
- La Toussaint
- Le Jour de l'An
- La fête de la Victoire
- Le Jour des morts
- Noël
- La fête du Travail
- L'Ascension

2 Choisissez la fête qui correspond aux traditions et activités suivantes.

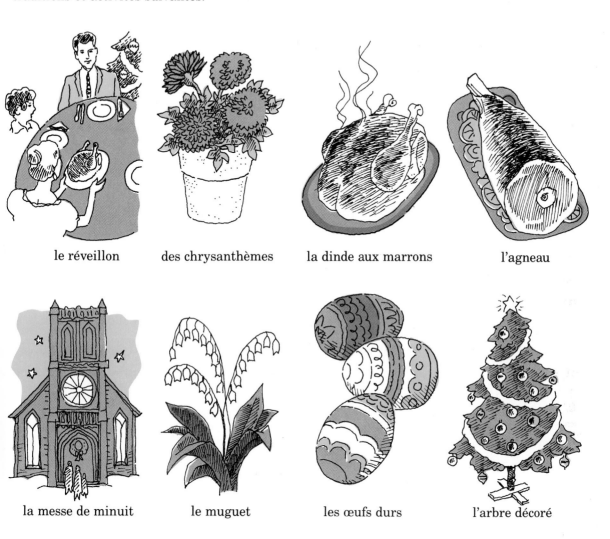

le réveillon   des chrysanthèmes   la dinde aux marrons   l'agneau

la messe de minuit   le muguet   les œufs durs   l'arbre décoré

3 Préparez un calendrier des fêtes et congés qu'on célèbre chez vous. Indiquez brièvement comment on les célèbre.

4 Écrivez un paragraphe où vous décrivez votre fête préférée.

- Qu'est-ce qu'on mange?
- Qu'est-ce qu'on fait?
- Qui est présent?
- Où va-t-on?

♕galerie vivante

Le carnaval de Nice est célèbre. Regardez le programme des activités. Combien de batailles de fleurs est-ce qu'il y a? Combien de grands défilés aux lumières y a-t-il? Quel jour a lieu le feu d'artifice?

CARNAVAL

Jeudi Thursday	16 fév. 16th feb.	20h 45 8.45 pm	ARRIVEE DE S.M. CARNAVAL C ARRIVAL OF CARNIVAL
Samedi Saturday	18 fév. 18th feb.	20h 45 8.45 pm	GRAND DEFILE AUX LUMIERES GRAND PARADE WITH ILLUMINATIONS
Dimanche Sunday	19 fév. 19th feb.	14h 30 2.30 pm	GRAND CORSO CARNAVALESQUE GRAND CARNIVAL PARADE
Mercredi Wednesday	22 fév. 22nd feb.	14h 15 2.15 pm	1ère BATAILLE DE FLEURS 1st FLOWER BATTLE
Samedi Saturday	25 fév. 25th feb.	20h 45 8.45 pm	GRAND DEFILE AUX LUMIERES GRAND PARADE WITH ILLUMINATIONS
Dimanche Sunday	26 fév. 26th feb.	14h 30 2.30 pm	GRAND CORSO CARNAVALESQUE GRAND CARNIVAL PARADE
Mercredi Wednesday	29 fév. 29th feb.	14h 15 2.15 pm	2e BATAILLE DE FLEURS 2nd FLOWER BATTLE
Samedi Saturday	3 mars 3th march	20h 45 8.45 pm	GRAND DEFILE AUX LUMIERES GRAND PARADE WITH ILLUMINATIONS
Dimanche Sunday	4 mars 4th march	14h 30 2.30 pm	GRAND CORSO CARNAVALESQUE GRAND CARNIVAL PARADE
Mardi Tuesday	6 mars 6th march	14h 30 2.30 pm	CORSO DU MARDI GRAS PARADE OF «MARDI GRAS»
		20h 00 8.00 pm	DEFILE D'INCINERATION CREMATION PARADE
		21h 00 9.00 pm	FEU D'ARTIFICE FIREWORKS
Mercredi Wednesday	7 mars 7th march	14h 15 2.15 pm	3e BATAILLE DE FLEURS 3nd FLOWERBATTLE

001867

Direction Générale de l'Animation de la Ville de Nl

CORSO DU MARDI GRAS
Mardi gras 6 mars 1984, à 14 h 30

ENTREE

Place assise non garantie

Participation : 15 F

À quelle heure a lieu le corso du Mardi gras? Combien coûte le billet? Est-ce que la place est réservée?

La famille Bernard va célébrer une fête. Nommez-la. Il est évident que M. Bernard a fait des achats. Qu'a-t-il acheté? Mme Bernard et Suzette ont un projet. Qu'est-ce qu'elles vont faire?

AVRIL ☾ 5 h 27 à 18 h 22		MAI ☾ 4 h 29 à 19 h 06		JUIN ☾ 3 h 51 à 19 h 46	
1	D	S. Hugues NL	1	M	F. Travail NL	1	V	S. Justin
2	L	S. Sandrine	2	J	SS. Boris	2	S	S⁰ Blandine
3	M	S. Richard	3	V	SS. Phil.-Jacq.	3	D	S. Kévin
4	M	S. Isidore	4	S	S. Sylvain	4	L	S⁰ Clotilde
5	J	S⁰ Irène	5	D	S⁰ Judith	5	M	S. Igor
6	V	S. Marcellin	6	L	S⁰ Prudence	6	M	S. Norbert PQ
7	S	S. J.-Bapt. Sal.	7	M	S⁰ Gisèle	7	J	S. Gilbert
8	D	S⁰ Julie	8	M	ARMIST. 1945 PQ	8	V	S. Médard
9	L	S. Gautier PQ	9	J	S. Pacôme	9	S	S⁰ Diane
10	M	S. Fulbert	10	V	S⁰ Solange	10	D	PENTECOTE
11	M	S. Stanislas	11	S	S⁰ Estelle	11	L	S. Barnabé
12	J	S. Jules	12	D	S⁰ Achille	12	M	S. Guy
13	V	S⁰ Ida	13	L	Fête J-d'Arc	13	M	S. Ant. P. PL
14	S	S. Maxime	14	M	S. Matthias	14	J	S⁰ Elisée
15	D	Rameaux PL	15	M	S⁰ Denise PL	15	V	S⁰ Germaine
16		S. Benoit-J.	16	J	S. Honoré	16	S	S. J.-F. Régis
17		S. Anicet	17	V	S. Pascal	17	D	S. Hervé
18		S. Parfait	18	S	S. Eric	18	L	S. Léonce
19		S⁰ Emma	19	D	S. Yves	19	M	S. Romuald
20		S⁰ Odette	20	L	S. Bernardin	20	M	S⁰ Silvère
21		S. Anselme	21	M	S. Constantin	21	J	ETE
		QUES	22	M	S. Emile DQ	22	V	S. Alban
24	L	S. Georges DQ	23	J	S. Didier	23	S	S⁰ Audrey
25	M	S. Fidèle	24	V	S. Donatien	24	D	Fête-Dieu
26	M	S. Ma...	25	S	S⁰ Sophie	25	L	S. Prosper
			26	D	S. Berenger	26	M	S. Anthelme
			27	L	Fête Mères	27	M	S. Fernand
			28	M	S. Germain	28	J	S⁰ Irénée
			29	M	S. Aymard	29	V	SS. Pier.-Paul NL
			30	J	S. Ferdinand NL	30	S	S. Martial
			31	J	ASCENSION			

P. Q. : Premier Quartier

Au mois de mai on célèbre cinq fêtes, le premier, le 8, le 13, le 27, et le 31. Nommez ces cinq fêtes.

Dans quel pays peut-on aller pour faire des sports d'hiver? Quand on fait du ski de fond on marche et on glisse sur la neige. Quand on fait du ski alpin, qu'est-ce qu'on fait?

2 Le Mont-Saint-Michel

la côte *(coast)*

un îlot (une petite île) *(island)*

la baie *(bay)*

le monastère-forteresse *(monastery fortress)*

le mont *(mount)*

le pèlerinage

1789

l'évêque *(bishop)*

les pèlerins

54

Exercice 1 Une petite île intéressante
Répondez.

1. Est-ce que l'îlot est situé dans une baie?
2. Est-ce qu'il y a un monastère-forteresse sur l'îlot?
3. Est-ce que le monastère-forteresse est situé sur un mont?
4. Est-ce que l'îlot est près ou loin de la côte?
5. Est-ce que l'îlot est dans une baie?
6. Est-ce que les pèlerins font un pèlerinage?
7. Est-ce que l'évêque accompagne les pèlerins?
8. Font-ils le pèlerinage à pied?
9. Font-ils le pèlerinage au monastère?

Exercice 2 Un pèlerinage au dix-huitième siècle (1789)
Regardez le dessin du pèlerinage et répondez.

1. Combien de pèlerins est-ce qu'il y a?
2. Où vont-ils?
3. Comment vont-ils au Mont?

4. Quand font-ils le pèlerinage?
5. C'est quel siècle?
6. Qui accompagne les pèlerins?

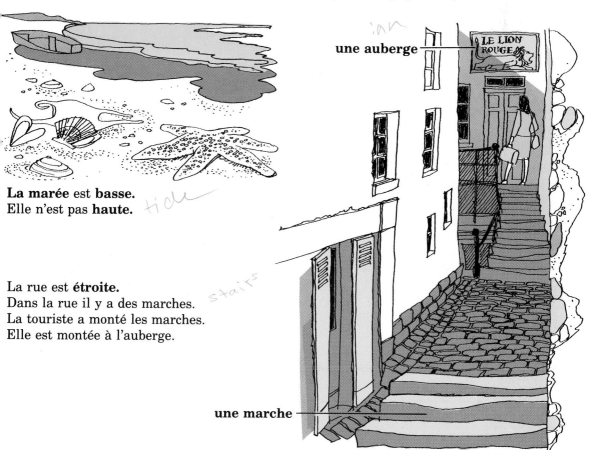

La marée est **basse.**
Elle n'est pas **haute.**

La rue est **étroite.**
Dans la rue il y a des marches.
La touriste a monté les marches.
Elle est montée à l'auberge.

une auberge

une marche

Exercice 3 Choisissez.

1. Il y a beaucoup d'eau _____ .
   a. à marée haute b. à marée basse

2. Les boulevards sont _____ .
   a. étroits b. grands

3. Une auberge est _____ .
   a. un petit hôtel b. un grand hôtel

4. Un escalier a _____ .
   a. des rues étroites b. des marches

5. Un îlot est _____ .
   a. une petite baie b. une petite île

Exercice 4 Les pèlerins sont arrivés.
Répondez.

1. Est-ce que les pèlerins sont montés au monastère?
2. Sont-ils arrivés au monastère?
3. Sont-ils montés à pied?
4. Est-ce que l'évêque est allé avec les pèlerins?
5. Est-ce que les pèlerins sont entrés dans le monastère?

Exercice 5 Un pèlerinage
Répondez d'après la phrase.

Aujourd'hui les pèlerins sont allés à pied au
monastère avec l'évêque.

1. Où sont-ils allés?
2. Quand sont-ils allés au monastère?
3. Qui est allé au monastère?
4. Comment sont-ils allés au monastère?
5. Avec qui sont-ils allés au monastère?

Exercice 6 Des questions
Posez des questions.

Le bateau est arrivé à l'îlot avec les
pèlerins à huit heures.

1. Qu'est-ce qui _____ ?
2. Où _____ ?
3. Avec qui _____ ?
4. À quelle heure _____ ?

Structure

Le passé composé avec *être*

The **passé composé** of most verbs is formed with **avoir** and the past participle.

J'ai parlé avec l'évêque.
Il a choisi un souvenir.
Les touristes ont attendu le guide.

Certain verbs, however, use **être** as the helping verb instead of **avoir.** Many verbs that are conjugated with **être** express motion to or from a place.

arriver	Il est arrivé.	*He arrived.*
partir	Il est parti.	*He left.*
entrer	Il est entré.	*He entered.*
sortir	Il est sorti.	*He went out.*
monter	Il est monté.	*He went up.*
descendre	Il est descendu.	*He went down; he came down.*
aller	Il est allé en ville.	*He went downtown.*
venir	Il est venu.	*He came.*

The past participle of verbs conjugated with **être** must agree with the subject in number (singular or plural) and gender (masculine or feminine). Study the following.

Masculine	*Feminine*
Je suis arrivé.	**Je suis arrivée.**
Tu es arrivé.	**Tu es arrivée.**
Il est arrivé.	**Elle est arrivée.**
Nous sommes arrivés.	**Nous sommes arrivées.**
Vous êtes arrivé(s).	**Vous êtes arrivée(s).**
Ils sont arrivés.	**Elles sont arrivées.**

Note that past participles that end in a vowel are spelled differently in the feminine and the plural forms, but they sound the same. Therefore, it is necessary to pay particular attention to the spelling.

Jean est arrivé. Hélène est arrivée.
Il est parti. Elle est partie.
Ils sont descendus. Elles sont descendues.

Exercice 1   Une excursion au Mont-Saint-Michel
Répondez.

1. Marc est allé à la gare?
2. Le train est parti à l'heure?
3. Marc est arrivé à Pontorson?
4. Il est sorti du wagon?
5. Il est allé à l'Auberge du Lion Rouge?
6. Il est allé au Mont-Saint-Michel?
7. Il est monté jusqu'aux remparts?
8. Il est descendu très fatigué?

Exercice 2　Elle est arrivée au Mont.
Complétez avec le passé composé.

1. Brigitte _____ au Mont à dix heures.　**arriver**
2. Elle _____ dans le monastère.　**entrer**
3. Elle _____ jusqu'à l'église.　**monter**
4. Elle _____ sur la terrasse pour admirer le panorama.　**sortir**
5. Elle _____ me dire «au revoir».　**venir**
6. Elle _____ à deux heures et demie.　**partir**

L'église du Mont-Saint-Michel

Exercice 3　Tu es arrivé.
Complétez la conversation au passé composé.

— Ah, tu _____ (arriver), Marc!

— Oui, enfin je _____ (arriver). Je _____ (sortir) assez tôt
de l'auberge, mais je n'ai pas pu trouver de taxi. Donc je _____
(venir) à pied.

— Tu _____ (venir) à pied? Tu marches vite!

— Mais, dis donc, je _____ (venir) trop tard, n'est-ce pas?

— Pas du tout. Tu _____ (arriver) juste à temps. Le tour du Mont commence dans
deux minutes.

Exercice 4　Tu es arrivée.
Répétez la conversation de l'exercice 3. Substituez *Geneviève* à *Marc*.

Exercice 5　On est allé à la montagne.
Répétez au passé composé.

1. Les amis sortent très tôt du chalet.
2. Ils partent pour la montagne.
3. Ils vont à la montagne pour faire du ski.
4. Ils vont au guichet pour acheter leurs tickets.
5. Ils montent au sommet.
6. Hélène et Marie descendent très vite.
7. Paul et Nicholas descendent vite aussi.
8. Les amis entrent dans le café pour se reposer.

Exercice 6 Nous sommes allées au Mont.

Complétez au passé composé.

Marc Tu _____ (aller) en Normandie avec Laura, n'est-ce pas?
Comment avez-vous trouvé le Mont-Saint-Michel?

Sylvie Oh, c'est très impressionnant. Nous _____ (sortir) de
l'auberge assez tôt parce que Laura n'aime pas la foule. Nous
_____ (arriver) au Mont à neuf heures.

Marc Vous _____ (monter) à l'église?

Sylvie Oui, et puis nous _____ (sortir) sur la terrasse. La
vue est splendide! Mais tu connais le Mont, n'est-ce pas?

Marc Oui, mon frère et moi, nous _____ (aller) au Mont l'année
dernière. Je suis d'accord avec toi—c'est très impressionnant.

La vue de la terrasse

D'autres verbes avec *être*

Here are some other verbs that take **être** in the **passé composé**.

rester	Elle est restée.	*She stayed.*
tomber	Elle est tombée.	*She fell.*
rentrer	Elle est rentrée.	*She went home.*
revenir	Elle est revenue.	*She came back.*
naître	Elle est née.	*She was born.*
mourir	Elle est morte.	*She died.*

La Maison d'être

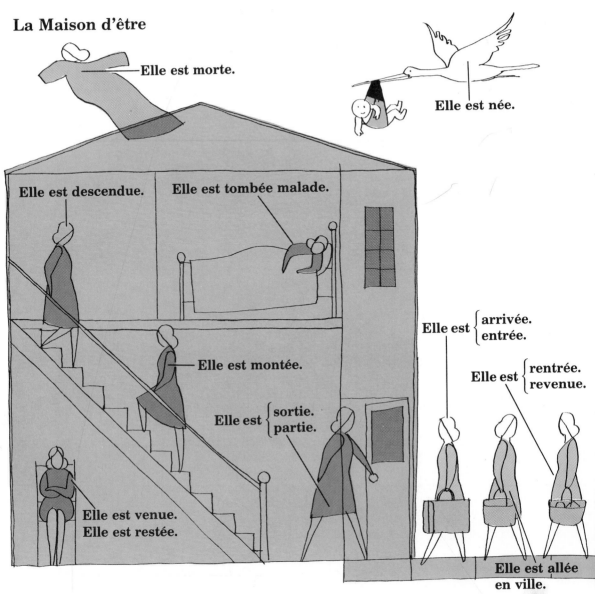

Elle est morte.

Elle est née.

Elle est descendue.

Elle est tombée malade.

Elle est montée.

Elle est $\begin{cases} \text{arrivée.} \\ \text{entrée.} \end{cases}$

Elle est $\begin{cases} \text{rentrée.} \\ \text{revenue.} \end{cases}$

Elle est $\begin{cases} \text{sortie.} \\ \text{partie.} \end{cases}$

Elle est venue.
Elle est restée.

Elle est allée
en ville.

Exercice 7   Mathilde est née.
Complétez au passé composé.

Mathilde _____ (naître) le 5 juin 1971. Un jour elle _____ (aller) chez sa grand-mère. Elle _____ (arriver) devant la maison et elle _____ (entrer). Elle _____ (monter) vite. Grand-mère a dit: «Ah, tu _____ (venir) me voir! Tu es très gentille.» Mathilde _____ (rester) deux heures avec sa grand-mère.

Quand elle a entendu l'autobus elle _____ (descendre). Elle _____ (monter) et l'autobus _____ (partir) tout de suite. Mathilde _____ (rentrer) à cinq heures.

Malheureusement sa grand-mère _____ (tomber) très, très malade. Elle n'_____ jamais _____ (sortir) de la maison. Elle _____ (mourir) la semaine suivante. Quelle triste histoire!

Exercice 8 Elle n'est pas descendue.

Lisez le paragraphe et répondez aux questions avec *non*.

Une dame mystérieuse est descendue du train à une heure. Elle est arrivée à cette auberge en taxi. Elle est entrée tout de suite. Elle est montée au deuxième étage. Elle est restée une heure avec Madame Dupuy. Elle est partie très vite. Madame Dupuy est morte ce soir-là.

1. La dame mystérieuse est descendue de l'autobus?
2. Elle est arrivée à pied?
3. Elle est restée dans la rue?
4. Elle est montée au premier étage?
5. Elle est restée avec Mlle Montalban?
6. Elle est partie lentement?
7. La dame mystérieuse est morte?

Descendre, monter et *sortir* avec *avoir* et *être*

The verbs **descendre, monter,** and **sortir** form the **passé composé** with **être** *except* when they take a direct object. Compare the following pairs of sentences.

Without an object	*With an object*
Elle <u>est</u> descendue à huit heures.	**Elle <u>a</u> descendu ses bagages.**
Nous <u>sommes</u> montés aux remparts.	**Nous <u>avons</u> monté l'escalier.**
Ils <u>sont</u> sortis hier soir.	**Ils <u>ont</u> sorti les passeports.**

You can see that **bagages, escalier,** and **passeports** are direct objects, that is, they receive the action of the verb. Therefore, the verbs in those sentences take **avoir,** and there is no agreement of the past participle.

Exercice 9 As-tu descendu les bagages?

Répétez au passé composé. Ne changez pas le verbe en italiques.

— Descends-tu les bagages?
— Oui, je descends ma valise, mais je ne descends pas la valise de Thérèse.
— Elle descend déjà?
— Oui, elle descend avec Jacques.
— Pourquoi est-ce que Jacques ne descend pas la valise de Thérèse?
— Lui, il *est* paresseux (*lazy*)!

Exercice 10 Ils sont sortis.

Répétez au passé composé.

1. Les touristes arrivent à la forteresse et ils sortent de l'autocar.
2. Ensuite ils sortent leurs billets.
3. Le guide prend les billets et le groupe monte le grand escalier. Quel panorama splendide!
4. Quatre touristes seulement montent jusqu'à la terrasse.
5. Les autres descendent le petit escalier lentement.
6. Ensuite ils descendent plus rapidement.
7. Enfin ils arrivent au restaurant!

Conversation

Un grand gigot!

Bertrand Dans quel restaurant va-t-on dîner?

Joseph Sylvie est entrée au Mouton blanc.

Bertrand Quel nom bizarre pour un restaurant!

Joseph Pas vraiment! Tu n'as pas vu tous les moutons près du Mont?* Les repas classiques de la région sont le gigot* et l'omelette.

Bertrand Dans ce cas,* moi, je vais prendre une petite omelette et un grand gigot!

Exercice 1 Choisissez.

1. Bertrand et Joseph cherchent _____ .
   a. un restaurant
   b. un mouton
   c. Sylvie

2. Sylvie est déjà entrée _____ .
   a. dans une auberge
   b. dans un restaurant
   c. dans un monastère

3. Le restaurant s'appelle _____ .
   a. Tous les moutons
   b. Près du Mont
   c. Le Mouton blanc

4. Les repas classiques sont _____ .
   a. le mouton et le gigot
   b. le grand gigot
   c. le gigot et l'omelette

Exercice 2 Demandez.
Posez les questions indiquées.

Demandez:
1. où Sylvie est entrée
2. comment s'appelle le restaurant
3. pourquoi il a ce nom bizarre
4. où Bertrand a vu des moutons
5. quels sont les repas classiques
6. ce que Bertrand va prendre

---

*le Mont = le Mont-Saint-Michel   *un gigot *roast leg of lamb*   *Dans ce cas *In that case*

qecture culturelle

La Merveille de l'Occident

(Sylvie et Bertrand, avec leur cousin Joseph comme guide, visitent le Mont-Saint-Michel, célèbre monastère fortifié en Normandie.)

Sylvie	Je ne vais jamais oublier le tour du Mont! Quel spectacle!
Joseph	Nous avons eu de la chance. C'est seulement aux grandes marées deux fois par mois qu'on peut faire le tour du Mont en bateau.
Bertrand	Je comprends pourquoi on appelle le Mont-Saint-Michel la Merveille de l'Occident!° C'est vraiment impressionnant!
Sylvie	Et maintenant, où va-t-on?
Joseph	On doit absolument visiter le monastère!
Bertrand	Et les remparts! N'oublie pas les remparts!
Sylvie	Joseph, explique-moi un peu les marées, veux-tu? Je n'ai rien compris à tout ça.
Joseph	Eh bien! Le Mont-Saint-Michel est un îlot, une petite île. Quand la marée est basse, la baie est presque sèche. On peut marcher de la côte jusqu'au Mont. Mais c'est très dangereux à cause des sables mouvants,° et aussi à cause de la mer qui monte très, très rapidement. Des touristes imprudents sont morts dans ces sables.
Sylvie	Oh là là! Quelle horreur! Moi, je ne vais pas descendre dans la baie!
Joseph	Voilà! Nous sommes arrivés sur la Grande Rue.
Bertrand	Tu dis «grande»? Moi, je dis «étroite», mais très pittoresque quand même.°
Joseph	C'est l'unique rue de l'île, vous savez.
Sylvie	Regarde toutes les maisons anciennes! Et toutes les boutiques de souvenirs!
Joseph	Rappelez-vous° qu'on a commencé la construction du monastère au

---

° **la Merveille de l'Occident** *The Wonder of the Western World* ° **sables mouvants** *quicksand*
° **quand même** *nevertheless* ° **Rappelez-vous** *Remember*

début du huitième siècle. Les pèlerins sont venus au Mont à toutes les époques jusqu'aux temps modernes. Deux importants pèlerinages ont lieu en septembre et octobre.

Les trois cousins ont monté un long escalier et ils sont arrivés au monastère. Ils ont monté d'autres escaliers et ils sont entrés dans l'église. Le contraste entre l'architecture romane et gothique est saisissant!* Encore des escaliers et ils sont

---

*__saisissant__ *striking*

arrivés dans une galerie extérieure. Quel panorama magnifique! Ils sont montés sur les remparts d'où ils ont admiré les fortifications et les belles vues de la baie.

Enfin ils sont descendus et ils sont rentrés à l'auberge. Sylvie est tombée sur une chaise et a dit: «Aïe! Mes pauvres jambes!»

«Tu peux le dire,» dit Joseph. «Sais-tu que nous avons monté neuf cents marches aujourd'hui?»

Exercice 1 Complétez.

1. Joseph est le _____ de Sylvie et de Bertrand.
2. Les trois cousins visitent _____ .
3. Ils sont dans la province de _____ .
4. Le Mont-Saint-Michel est un _____ .
5. Les cousins ont fait le tour du Mont en _____ .
6. On peut faire ce tour seulement aux grandes _____ .
7. On appelle le Mont-Saint-Michel la _____ .

Exercice 2 Répondez.

1. D'après Joseph qu'est-ce qu'on doit visiter?
2. Qu'est-ce que Bertrand veut visiter?
3. Qu'est-ce que Sylvie ne comprend pas?
4. Où le Mont-Saint-Michel est-il situé?
5. Comment est la baie quand la marée est basse?
6. Où peut-on marcher?
7. Pourquoi c'est dangereux?
8. Qui est mort dans ces sables?
9. Qu'est-ce que Sylvie décide?

Exercice 3 Décrivez.

Décrivez la Grande Rue. Utilisez les expressions suggérées:

unique	maisons
étroite	boutiques
pittoresque	

Exercice 4 Répondez.

Répondez aux questions suivantes. Mettez les réponses en forme de paragraphe.

1. Quand les cousins sont descendus, où sont-ils rentrés?
2. Qu'est-ce que Sylvie a fait?
3. Qu'est-ce qu'elle a dit?
4. Qu'est-ce que Joseph a dit?

Activités

1 Choisissez la partie de la visite au Mont-Saint-Michel qui vous intéresse le plus. Expliquez pourquoi en trois ou quatre phrases.

- le tour du Mont en bateau
- la Grande Rue
- les sables mouvants
- les pèlerinages
- le monastère et l'église
- les remparts
- les restaurants

2 Complétez la lettre

Chers parents,

Nous voilà au Mont-Saint-Michel. Le train est arrivé à Pontorson à _____ et nous _____ à l'Auberge _____. Le tour du Mont a été _____! Nous sommes _____ et nous avons admiré _____. Nous _____ à l'Auberge très fatiguées. Pourquoi? Eh bien, nous _____ neuf cents marches!

Bien affectueusement,
Sylvie

Décrivez tout ce que vous voyez.

galerie vivante

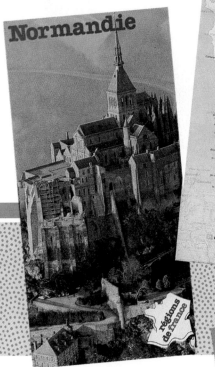

Normandie

600,000 touristes visitent le Mont-Saint-Michel chaque année. Malheureusement la formation d'ensablements (*sandbars*) va changer l'aspect de ce monument historique si l'on ne trouve pas de solution à ce problème. On propose de changer le cours des rivières et de limiter le nombre de touristes. Êtes-vous pour ou contre cette solution? Pourquoi?

Voici les fameuses maisons normandes. Expliquez en anglais pourquoi on les appelle «half-timbered».

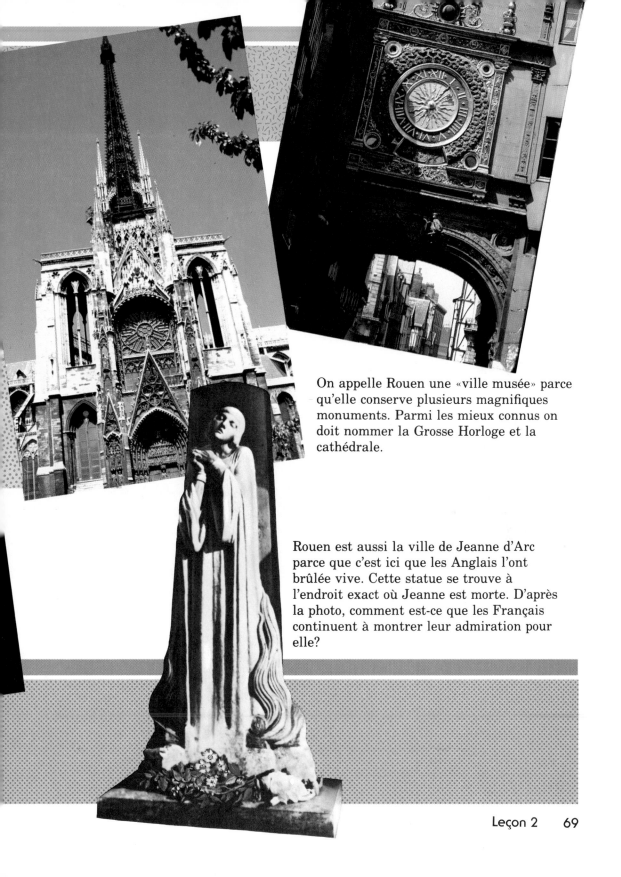

On appelle Rouen une «ville musée» parce
qu'elle conserve plusieurs magnifiques
monuments. Parmi les mieux connus on
doit nommer la Grosse Horloge et la
cathédrale.

Rouen est aussi la ville de Jeanne d'Arc
parce que c'est ici que les Anglais l'ont
brûlée vive. Cette statue se trouve à
l'endroit exact où Jeanne est morte. D'après
la photo, comment est-ce que les Français
continuent à montrer leur admiration pour
elle?

3 L'écologie

La cigogne est **un oiseau.**

le bec

le dos

une aile

un nid

le toit

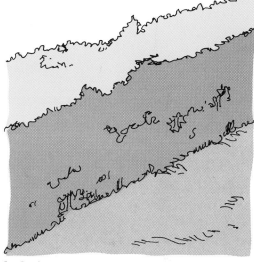

la haie

L'ornithologue étudie les
   oiseaux.
Il **se cache** derrière la haie.
Il a vu les oiseaux.
Il les a vus dans leur nid.

Many words that deal with ecology are cognates. You should have no trouble understanding these words.

l'énergie
l'environnement
l'écologie
un (une) écologiste
écologique
la destruction
la pollution

les espèces
(d'animaux et de plantes)
l'extinction
menacé (en danger)
cataloguer
économiser

Lisez.

L'ENVIRONNEMENT

Les problèmes écologiques sont universels. Les écologistes luttent contre la destruction complète des espèces menacées d'extinction.

Exercice 1 Choisissez.

1. Est-ce que la cigogne a le dos blanc ou noir?
2. De quelle couleur sont ses ailes?
3. Est-ce que la cigogne a le bec long ou court?
4. Quel oiseau fait son nid sur le toit de la maison?
5. Est-ce qu'un ornithologue étudie les poissons ou les oiseaux?
6. Qu'est-ce que l'écologiste veut sauver?

Exercice 2 Complétez.

1. L'oiseau a les _____ noires.
2. Il fait son _____ dans une haie.
3. La _____ a le bec long.
4. Elle est sur le _____ d'une maison.
5. L'_____ étudie les oiseaux.
6. Il se cache derrière une _____ .
7. Il lutte pour la préservation des _____ .
8. Il sauve les espèces menacées d'_____ .

$\mathfrak{S}$tructure

L'accord du participe passé avec les objets directs

You have already learned that a direct object pronoun precedes the verb in French.

Tu aimes les oiseaux?	**Oui, je les aime.**	**Non, je ne les aime pas.**
Tu vois le nid?	**Oui, je le vois.**	**Non, je ne le vois pas.**
Tu regardes la cigogne?	**Oui, je la regarde.**	**Non, je ne la regarde pas.**

When a direct object pronoun is used with a verb conjugated with **avoir** in the **passé composé,** the direct object pronoun always precedes **avoir.** In such cases the past participle must agree in number (singular or plural) and gender (masculine or feminine) with the preceding direct object pronoun. Look at the following.

Tu as vu le nid?	**Oui, je l'ai vu.**	**Non, je ne l'ai pas vu.**
Tu as vu les nids?	**Oui, je les ai vus.**	**Non, je ne les ai pas vus.**
Tu as vu la cigogne?	**Oui, je l'ai vue.**	**Non, je ne l'ai pas vue.**
Tu as vu les cigognes?	**Oui, je les ai vues.**	**Non, je ne les ai pas vues.**

When a past participle ends in a vowel (such as **parlé, fini, attendu**) all forms sound alike even though they are spelled differently. For this reason it is important that you pay particular attention to the spelling.

Remember that the direct objects, **me, te, nous,** and **vous** may be masculine or feminine.

Il m'a {**regardé.** / **regardée.**}   **Il nous a** {**regardés.** / **regardées.**}

Il t'a {**regardé.** / **regardée.**}   **Il vous a** {**regardé, Paul.** / **regardée, Marie.** / **regardés, messieurs.** / **regardées, mesdames.**}

Remember the liaison after **les, nous,** and **vous** (**les ai,** etc.).

Exercice 1 Je ne l'ai pas trouvé.
Complétez le dialogue.

— As-tu trouvé ton stylo?
— Non, _____ .
— Est-ce que tu l'as cherché?
— Mais oui, _____ !
— Où est-ce que tu l'as cherché?
— _____ partout.

— Mais tu ne l'as pas cherché sous le lit, n'est-ce pas?
— Non, _____ .
— Ah! Voilà! J'ai cherché sous le lit et je l'ai trouvé!

Exercice 2 Répétez.
Répétez le dialogue de l'exercice 1 avec a) ta clé, b) tes billets et c) tes lettres.

Exercice 3 Je l'ai regardée.

Qu'est-ce que vous avez fait hier soir? Répondez affirmativement ou négativement. Utilisez le pronom qui convient.

1. Avez-vous regardé la télé?
2. Avez-vous choisi la chaîne?
3. Avez-vous acheté le journal?
4. Avez-vous lu le journal?
5. Avez-vous écouté la radio?
6. Avez-vous fini toutes vos leçons?
7. Avez-vous aidé vos parents?
8. Avez-vous rencontré vos amis?

Exercice 4 Il l'a vendu et je l'ai acheté.
Suivez le modèle.

la bicyclette
Il l'a vendue et je l'ai achetée.

1. le vélo
2. la planche à voile
3. les skis
4. la raquette
5. les timbres
6. le disque
7. la tente
8. l'oiseau

Note

When the past participle ends in a consonant, that consonant is pronounced when **e** or **es** is added.

Il a pris le livre.	**Il l'a pris.**
Il a pris la guitare.	**Il l'a prise.**
Il a pris les guitares.	**Il les a prises.**
Elle a écrit le poème.	**Elle l'a écrit.**
Elle a écrit la chanson.	**Elle l'a écrite.**
Elle a écrit les chansons.	**Elle les a écrites.**

Remember, too, that the agreement of the past participle is only with a preceding direct object. The past participle does *not* agree with a preceding indirect object. Look at the following.

Je n'ai pas vu Anne mais j'ai téléphoné à Anne.
Je ne l'ai pas vue mais je lui ai téléphoné.

Exercice 5 Tu as écrit une belle chanson. Éric l'a chantée.
Répondez avec le pronom qui convient.

1. Tu as écrit cette chanson?
2. Tu as écrit la chanson sur un papier?
3. Éric a pris le papier?
4. Il a mis le papier dans sa poche?
5. Il a appris la chanson?
6. Il a chanté la chanson hier soir?
7. Tout le monde a compris la chanson?
8. Ses amis l'ont applaudie?

Exercice 6 Complétez avec le participe passé.

Simon parle avec son frère, Paul.

Simon Paul, tu as rencontré la sœur de Monique?

Paul Qui? Sa sœur Jacqueline? Bien sûr je l'ai _____ (rencontrer). Elle est
très bien.

Simon Et elle est très intelligente. Voici une lettre qu'elle m'a _____ (écrire)
des États-Unis. Elle fait ses études à New York.

Paul C'est vrai. Mais en ce moment elle est à Paris. Je l'ai _____ (voir) hier
soir avec sa sœur aux Deux Magots.

Simon Tu as vu Monique et Jacqueline? Tu rigoles?

Paul Je t'assure que je les ai _____ (voir). Voilà une photo que j'ai _____
(prendre). ____

Simon Tu l'as _____ (voir) hier soir à Paris et j'ai reçu cette lettre cet
après-midi. Incroyable! Je ne l'ai pas encore _____ (lire).

Paul Quand est-ce qu'elle l'a _____ (écrire)? La question est là. Tu connais la
poste.

Simon Tu as raison. Regarde! Elle l'a _____ (écrire) il y a dix-sept jours et je
viens de la recevoir.

Conversation

Un nid caché

Simone Tu m'as appelée?

Bruno Oui, je t'ai appelée. Regarde! J'ai trouvé un nid!

Simone Un nid? Où l'as-tu trouvé?

Bruno Ici, dans cette haie.

Simone Tu ne l'as pas touché!

Bruno Non! Non! L'oiseau l'a bien caché, n'est-ce pas?

Simone Est-ce qu'il y a des œufs?

Bruno Oui, quatre. Je les ai laissés dans le nid.

Simone Bon! Tu as bien fait!

Exercice 1 Choisissez.

1. Simone et Bruno sont _____ .
   a. dans un théâtre
   b. dans un jardin
   c. dans un musée

2. Bruno a appelé Simone _____ .
   a. parce qu'il a fait un nid
   b. parce qu'il a caché un nid
   c. parce qu'il a trouve un nid

3. L'oiseau l'a caché _____ .
   a. dans une haie
   b. dans un oiseau
   c. dans un œuf

4. Dans le nid il y a _____ .
   a. un oiseau
   b. un œuf caché
   c. quatre œufs

Exercice 2 Répondez.
Répondez avec le pronom qui convient.

1. Qui a appelé Simone?
2. Qui a trouvé le nid?
3. Où est-ce que Bruno a trouvé le nid?
4. Est-ce que Bruno a touché le nid?
5. Où est-ce que Bruno a trouvé les quatre œufs?
6. Où a-t-il laissé les œufs?

ℚecture culturelle

L'écologie en Alsace et en Picardie

La pollution de l'air et de l'eau! La dégradation de la nature! L'exploitation des forêts, du pétrole, du gaz, du charbon!* Nous sommes informés tous les jours de ces problèmes et du danger qu'ils représentent. Nous savons bien qu'il est nécessaire d'économiser l'énergie, de protéger l'environnement, de lutter contre la pollution et la destruction.

Tout le monde applaudit aux exemples de l'écologie en action. En Alsace et en Picardie, deux provinces françaises, on célèbre les efforts qu'on a faits récemment pour sauver des oiseaux menacés d'extinction.

Pendant des siècles en Alsace la cigogne a été l'oiseau favori des Alsaciens. On raconte

*charbon *coal*

En Alsace

La Baie de Somme

beaucoup de légendes sur ces beaux oiseaux. Les Alsaciens croient que si la première cigogne qui revient d'Afrique en mars est blanche, l'année va être bonne. Si elle est noire, l'année va être mauvaise. On dit aussi que la cigogne porte les bons enfants sur le dos et les méchants dans le bec.

Malheureusement le nombre de cigognes a commencé à diminuer. En 1974 les ornithologues ont compté seulement neuf cigognes dans toute l'Alsace! Qu'est-ce qu'on a fait? On leur a rogné° les ailes et on les a parquées.° Ces cigognes sont restées en Alsace et elles ont reproduit. Aujourd'hui on voit de nouveau beaucoup de maisons alsaciennes avec le grand nid traditionnel sur la cheminée ou le toit. (Rassurez-vous! Les ailes ont repoussé!)°

Sur la côte de la Baie de Somme en Picardie il y a un parc ornithologique unique en Europe. Ce sont les gens et non pas les oiseaux qui sont en cage! Pour pouvoir regarder les oiseaux en liberté,° les visiteurs doivent se cacher dans des

---

°**rogné** *clipped*   °**parquées** *confined to a preserve*   °**repoussé** *grew back*   °**en liberté** *free (at large)*

postes d'observation. Ces postes sont dissimulés* par des haies et des grillages.

En 1982 plus de cent mille visiteurs sont venus au parc. Les oiseaux qu'ils ont observés sont parmi* les trois cents espèces qui fréquentent les dunes. Il y a des oiseaux sauvages et rares. Aujourd'hui ils viennent et reviennent; ils passent; ils s'arrêtent pour nicher.* Ils sont en liberté en Picardie!

Exercice 1 Identifiez.

Identifiez les problèmes:

1. La pollution de _____ et de _____
2. La dégradation de _____
3. L'exploitation des _____ , du _____ , du _____ et du _____

Et les solutions:

Il est nécessaire
1. d'économiser _____
2. de protéger _____
3. de lutter contre _____ et _____

Exercice 2 Corrigez les erreurs.

1. L'oiseau favori des Alsaciens est le pigeon.
2. Les cigognes passent l'hiver au Canada.
3. La cigogne blanche signifie une mauvaise année.
4. La cigogne porte les bons enfants dans le bec.

Exercice 3 Complétez.

Complétez les phrases en ajoutant (by adding) une expression de la colonne B.

A	B
1. Le nombre de cigognes _____ .	a. les ailes
2. On leur a rogné _____ .	b. sur la cheminée ou le toit
3. Les cigognes sont restées en Alsace et _____ .	c. a commencé à diminuer
4. Les cigognes font leur nid _____ .	d. elles ont reproduit

Exercice 4 Décrivez.

Décrivez le parc ornithologique en Picardie.

Dites:
1. où il est situé
2. pourquoi il est unique
3. où les visiteurs doivent se cacher
4. combien d'espèces d'oiseaux fréquentent les dunes

---

dissimulés concealed   *parmi* among   *nicher* to build a nest

Activités

1

Alouette (*Lark*)

Apprenez à chanter cette vieille chanson traditionnelle.

Alouette, gentille alouette,
Alouette, je te plumerai (*pluck feathers*).
Je te plumerai la tête. (Bis)
Et la tête, et la tête. Oh!

Alouette, gentille alouette,
Alouette, je te plumerai.
Je te plumerai le dos. (Bis)
Et le dos, et le dos.
Et la tête, et la tête. Oh!

Continuez: le bec
    les ailes
    le cou
    les pattes

2

Lisez les panneaux. Indiquez la raison de chaque panneau:

- C'est pour conserver l'énergie.
- C'est pour préserver la nature.
- C'est pour lutter contre la pollution.

galerie vivante

Où ce monsieur est-il assis? Pourquoi?
Quelle symphonie écoute-t-il? Nommez deux
autres formes de «musique» qu'on peut
entendre à la campagne. Expliquez la
dernière phrase.

ICI, préférez les bruits de la nature et
votre plaisir d'y passer même un instant. Ecoutez le bruissement du vent
dans les branches, la vie des animaux de
la campagne, vos pas, vos pensées.
Entrez doucement dans la nature.

**Symphonie
pour un chant
montagnard.**

Vous aimez la Nature?

1. Ne coupez pas les arbres et les fleurs. Apprenez à reconnaître
les plantes protégées.

2. Ne laissez pas vos déchets! Emportez avec vous les papiers gras,
les boîtes de conserves, les bouteilles, et les sacs plastiques.

3. Protégez l'eau! Ne jetez pas d'objets en matière plastique,
de papiers, etc., dans les lacs, les fleuves, les ruisseaux.

4. Attention au feu! Mangez froid ou enterrez bien les cendres (*ashes*).

Quelles plantes sont protégées dans
votre état? Lesquels de ces déchets
sont biodégradables?

Lequel de ces deux paysages préférez-vous? Dans lequel est-ce qu'il y a de la pollution? Qu'est-ce qui est pollué?

Des proverbes qui traitent de la nature:

Il n'y a pas de roses sans épines.

La belle plume fait le bel oiseau.

Après la pluie, le beau temps.

Une hirondelle (*swallow*) **ne fait pas le printemps.**

Cherchez l'équivalent en anglais de ces proverbes.

4 Les Maghrébins

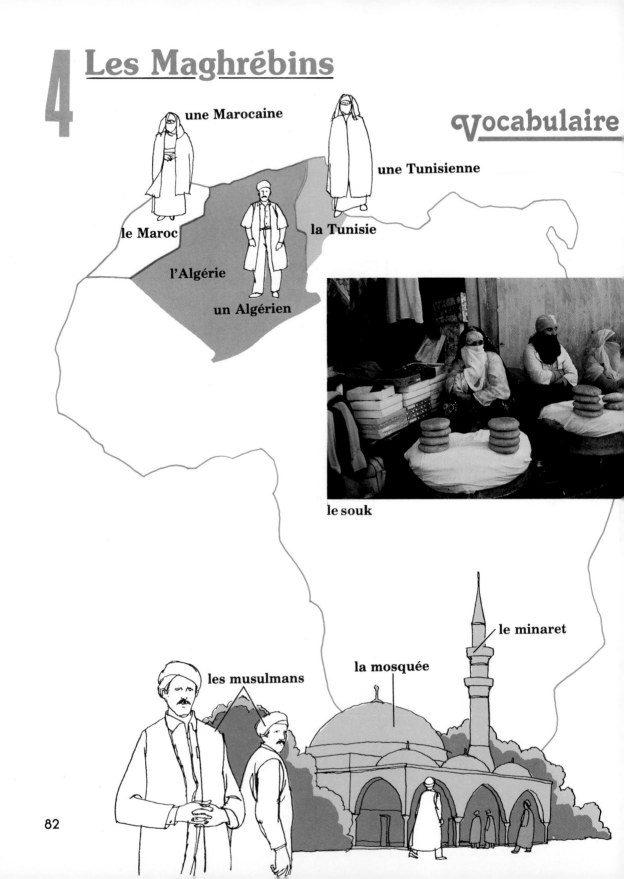

une Marocaine

une Tunisienne

le Maroc

la Tunisie

l'Algérie

un Algérien

le souk

le minaret

la mosquée

les musulmans

82

Exercice 1 Des immigrés de l'Afrique du Nord
Complétez.

1. Farida habite Paris mais elle est d'Algérie. Elle est _____ .
2. Mohammed habite Marseille mais il est du Maroc. Il est _____ .
3. M. Haddad habite la banlieue de Paris mais il est de Tunisie. Il est _____ .

Exercice 2 Les pays arabes de l'Afrique du Nord
Choisissez.

1. Les pays d'Afrique du Nord sont des pays arabes. La plupart des habitants de ces pays pratiquent la religion _____ .

    a. catholique   b. protestante   c. musulmane

2. Les juifs vont à la synagogue. Les musulmans vont à _____ .

    a. l'église   b. la mosquée   c. la synagogue aussi

3. La tour d'une _____ est un minaret.

    a. église   b. mosquée   c. synagogue

4. Le grand marché dans les villes arabes s'appelle _____ .

    a. la mosquée   b. le souk   c. le minaret

Exercice 3 Richard est allé au Maroc.

Richard a visité un souk.
Voici une photo qu'il a prise.
Dans le souk, il a vu des femmes.
Voilà les femmes qu'il a vues.
Elles sont **voilées.**

Répondez.

1. Qui est allé au Maroc?
2. Qu'est-ce qu'il a visité au Maroc?
3. Qui a-t-il vu dans le souk?
4. De quoi a-t-il pris une photo?
5. Tu vois la photo qu'il a prise?

Structure

Des expressions interrogatives avec *qui, qu'est-ce qui*

The interrogative pronoun *who* as the subject of the question is expressed by **qui** in French.

> **Qui est du Maroc? Mohammed est du Maroc.**
> **Qui va à la mosquée? Les musulmans vont à la mosquée.**
> **Qui a visité un souk? Richard et ses amis ont visité un souk.**

Note that in the last two questions the singular form of the verb was used with **qui.** The singular is used even if the answer to the question is plural. If, however, the people are mentioned in the question, the plural form of the verb is used.

> **Qui sont ces garçons là-bas?**

The interrogative pronoun *what* as the subject of the question is always **qu'est-ce qui.**

> **Qu'est-ce qui se passe?**   *What's happening?*
> **Qu'est-ce qui est arrivé?**   *What happened?*
> **Qu'est-ce qui fait ce bruit?**   *What's making that noise?*

Exercice 1   Un voyage en Algérie
Formez des questions.

1. *Farida* va en Algérie.
2. *Elle* va rendre visite à sa tante.
3. *Son frère* veut aller au souk.
4. *Farida et toute sa famille* sont parties ce matin.
5. *L'aéroport* est loin de leur maison.
6. *L'avion* est parti à l'heure.
7. *La mosquée* est au centre-ville.
8. *Le train* fait ce bruit.

Exercice 2   Qui est à la porte?
Complétez avec *qui* ou *qu'est-ce qui.*

a. — _____ est à la porte?
   — Je ne vois personne.
   — Mais j'entends un bruit. _____ fait ce bruit?
   — Calme-toi! C'est le vent!
b. — _____ se passe?
   — Rien. Tout va bien.
   — _____ est avec toi?
   — Marie est ici.
c. — Pourquoi est-il triste? _____ est arrivé?
   — Il a perdu son petit chien.
   — Ah, le pauvre! _____ va chercher le chien?
   — Toi et moi! Dépêche-toi!

Qui et *que* comme objets directs

The interrogative pronouns can also function as direct objects of the question. The interrogative pronouns *whom* and *what* as direct objects are expressed by **qui** and **que** in French. **Qui** (*whom*) and **que** (*what*) can be used alone with the inverted form of the verb.

Qui voyez-vous?	**Qui a-t-il vu?**	**Robert.**
Que voyez-vous?	**Qu'a-t-il vu?**	**La photo.**

Qui is never shortened, but **que** becomes **qu'** before a vowel.

Qui and **que** can also be used with **est-ce que**. After **est-ce que** the verb is not inverted.

Qui est-ce que vous voyez?	**Mon ami.**
Qu'est-ce que vous voyez?	**Mon billet.**

Exercice 3   Qui attendez-vous?
Formez des questions avec *qui* ou *que.*

1. Vous attendez *le guide.*
2. Vous attendez *le frère de Farida.*
3. Vous visitez *le souk.*
4. Vous cherchez *un bracelet* dans le souk.
5. Vous voyez *la mère de Farida* dans le souk.
6. Vous voyez *le minaret.*
7. Vous visitez *la mosquée.*

Une mosquée à Fès au Maroc

Exercice 4   Qu'est-ce qu'il cherche?
Formez des questions avec *qu'est-ce que* ou *qui est-ce que.*

1. L'immigré cherche du travail.
2. Ensuite il cherche un ami.
3. Il admire son patron.
4. Il déteste sa chambre.
5. Il lit les journaux.
6. Il salue ses compagnons.

Qui et *quoi* comme objets de préposition

Interrogative pronouns may also be used as objects of prepositions.

qui	*whom*
quoi	*what*
De qui parlez-vous?	*Of whom are you speaking?*
De quoi parlez-vous?	*Of what are you speaking?*

These expressions may also be used with **est-ce que.**

> **De qui est-ce que vous parlez?**
> **De quoi est-ce que vous parlez?**

Exercice 5 De quoi parlez-vous?
Formez des questions avec *qui* ou *quoi*.

1. Vous rendez visite à *Rachid*.
2. Vous allez chez *lui*.
3. Vous parlez de *sa vie*.
4. Vous allez au souk avec *Rachid*.
5. Vous parlez de *la jolie mosquée*.

Exercice 6 À qui est-ce que Rachid a téléphoné?
Employez *qui* ou *qui est-ce que; quoi* ou *quoi est-ce que*.

Demandez:
1. à qui Rachid a téléphoné
2. chez qui il est allé
3. avec qui il est allé au souk
4. de quoi ils ont parlé
5. devant qui ils se sont arrêtés
6. de quoi il a demandé le prix
7. sur quoi il va mettre la lampe

L'accord du participe passé

You have learned that when the **passé composé** is formed with **avoir,** the past participle is usually invariable.

Elle a parlé.
Nous avons fini la leçon.
Ils ont attendu les réfugiés.

When the direct object precedes the past participle, however, agreement is required.

Mme Ghez? Oui, il l'a vue.
Ses sœurs? Oui, il les a vues.

Look at the following sentences.

Vous avez écrit la lettre.
Quelle lettre avez-vous <u>écrite</u>?
Voici la lettre que vous avez <u>écrite</u>.
C'est la lettre que vous avez <u>écrite</u>.

In the last three sentences, the direct object **lettre** precedes the past participle. Therefore, the past participle must agree in number and gender.

Exercice 7 Dialogues
Complétez avec le participe passé.

a. — Où as-tu _____ (mettre) le pain que j'ai _____ (prendre)?
   — Je l'ai _____ (mettre) là-bas avec la crème que tu as _____ (acheter).
   — Et le couscous qu'on m'a _____ (donner)? Où l'as tu _____ (mettre)?
   — Le couscous? Je l'ai _____ (mettre) là, sur la table.

b. — Où est la lettre que j'ai _____ (écrire)?
   — La lettre que tu as _____ (écrire)? Je ne l'ai pas _____ (voir).
   — Mais voilà les journaux que tu as _____ (lire).

c. — Quels jolis bracelets!
   — Ce sont les bracelets que j'ai _____ (acheter) en Algérie l'année dernière.
   — En Algérie? Tu les as _____ (trouver) dans un souk, peut-être?
   — Oui, voilà une photo du souk que j'ai _____ (visiter).
   — Qui est ce jeune Arabe?
   — C'est Rachid. J'ai fait sa connaissance à Alger. Voilà la carte postale qu'il m'a _____ (écrire).

$\mathcal{C}$onversation

Des figues avec du café?

(Farida est d'origine algérienne; Ginette est française.)

Farida   Où sont les figues que j'ai achetées?

Ginette   Les voilà. Avec les dattes.

Farida   Ah, bon! Nous prenons toujours des figues et des bananes pour le petit déjeuner.

Ginette   Des figues avec du café?

Farida   Mais nous ne prenons pas de café.

Ginette   Ah, c'est vrai! Les Arabes aiment le thé à la menthe, n'est-ce pas?

Farida   Pendant la journée, oui. Mais pour le petit déjeuner nous buvons du petit-lait.*

Ginette   Du petit-lait! Pouah!

Exercice 1   Complétez.

1. Farida est _____ et Ginette est _____ .
2. Farida a acheté des _____ .
3. La famille de Farida prend des figues et des bananes pour _____ .
4. Les Arabes ne prennent pas de _____ .
5. Ils aiment _____ .
6. Pour le petit déjeuner ils boivent du _____ .

Exercice 2   Qui est algérien?
Formez des questions basées sur les mots en italiques.

1. *Farida* est d'origine algérienne.
2. Elle a acheté *des figues*.
3. On a mis les figues avec *les dattes*.
4. *La famille de Farida* prend des figues pour le petit déjeuner.
5. Ils prennent *des bananes*.
6. *Les Arabes* aiment le thé à la menthe.
7. Les Arabes boivent *du petit-lait* pour le petit déjeuner.

---

* **petit-lait**   *whey*

88

ℒecture culturelle

Fille d'Algériens

Deux lycéennes sont assises à la terrasse d'un café. Ginette pose des questions à Farida, une amie maghrébine qu'elle a connue au lycée. Farida est une immigrée d'Algérie. En France il y a plus de quatre millions d'immigrés. Les immigrés viennent d'autres pays d'Europe, d'Asie et d'Afrique. La plupart des immigrés viennent des pays d'Afrique du Nord. On les appelle des Maghrébins. De tous les Maghrébins, les plus nombreux sont algériens.

Ginette   Farida, quand est-ce que votre famille est venue en France?

Farida   Mon père est venu seul en 1973 et il a trouvé du travail près de Paris. Nous autres, ma mère, mes six frères et sœurs et moi, nous sommes venus en 1976.

Une pâtisserie tunisienne à Paris

Ginette	On parle français ou arabe chez vous?
Farida	On parle les deux langues, mais Maman et Papa parlent presque toujours l'arabe.
Ginette	Tu aimes les classes au lycée?
Farida	Ah, oui. Beaucoup. À l'école mes sœurs et moi nous nous sentons égales* aux garçons. Nous sommes musulmans, tu sais. D'après notre religion il y a des activités qui sont défendues* aux filles.
Ginette	Dis-moi. Quelles sortes d'activités?

Des immigrées à Dreux

Des lycéennes en Tunisie

En Algérie

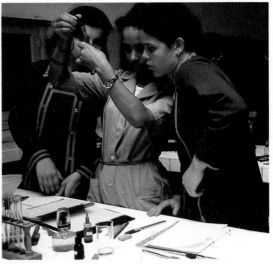

Farida	Dans les pays d'Afrique du Nord, surtout dans les petits villages, les femmes se voilent dans la rue. Les filles ne sortent pas beaucoup. Et avant le mariage, les filles ne s'associent pas avec les garçons.

---

*__nous nous sentons égales__ *we feel equal*   *__défendues__ *forbidden*

90

Ginette	Ici en France, c'est bien différent, n'est-ce pas?
Farida	Ah, oui. Les coutumes° en France sont bien différentes. Mais chez nous, nous gardons beaucoup de nos coutumes. Par exemple, mon père est assez sévère avec tous les enfants, mais surtout avec mes sœurs et moi.
Ginette	Je vois que tu ne portes jamais de jeans. Tu n'aimes pas?
Farida	Ce n'est pas que je ne les aime pas. Mais mon père défend les jeans et les pantalons trop serrés.°
Ginette	Vous avez la télé chez vous?
Farida	Ah, oui. Et nous regardons beaucoup de programmes. Mais je sais que vous les Françaises vous adorez la musique de jazz et tout ça. Chez nous, nous n'écoutons jamais de jazz ni de rock.
Ginette	Est-ce que tes frères ont plus de liberté que tes sœurs et toi?
Farida	Ah, oui. Par exemple, l'année dernière nous avons passé deux semaines en Algérie. Je suis restée tout le temps chez ma tante. Mes frères, au contraire, sont sortis avec leurs amis. Ils sont allés au souk et à la plage. Mais, tu sais, ma tante habite un tout petit village. Dans les villes des pays maghrébins, la vie a beaucoup changé. Il y a des femmes qui travaillent maintenant et dans les écoles primaires et supérieures il y a des classes mixtes.

Exercice 1   Répondez.

1. Est-ce que Ginette et Farida sont en France ou en Algérie?
2. D'où est Farida?
3. Combien d'immigrés y a-t-il en France?
4. D'où viennent-ils?
5. D'où vient la plupart des immigrés en France?
6. Comment est-ce qu'on appelle les habitants d'Afrique du Nord?
7. De tous les Maghrébins, qui sont les plus nombreux?

Exercice 2   Donnez une phrase pour décrire chaque sujet.

1. le père de Farida en 1973
2. le reste de la famille
3. la langue qu'on parle à la maison
4. l'opinion de Farida de son école
5. les filles et les garçons dans la famille de Farida

Exercice 3   Vrai ou faux?

1. Farida aime porter le blue-jeans et elle le porte toujours.
2. La famille de Farida regarde la télévision.
3. Ils écoutent toujours de la musique de jazz ou du rock.
4. Les garçons des familles musulmanes ont plus de liberté que les filles.
5. Quand Farida a rendu visite à sa tante en Algérie, elle est sortie souvent.

°**les coutumes**   *customs*   °**serrés**   *tight*

Activités

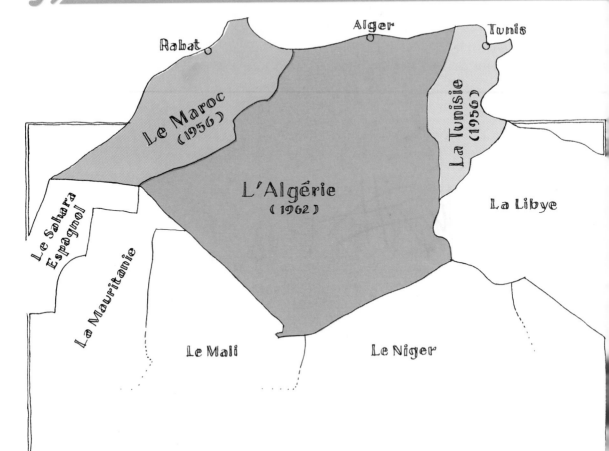

1 Regardez la carte de l'Afrique du Nord.

- Quels sont les pays voisins de l'Algérie?
- Quelle est la capitale de chaque pays maghrébin?
- En quelle année est-ce que chaque pays maghrébin a reçu son indépendance de la France?

Chaouen, une petite ville au Maroc

Le souk à Tunis

Une mosquée à Fès au Maroc

2 Voici des photos des pays maghrébins.

- Est-ce que vous voyez le souk?
- À Chaouen, est-ce que les rues sont grandes ou étroites?
- Est-ce que la mosquée est belle?
- Où est la mosquée?
- Voyez-vous beaucoup de femmes voilées?

3 Une interview

- Quelle est votre origine?
- Est-ce que vous êtes né(e) aux États-Unis?
- Est-ce que vos parents ou vos grands-parents sont nés dans un autre pays?
- D'où sont-ils venus?
- Est-ce que vous parlez une autre langue chez vous?
- Est-ce que vous gardez quelques coutumes folkloriques?
- Quelles sont ces coutumes folkloriques?
- Est-ce qu'on sert des plats traditionnels chez vous?

galerie vivante

■ Voici un agriculteur marocain. Avez-vous jamais vu un chameau qui travaille dans les champs? Quel animal est plus intelligent, le cheval ou l'âne?

■ Dans quels pays se trouvent ces trois villes? Quel est le voyage le plus cher? Lequel est le moins cher? De quelle ville française partent ces vols?

■ Comment savez-vous que cette photo n'a pas été prise en France? Il est évident que ces trois messieurs viennent de sortir de la mairie (*town hall*). De quoi discutent-ils? Parlent-ils en arabe ou en français?

Dans les marchés arabes c'est la coutume de marchander (*bargain*) avec les vendeurs. Voici un client qui marchande de la laine (*wool*) à Marrakech.

Rabat, la capitale du Maroc, est aussi un port de pêche.

En France les enfants des immigrés maghrébins apprennent l'arabe. La langue arabe s'écrit de droite à gauche. Quelle autre langue s'écrit comme ça? Quelles langues s'écrivent du haut en bas?

ℛévision

Les célèbres salamandres

Pascale	Quels monuments as-tu visités?
Delphine	Les châteaux de la Loire.
Pascale	Tu les as admirés?
Delphine	Beaucoup! Ils sont splendides! Surtout le château de Blois.
Pascale	Tu as monté le célèbre escalier, sans doute.
Delphine	Jusqu'au haut! Et je suis descendue très, très lentement!
Pascale	Les salamandres de François 1er, tu les as vues?
Delphine	Ah, oui! Partout! C'est un emblème assez rare pour un roi, n'est-ce pas?

Exercice 1 Les châteaux
Répondez d'après la conversation.

1. Quelle partie de la France est-ce que Delphine a visitée?
2. Quels monuments a-t-elle visités?
3. Elle les a admirés?
4. Quel château surtout a-t-elle admiré?
5. Quel escalier a-t-elle monté?
6. Comment est-elle descendue?
7. Quel est l'emblème de François 1er?
8. Où est-ce que Delphine a vu les salamandres?

Le passé composé avec *être*

Some verbs use **être** instead of **avoir** to form the passé composé.

aller	Il est allé.	naître	Il est né.
arriver	Il est arrivé.	mourir	Il est mort.
descendre	Il est descendu.	rentrer	Il est rentré.
entrer	Il est entré.	rester	Il est resté.
monter	Il est monté.	devenir	Il est devenu.
sortir	Il est sorti.	tomber	Il est tombé.
venir	Il est venu.	revenir	Il est revenu.

The past participle of these verbs must agree with the *subject*.

Marie est arrivée.   **Les garçons sont sortis.**
Les filles sont venues.   **Sa mère est morte.**

Remember that **descendre, monter** and **sortir** are conjugated with **être** unless they have a direct object.

Elle <u>est descendue</u> vite.   **Elle <u>a descendu</u> l'escalier.**

Exercice 2   Jean-Jacques Audubon
Complétez avec la forme convenable du passé composé.

Quand Jean-Jacques Audubon _____ (naître) en 1785 en Haïti, sa mère _____ (mourir). Jean-Jacques _____ (passer) sa jeunesse en France avec son père. Quand il _____ (aller) aux États-Unis, il _____ (connaître) Lucy Bakewell. Il l'a épousée et il _____ (devenir) américain. Il _____ (étudier) les oiseaux et les animaux de l'Amérique du Nord. Il _____ (mourir) en 1851.

Exercice 3   Hamidou
Répétez le paragraphe en substituant *Fatima* à *Hamidou,* et *grand-mère* à *grand-père.*

Hamidou est un jeune Algérien. Il est né en Algérie, mais, à l'âge de trois ans, il est venu en France. L'an dernier pour la première fois il est sorti de France et il est allé à Alger. Quand il y est arrivé ses grands-parents l'ont accueilli chaleureusement. Il est resté chez eux trois semaines parce que son grand-père est tombé gravement malade. Heureusement son grand-père n'est pas mort. Hamidou est enfin rentré à Paris.

Les pronoms compléments avec le passé composé

In the **passé composé** the direct and indirect object pronouns are placed before the form of **avoir**.

Je lui ai écrit.   **Le pigeon? Oui, nous l'avons vu.**
Il leur a parlé.

The past participle must agree with the direct object when it precedes the verb.

Il nous a regardés.
La cigogne? Non, nous ne l'avons pas vue.
Les lettres? Oui, je les ai écrites.

Exercice 4 Je les ai trouvés.
Faites les changements indiqués pour chaque dialogue.

le bracelet → les bracelets

a. — Tu as trouvé le bracelet?
— Oui, je l'ai trouvé.
— Tu l'as acheté?
— Oui, je l'ai acheté il y a un instant!

poème → lettre

b. — Où est le poème?
— Quel poème?
— Le poème que j'ai écrit.
— Le poème que tu as écrit? Je ne l'ai pas vu.
Ah si, le voilà! Je l'ai mis avec tes livres!

mon sac → mes valises

c. — L'employé a déjà monté mon sac?
— Oui, monsieur. Il l'a monté il y a un instant.
— Où l'a-t-il mis?
— Il l'a mis près de la fenêtre.

Exercice 5 Qui l'a prise?
Répétez l'histoire au passé composé.

Un jour Antoine écrit une lettre à Suzette, mais Suzette ne la reçoit pas. Son frère Thomas voit la lettre et il la prend. Il la monte à sa chambre et il la met avec ses livres. Il quitte la maison. Il va au cinéma avec des amis. Il rentre très tard et il oublie de donner la lettre à sa sœur.

Des expressions interrogatives

Review the following interrogative expressions.

Qui	(subject)	**Qui est là?**
	(object)	**Qui regardes-tu?**
	(object of preposition)	**Avec qui danses-tu?**
Qu'est-ce qui	(subject)	**Qu'est-ce qui se passe?**
Que	(object)	**Que fais-tu?**
Qu'est-ce que	(object)	**Qu'est-ce que tu fais?**
Quoi	(object of preposition)	**De quoi parlez-vous?**

Exercice 6 Qui téléphone à Lucien?
Posez des questions. Utilisez *qui, qu'est-ce que* ou *quoi* pour remplacer les mots soulignés.

1. *Louise* téléphone à Lucien.
2. Lucien fait *ses devoirs*.
3. Louise lui dit *qu'on va à la plage*.
4. Lucien parle de *son travail*.
5. Louise parle de *leurs copains*.
6. Elle va à la plage avec *eux*.
7. Enfin Lucien accepte *son invitation*.

ℓecture culturelle

supplémentaire

L'histoire du Mont-Saint-Michel

Le Mont-Saint-Michel est considéré comme un des grands chefs-d'œuvre de l'architecture française après les monuments de Paris et le château de Versailles. Le monastère sur l'îlot est situé dans la baie à l'embouchure* du Couesnon. Cette rivière, autrefois la frontière entre la Bretagne et la Normandie, a changé son cours à cause des marées. Aujourd'hui le Mont-Saint-Michel se trouve en Normandie et non plus en Bretagne. Le Mont est relié à la côte par une digue.*

Une légende raconte qu'en 708 l'archange Michel a apparu à l'évêque d'Avranches. L'archange lui a dit de fonder un monastère sur ce mont. Voilà l'origine du nom.

On a continué la construction du monastère jusqu'au seizième siècle. Cela explique pourquoi l'architecture du Mont-Saint-Michel est célèbre. On peut voir dans un seul monastère beaucoup de styles différents d'architecture.

Exercice Complétez.

1. Le Mont-Saint-Michel se trouve dans la province de _____ .
2. Le monastère est situé sur un _____ .
3. La rivière Couesnon a changé son cours à cause des _____ .
4. Le Mont-Saint-Michel doit son nom à _____ Michel.
5. L'architecture du monastère est intéressante parce que la construction a continué pendant plusieurs _____ .

---

*embouchure *mouth* *digue *causeway*

ꝗecture culturelle

supplémentaire

Un célèbre naturaliste

Jean-Jacques (John James) Audubon est célèbre aujourd'hui comme ornithologue et artiste. Sa mère, une créole haïtienne, est morte quand il est né le 26 avril, 1785 en Haïti. Son père, un officier de marine français, l'a emmené à Nantes où il a passé sa jeunesse.* Très jeune il a appris à aimer la nature, surtout les oiseaux, et il a montré un talent pour le dessin.

En 1803 son père l'a envoyé à Mill Grove près de Valley Forge en Pennsylvanie pour s'occuper d'une de ses propriétés. Là il a connu Lucy Bakewell. Il l'a épousée* en 1808 et il est devenu américain. Il a passé toute sa vie à réaliser son ambition— la peinture de tous les oiseaux de l'Amérique du Nord! Au bout de* vingt-cinq ans il a fini ses 435 peintures réalistes en aquarelle.* Avant sa mort en 1851, il a peint* aussi 155 quadrupèdes de l'Amérique du Nord. Ses deux fils ont continué son travail de naturaliste.

Avant la fin du siècle, aux États-Unis on a commencé à s'intéresser à la protection des oiseaux. On a donc formé en 1904 la Société Nationale Audubon. C'est une des plus vieilles et plus grandes organisations pour la préservation de la nature.*

Exercice **Répondez.**

1. Où est né Jean-Jacques Audubon?
2. Où a-t-il passé sa jeunesse?
3. Où est-il allé en 1803?
4. Qui a-t-il connu?
5. Qu'est-ce qu'il a peint?
6. Combien de fils a-t-il eus?
7. Que fait la Société Nationale Audubon?

***jeunesse** *childhood*   ***épousée** *married*   ***Au bout de** *At the end of*   ***aquarelle** *watercolor*   ***peint** *painted*

5 <u>La journée d'un lycéen</u>

Vocabulaire

Après les classes:
Les lycéennes se sont rencontrées à l'arrêt
    d'autobus.
Elles se sont parlé.

Exercice 1 À l'arrêt d'autobus
Répondez.

1. Où est-ce que les lycéennes se sont rencontré
2. Quand se sont-elles rencontrées?
3. Elles se sont parlé à l'arrêt d'autobus?
4. Elles sont allées chez elles en autobus?
5. Elles ont pris le métro ou le bus pour aller ch
   elles?

Read each pair of sentences. The second sentence will
give you the meaning of the new word in the first sentence.

Le programme **quotidien** d'un lycéen est difficile.
Le programme de tous les jours est difficile.

Il n'a jamais de **temps libre** en semaine.
Il travaille toujours pendant la semaine.

Comme d'habitude il fait ses devoirs.
Comme toujours il fait ses devoirs.

Le samedi et le dimanche il a du temps libre pour **les loisirs.**
Le samedi et le dimanche il a du temps libre pour faire ce qu'il veut pour
    s'amuser.

Exercice 2 Match.

A   B
1. un élève du lycée   a. les heures où on ne travaille pas
2. difficile   b. de chaque jour
3. le temps libre   c. un lycéen
4. les loisirs   d. la fin de semaine ou le week-end
5. quotidien   e. le contraire de toujours
6. jamais   f. rigide
7. le samedi et le dimanche g. les activités agréables et amusantes
8. comme d'habitude   h. comme toujours

Exercice 3 Personnellement
Répondez.

1. Est-ce que votre programme quotidien est facile ou difficile?
2. Vous avez beaucoup de temps libre pendant la semaine?
3. Quand avez-vous du temps libre?
4. Quand vous avez du temps libre, quels loisirs choisissez-vous?

Structure

Le passé composé des verbes réfléchis

Reflexive verbs form the **passé composé** with the verb **être.** Observe the following forms.

Masculine	
Affirmative	**Negative**
je me suis lavé	je ne me suis pas lavé
tu t'es lavé	tu ne t'es pas lavé
il s'est lavé	il ne s'est pas lavé
nous nous sommes lavés	nous ne nous sommes pas lavés
vous vous êtes lavé(s)	vous ne vous êtes pas lavé(s)
ils se sont lavés	ils ne se sont pas lavés

Feminine	
Affirmative	**Negative**
je me suis lavée	je ne me suis pas lavée
tu t'es lavée	tu ne t'es pas lavée
elle s'est lavée	elle ne s'est pas lavée
nous nous sommes lavées	nous ne nous sommes pas lavées
vous vous êtes lavée(s)	vous ne vous êtes pas lavée(s)
elles se sont lavées	elles ne se sont pas lavées

Note that in a negative sentence, **ne** precedes the reflexive pronoun and **pas** is placed after the helping verb **être.**

Roger <u>ne</u> s'est <u>pas</u> rasé ce matin.

When the reflexive pronoun is the direct object of the sentence, the past participle must agree in number and gender.

Jean s'est levé à sept heures.	**Marie s'est levée à sept heures.**
Il s'est dépêché.	**Elle s'est dépêchée.**
Les deux garçons se sont habillés.	**Les deux filles se sont habillées.**

Exercice 1   **Il s'est déjà rasé.**

La famille se prépare pour aller à une fête. Aux questions suivantes, répondez qu'on a déjà fait ces choses.

Papa va s'habiller?
Non, papa s'est déjà habillé.

1. Papa va se raser?
2. Maman va s'habiller?
3. Les frères vont se peigner?
4. Les filles vont se maquiller?
5. Elles vont se laver?
6. Eux aussi, ils vont se laver?

Exercice 2   **Je me suis réveillé(e) à sept heures.**

Dites à quelle heure...
1. vous vous êtes réveillé(e)
2. vous vous êtes levé(e)
3. vous vous êtes lavé(e)
4. vous vous êtes habillé(e)
5. vous vous êtes mis(e) à table

Exercice 3   **Nous ne nous sommes pas lavés.**

Chez vous ce matin on s'est réveillé très tard. Dites que vous et votre famille n'avez pas fait les choses suivantes.

1. Vous êtes-vous lavés?
2. Vous êtes-vous rasés?
3. Vous êtes-vous peignés?
4. Vous êtes-vous habillés avec soin?
5. Vous êtes-vous embrassés?
6. Vous êtes-vous assis pour prendre le petit déjeuner?

Exercice 4   **Je ne me suis pas rasée.**
Répondez personnellement.

1. Mademoiselle, vous êtes-vous rasée ce matin?
2. Monsieur, vous êtes-vous maquillé?
3. Vous êtes-vous lavé(e) avec du lait?
4. Vous êtes-vous peigné(e)?
5. Vous êtes-vous habillé(e) dans le living?

Accord du participe passé avec les pronoms réfléchis

The past participle agrees with the reflexive pronoun only when the reflexive pronoun is the direct object of the sentence.

Elle s'est lavée.	*She washed herself.*
Ils se sont rasés.	*They shaved (themselves).*

In several cases the reflexive pronoun is not the direct object of the sentence. Observe the following.

Jean s'est lavé les mains.	*John washed his hands.*
Carole s'est lavé la figure.	*Carol washed her face.*

In the sentences above the reflexive pronoun is not the direct object of the verb. In the first sentence the direct object is **les mains.** In the second it is **la figure.** Note that in English we use the possessive adjective (*his, her*). French uses the reflexive pronoun to indicate the possessor.

In many sentences the reflexive pronoun is an indirect rather than a direct object pronoun. When the reflexive pronoun is an indirect object, there is no agreement with the past participle.

Ils ont écrit une lettre.	*They wrote a letter.*
Ils se sont écrit.	*They wrote to each other.*
Elles ont parlé français.	*They spoke French.*
Elles se sont parlé en français.	*They spoke to each other in French.*

Exercice 5 Elles se sont acheté une jolie robe.

Ce soir mes sœurs vont assister à une fête importante. Elles se sont préparées toute la journée. Qu'est-ce qu'elles ont fait?

1. s'acheter une jolie robe
2. se laver les cheveux
3. se faire les ongles
4. se maquiller soigneusement
5. se regarder longuement
6. s'habiller avec soin

Exercice 6 — Elles se sont dit «au revoir».

Pendant les vacances d'hiver Simone est allée à Chamonix; Berthe est allée en Tunisie. Dites si elles ont fait les choses suivantes.

1. se dire «au revoir»
2. se voir avant de partir
3. s'écrire de longues lettres
4. se téléphoner tous les jours
5. se rencontrer dans le train
6. se parler de leurs projets

Exercice 7 — Samedi matin je...

Écrivez un paragraphe au passé composé où vous décrivez votre journée. Utilisez au moins cinq verbes réfléchis.

Expressions négatives au passé composé

In the present tense the negative expressions **ne... rien, ne... personne, ne... plus,** and **ne... jamais** function like **ne... pas. Ne** precedes the verb and **rien, personne, plus,** or **jamais** follows it.

> **Je n'étudie pas.**
> **Je ne vois rien.**
> **Je ne vois personne.**
> **Je ne chante plus.**
> **Je ne chante jamais.**

In the **passé composé, ne** or **n'** precedes the form of **avoir** or **être. Rien, plus,** or **jamais** is placed after it.

> **Je n'ai pas crié.**
> **Je n'ai rien dit.**
> **Je n'ai plus chanté.**
> **Je ne suis jamais allé(e) en France.**

Note that **personne,** however, is placed *after* the past participle.

> **Je n'ai vu personne.**
> **Il n'a salué personne.**
> **Elle n'a écrit à personne.**

Exercice 8 — Tu n'as rien fait?

Pratiquez la conversation.

— Marc, tu as vu Maman?
— Non, je n'ai vu personne.
— Tu as fait tes devoirs?
— Non.
— Qu'est-ce que tu as fait alors?
— Je n'ai rien fait.

Exercice 9 Répondez d'après la conversation.

1. Marc a vu sa mère?
2. Qui a-t-il vu?
3. A-t-il fait ses devoirs?
4. Qu'est-ce qu'il a fait?

Exercice 10 Jeanne n'a salué personne.

Jean et Jeanne sont jumeaux *(twins)*, mais ils sont complètement différents. Décrivez les actions et les réactions de Jeanne pendant le week-end.

Jean a tout fait.
Jeanne n'a rien fait.

1. Jean a salué tout le monde.
2. Jean a parlé avec tout le monde.
3. Jean a tout admiré.
4. Jean a tout mangé.
5. Jean a toujours applaudi.
6. Jean a continué à s'amuser.

Exercice 11 Personnellement

Répondez. Utilisez une expression négative.

1. Qu'est-ce que vous avez acheté chez Cartier?
2. Qu'est-ce que vous avez mangé en classe hier?
3. Avez-vous souvent joué au rugby?
4. Avez-vous toujours admiré les gangsters?
5. Qui avez-vous regardé à la télé ce matin?
6. Qui avez-vous insulté hier?
7. Avez-vous continué à croire au Père Noël après votre huitième anniversaire?

Conversation

Elle n'a rien regardé.

Henri Tu t'es bien amusée hier soir?

Anne Pas du tout!

Henri Qu'as-tu fait?

Anne Mes devoirs, comme d'habitude.

Henri Tu n'as parlé avec personne?

Anne Je n'ai vu personne et je n'ai parlé avec personne.

Henri Qu'as-tu regardé à la télé?

Anne Je n'ai rien regardé à la télé. Elle ne marche pas.

Henri Pauvre petite! Tu as manqué un film épatant!

Exercice Répondez.

1. Qui ne s'est pas amusé hier soir?
2. Qu'est-ce qu'Anne a fait?
3. Qu'est-ce qu'elle fait tous les soirs?
4. Avec qui a-t-elle parlé?
5. Qu'est-ce qu'elle a regardé à la télé?
6. Pourquoi a-t-elle manqué le film?

ℚecture culturelle

Les activités des jeunes en semaine

Anne Bertin, qui a quatorze ans, habite rue Albert Premier à St-Cloud dans la banlieue de Paris. En semaine son programme quotidien est assez rigide. Son programme est typique des jeunes lycéens français. Si nous voulons savoir comment Anne passe son temps, accompagnons-la toute une journée.

Ce matin, comme d'habitude, Anne s'est levée de bonne heure. Elle s'est dépêchée, mais elle n'a rien oublié. Elle est arrivée au lycée à huit heures moins dix parce que ses classes commencent à huit heures. Elle est restée à l'école jusqu'à quatre heures et demie de l'après-midi.

Quand elle est enfin sortie du lycée, elle et ses copains se sont rencontrés à l'arrêt d'autobus et ils se sont parlé un peu. Ensuite Anne a pris l'autobus numéro 47 et elle est rentrée chez elle. Elle a commencé tout de suite à faire ses devoirs. Elle travaille beaucoup tous les jours parce qu'elle veut avoir de bonnes notes.

Anne a enfin fini ses devoirs à sept heures et demie. Ensuite elle a dîné avec sa famille. Comme tous les jeunes Français, Anne participe beaucoup à la vie de famille. Pendant le dîner ce soir Anne et ses parents ont discuté des amis. Ils discutent aussi des loisirs, des études, de l'amour, du mariage, de la religion et de la politique. Beaucoup de jeunes Français aiment discuter de sujets personnels avec leurs parents.

On dit que les parents français sont plus
sévères avec leurs enfants que les parents
d'autres pays. Néanmoins° Anne est d'accord
avec les quatre-vingts pour cent des jeunes
qui disent qu'ils se sentent° libres° envers°
leurs parents.

   Après le dîner, Anne et son copain Henri
se sont parlé au téléphone. (Hier soir elle
n'a téléphoné à personne.) Ensuite elle a
regardé un bon film italien à la télé dans le

°**Néanmoins** *Nevertheless*   °**ils se sentent** *they feel*   °**libres** *free and easy*
°**envers** *toward*

living avec toute la famille. Anne, comme la plupart de ses copains, n'a pas de poste dans sa chambre.

À dix heures Anne a dit «bonne nuit» à ses parents. Elle s'est lavée; elle s'est brossé les dents et les cheveux et elle s'est couchée. Demain matin, comme tous les jours, elle doit se lever de bonne heure. En semaine elle et ses copains disposent de * très peu de temps libre. Mais Anne sait qu'ils vont bien s'amuser pendant le week-end comme ils se sont amusés le week-end passé.

Exercice 1 Corrigez.
Corrigez les erreurs dans les phrases suivantes.

1. Anne Bertin a quinze ans.
2. Elle habite Paris.
3. Son programme quotidien est flexible.
4. Anne ne se lève jamais de bonne heure.
5. Elle s'est dépêchée et elle a tout oublié.
6. Elle est arrivée au lycée à huit heures.

Exercice 2 Complétez.

1. À quatre heures et demie Anne _____ .
2. Anne et ses copains se sont rencontrés _____ .
3. Pour rentrer chez elle Anne _____ .
4. Elle a commencé _____ à faire ses devoirs.
5. Elle travaille beaucoup parce qu'elle _____ .

Exercice 3 Le dîner chez Anne
Décrivez le dîner chez Anne en quatre ou cinq phrases. Quelques suggestions: à quelle heure, qui, la vie de famille, de quoi on a discuté, d'autres sujets.

Exercice 4 Répondez.

1. Qui est Henri?
2. À qui est-ce qu'Anne a téléphoné hier soir?
3. Qu'est-ce qu'elle a regardé à la télé?
4. Pourquoi n'a-t-elle pas regardé la télé dans sa chambre?
5. À quelle heure est-ce qu'Anne a dit «bonne nuit» à ses parents?
6. Qu'est-ce qu'elle a fait ensuite?
7. Pourquoi est-ce qu'Anne et ses copains acceptent le programme quotidien en semaine?

---

* **disposent de** *have*

Activités

 Les parents

- Quelle opinion a-t-on des parents français?
- Que pensent quatre-vingts pour cent des jeunes gens français?
- Anne est-elle d'accord avec eux?
- Vos parents sont-ils sévères ou indulgents?
- De quels sujets discutez-vous avec vos parents?
- De quels sujets ne discutez-vous jamais avec vos parents?

 Une conversation

Imaginez une conversation au téléphone entre Henri et Anne. Parlent-ils du temps, des classes, des copains, de la musique, du cinéma, des sports? Écrivez au moins six lignes de conversation.

 Une comparaison

Comparez la vie de famille d'Anne avec la vie de famille chez vous.

- Est-ce que les membres de votre famille dînent toujours ensemble?
- Est-ce qu'on regarde la télé ensemble dans le living?
- Combien de téléviseurs y a-t-il dans votre maison/appartement?
- Qui décide quel programme on va regarder?

galerie vivante

Ah, oui! C'est vrai! On étudie beaucoup en semaine. On a toujours des devoirs à faire. Jean-Pierre a l'air triste. A-t-il bien préparé ses leçons?

Mais quand arrive le week-end, on sort! On monte à vélo, on monte à moto, on se promène. Thérèse et Gisèle ont trouvé un joli endroit. Qu'est-ce qu'elles admirent?

Et où va-t-on? Quelles activités offre-t-on dans ce studio? Quelle activité préférez-vous? Qu'est-ce qu'on sert au bar diététique?

ACTIVITÉS	TARIF

Bodybuilding
Aerobic et Stretching
Afro-brésilien
Jazz enfants et adultes
Boxe française
Boxe américaine
Karaté contact

Sauna / Solarium U.V.A.
Bar diététique

	Séance	Mois	Année
Bodybuilding	30	220	1500
Aerobic / ~~Jazz~~	30	320	2000
Jazz enfants	30	100	
Bodybuiding / Jazz Aerobic	30	400	2500
Sports de combat	30	200	
Sports de combat et Bodybuilding	30	280	

Ouvert tous les jours de 7 h. 30 à 22 h.
le Samedi de 9 h. à 18 h.
Le Dimanche de 11 h. à 17 h.

114

MIEUX JOUER

FAITES UN

STAGE de TENNIS

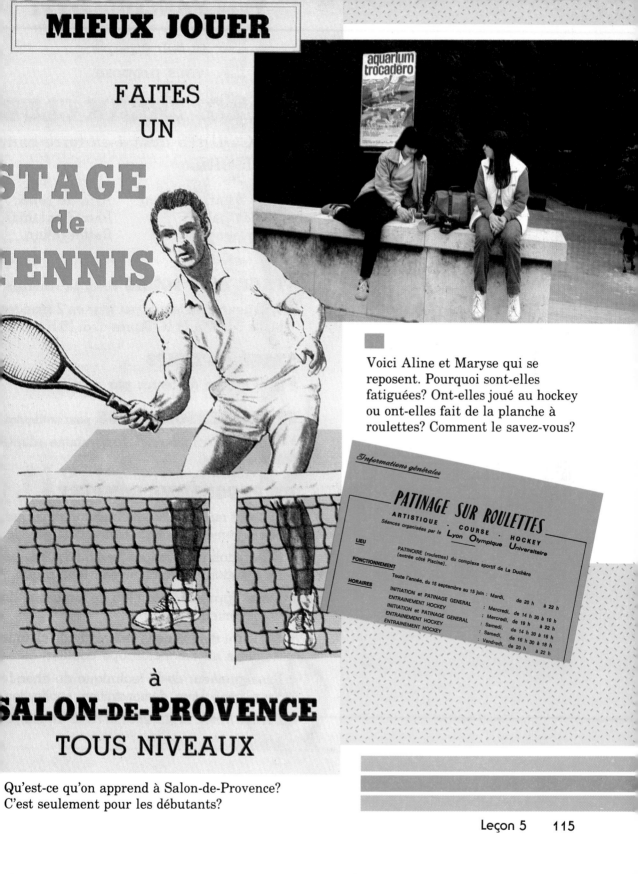

Voici Aline et Maryse qui se reposent. Pourquoi sont-elles fatiguées? Ont-elles joué au hockey ou ont-elles fait de la planche à roulettes? Comment le savez-vous?

Informations générales

PATINAGE SUR ROULETTES

ARTISTIQUE · COURSE · HOCKEY
Séances organisées par le Lyon Olympique Universitaire

LIEU   PATINOIRE (roulettes) du complexe sportif de La Duchère
            (entrée côté Piscine).

FONCTIONNEMENT

HORAIRES   Toute l'année, du 15 septembre au 15 juin : Mardi,   de 20 h   à 22 h
            INITIATION et PATINAGE GENERAL
            ENTRAINEMENT HOCKEY   : Mercredi,   de 14 h 30 à 16 h
            INITIATION et PATINAGE GENERAL   : Mercredi,   de 19 h   à 22 h
            ENTRAINEMENT HOCKEY   : Samedi,   de 14 h 30 à 16 h
            ENTRAINEMENT HOCKEY   : Samedi,   de 16 h 30 à 18 h
                                            : Vendredi,   de 20 h   à 22 h

à
SALON-DE-PROVENCE
TOUS NIVEAUX

Qu'est-ce qu'on apprend à Salon-de-Provence?
C'est seulement pour les débutants?

6 Chanteurs d'hier et d'aujourd'hui

Vocabulaire

Où est-ce qu'on chantait?

dans les rues

dans **les cabarets**
dans **les boîtes de nuit**

dans **les cours**

sur les champs de foire

sur les places

dans les châteaux

Qui chantait?

le chanteur

DIRECTION VINCENNES

DIRECTION NEUILLY

la chanteuse

le troubadour

Au **Moyen Âge** le troubadour **récitait** des poèmes.
Il **s'accompagnait** au luth.

Exercice 1   Qui chantait où?

Form a question whose answer is the italicized words in the sentence.

1. *Les troubadours* chantaient.
2. Ils chantaient *des poèmes*.
3. Ils chantaient *sur les places*.
4. Ils chantaient *au Moyen Âge*.
5. Les troubadours s'accompagnaient *au luth*.

Exercice 2   Où est-ce qu'on chantait?
Complétez avec la préposition qui convient.

1. Le chanteur chantait _____ les cabarets.
2. Le troubadour chantait _____ les châteaux.
3. Elle chantait _____ les rues.
4. La chanteuse chantait _____ les champs de foire.

Expressions utiles

Very often we wish to tell someone about things that we do frequently or used to do all the time. Here are some useful time expressions to use with repeated or habitual actions:

> **tous les samedis, tous les dimanches**
> **le samedi, le dimanche**
> **tous les jours, chaque jour**
> **toujours**
> **souvent, fréquemment**
> **de temps en temps**

Exercice 3   Personnellement
Répondez.

1. Tu vas à l'école tous les jours?
2. Tu as des classes le samedi?
3. Tu fais du français chaque jour à la même heure?
4. Tu parles toujours dans la classe de français?
5. Tu chantes de temps en temps?

Structure

L'imparfait

In French several tenses are used to express actions that took place in the past. You have already learned the **passé composé**. The **passé composé** is used to express past actions that started and ended at a definite time in the past. You are now going to learn the imperfect tense.

First let's look at how the imperfect tense is formed. To get the stem for the imperfect, the **-ons** ending is dropped from the **nous** form of the present tense. The imperfect endings are added to the stem. Study the following.

Infinitive	parler	finir	vendre	ENDINGS
Stem	parlóns	finissóns	vendóns	
Imperfect	je parlais	je finissais	je vendais	-ais
	tu parlais	tu finissais	tu vendais	-ais
	il/elle parlait	il/elle finissait	il/elle vendait	-ait
	nous parlions	nous finissions	nous vendions	-ions
	vous parliez	vous finissiez	vous vendiez	-iez
	ils/elles parlaient	ils/elles finissaient	ils/elles vendaient	-aient

Note that in the imperfect tense the **je, tu, il/elle,** and **ils/elles** forms are all pronounced the same although they are spelled differently.

The imperfect of almost all verbs is formed in the same way. Look at the following.

Infinitive	*Stem*	*Imperfect*
avoir	nous avóns	**j'avais**
voir	nous voyóns	**je voyais**
vouloir	nous voulóns	**je voulais**
pouvoir	nous pouvóns	**je pouvais**
prendre	nous prenóns	**je prenais**
lire	nous lisóns	**je lisais**
boire	nous buvóns	**je buvais**
manger	nous mangeóns	**je mangeais**
commencer	nous commençóns	**je commençais**
appeler	nous appelóns	**j'appelais**
lever	nous levóns	**je levais**
préférer	nous préféróns	**je préférais**
faire	nous faisóns	**je faisais**

The imperfect tense in French is used to express habitual or repeated actions in the past. It is not important when the event began or ended.

Madame Benoît parlait toujours français en classe.
Elle chantait souvent.
Mais elle ne jouait jamais de la guitare.
De temps en temps elle dansait.
J'aimais beaucoup la classe de Madame Benoît.

Exercice 1 Pendant les vacances
Répondez personnellement.

1. Est-ce que tu passais tous les week-ends à la plage?
2. Tu nageais souvent?
3. Tu faisais de temps en temps du ski nautique?
4. Tu parlais souvent avec tes amis?
5. Est-ce que tes amis nageaient aussi?
6. Faisaient-ils du ski nautique aussi?
7. Est-ce que vous alliez au café de temps en temps?
8. Qu'est-ce que vous preniez?
9. Le samedi, jouiez-vous au football?
10. Est-ce que ta famille dînait au restaurant de temps en temps?
11. Vous alliez souvent au cinéma?
12. Vous regardiez la télévision le soir?

Exercice 2 Pratiquez la conversation.

Paul   Thérèse, tu parlais français à un jeune âge, n'est-ce pas?
Thérèse Mais non. Nous parlions anglais chez moi. Mes grands-parents
          parlaient français, mais ils habitaient Québec.
Paul   Alors, tu parlais français quand tu visitais le Canada?
Thérèse Un peu, oui.

Exercice 3 Répondez d'après la conversation.

1. On parlait anglais ou français chez Thérèse?
2. Qui parlait français?
3. Où habitaient les grands-parents de Thérèse?
4. Quand est-ce que Thérèse parlait français?

Exercice 4 On va parler avec le prof.
Demandez-lui:

1. où il habitait quand il est entré au lycée
2. quel âge il avait
3. quelles classes il préférait
4. s'il écrivait beaucoup
5. s'il lisait beaucoup aussi
6. quelle sorte de livres il préférait
7. s'il avait de bonnes notes
8. s'il savait qu'il **voulait être professeur**

Exercice 5 Qu'est-ce qu'on faisait?

Le téléphone a sonné à sept heures ce matin. Qui a répondu? Personne. Pourquoi? Complétez à l'imparfait.

1. Maman _____ du thé. **boire**
2. Papa _____ le café. **faire**
3. Bernard et Marie _____ . **manger**
4. Thomas _____ une douche. **prendre**

5. Le bébé _____ . **dormir**
6. Je _____ le journal. **lire**
7. Tu te _____ les dents. **brosser**
8. Anne et Sylvie _____ . **s'habiller**

L'imparfait du verbe *être*

Only the verb **être** is irregular in the imparfait. The **nous** form **sommes** is *not* used to form the stem. The stem, instead, is **ét-** (similar to **être**).

j'étais	nous étions
tu étais	vous étiez
il/elle était	ils/elles étaient

Exercice 6 Le détective pose des questions.

Le détective veut savoir où tout le monde était le 12 septembre. Complétez avec l'imparfait du verbe *être*.

1. M. Bertin _____ à Biarritz.
2. Mme Plessy et sa fille _____ à New York.
3. Le cousin Georges ne peut pas dire où il _____ ; il a oublié.
4. La nièce Andrée dit, «Moi, j' _____ à la maison.»
5. «Ce n'est pas vrai,» dit Georges. «Tu _____ à Cannes avec ton ami.»
6. M. Grigny dit, «Ma femme et moi, nous _____ au Japon.»

Les emplois de l'imparfait

As you have already learned, the imperfect tense is used to express continuous, repeated, or habitual actions in the past.

Quand j'**étais** très jeune, je **me couchais** toujours de bonne heure et je **me levais** de bonne heure aussi. Tous les jours j'**apprenais** quelque chose de nouveau à l'école. Le samedi ma mère ou mon père et moi, nous **faisions** quelque chose de différent. Fréquemment nous **faisions** les courses ou nous **allions** au parc. De temps en temps nous **jouions** au football. Nous nous **amusions** bien.

The imperfect is also used to describe persons, places, and things in the past.

Monsieur était à Paris.	*Location*
Il avait trente ans.	*Age*
Il était grand et il avait les yeux bleus.	*Appearance*
Il était très fatigué.	*Physical condition*
Il était triste.	*Emotional state*
Il avait envie de dormir. ⎫	*Attitudes and desires*
Il voulait rentrer chez lui. ⎭	
Il était dix heures du soir.	*Time*
Il faisait froid et il pleuvait.	*Weather*

Exercice 7 Le pauvre jeune homme
Répondez.

1. Quelle heure était-il? **onze heures du soir**
2. Quel temps faisait-il? **très mauvais**
3. Où était le jeune homme? **dans un champ**
4. Comment s'appelait-il? **Michel Degal**
5. Quel âge avait-il? **vingt ans**
6. Comment était-il? **malade et triste**
7. Qu'est-ce qu'il voulait? **rentrer chez lui**
8. Pourquoi ne pouvait-il pas rentrer chez lui? **il était dans l'armée**

Exercice 8 Une interview

Un reporter interviewe un nouveau groupe de rock. Complétez à l'imparfait.

Q: Quand avez-vous commencé à chanter ensemble?
R: Nous avons formé le groupe en 1985.
Q: Vous _____ (avoir) quel _____ âge?
R: Moi, j'_____ (avoir) vingt ans, Paul _____ (avoir) vingt-deux ans et Marie et Thomas _____ (avoir) vingt et un ans.
Q: Où _____-vous (chanter) au début?
R: Nous _____ (chanter) souvent dans des boîtes de Montparnasse. Nous _____ (vouloir) donner un grand concert, mais le monde de la musique ne nous _____ (connaître) pas encore. Nous ne _____ (faire) même pas de disques. M. Beaufort _____ (venir) nous écouter de temps en temps. C'est lui qui nous a donné notre chance.

Expressions négatives *ne... que* et *ne... ni... ni*

You already know the negative expressions listed below.

Il ne chante pas en classe.
Nous ne nageons plus.
Je ne regarde personne.

Elle ne voyage jamais.
Nous n'entendons rien.

Two additional negative expressions are

ne... que   *only*
ne... ni... ni   *neither . . . nor*

Elle ne mange que des légumes.   *She eats only vegetables.*
Il n'aime ni le thé ni le café.   *He likes neither tea nor coffee.*

Note that **ne... ni... ni** may also be used with adjectives or verbs.

Elle n'est ni grande ni petite.
Nous n'aimons ni chanter ni danser.

The partitive is not used after **ne... ni... ni.**

Vous n'avez ni frères ni sœurs?
Il ne boit ni bière ni vin.

In the **passé composé**, **ne... que** and **ne... ni... ni** both function like **ne... personne,** that is, **que** and **ni... ni...** come after the past participle.

Je n'ai mangé que du pain.
Elle n'a pris ni crème ni sucre.

Note that the partitives **du, de la, de l',** and **des** do not change to **de** after **ne... que.** This is because **ne... que** is not negative in meaning.

Il ne prend que du café.
Elle ne mange que des légumes.

Exercice 9   Je ne joue ni du piano ni de la guitare.
Répondez avec *ne... ni... ni* ou *ne... que.*

1. Jouez-vous du piano ou de la guitare?
2. Aimez-vous les ballades ou les chansons d'amour?
3. Voulez-vous chanter ou danser?
4. Aimez-vous seulement la musique Western?
5. Est-ce qu'on vend seulement des disques ici?
6. Est-ce que cette guitariste joue seulement de la musique folk?

Exercice 10   Je n'ai vu que la rue!
Répétez la conversation au passé composé.

— Écoute! Qu'est-ce que j'entends?
— Moi, je n'entends rien. Je n'entends que le vent.
— Tu regardes par la fenêtre?
— Oui, mais je ne vois personne.
— Tu ne vois ni Marcel ni Margot?
— Non. Je ne vois que la rue!

Conversation

Il n'y avait qu'un chanteur!

(Sur la place devant le Centre Pompidou (Beaubourg) il y a souvent de jeunes musiciens, artistes, chanteurs, mimes. Les gens qui s'arrêtent pour les écouter et les regarder leur donnent un peu d'argent.)

Michèle   Est-ce qu'il y avait beaucoup de monde à Beaubourg?

Jean-Paul   Ah, oui! Il y avait une foule énorme!

Michèle   Le mime était là comme d'habitude?

Jean-Paul   Non. Il n'y avait qu'un chanteur. Mais quel chanteur! Formidable!

Michèle   Qui l'accompagnait—une guitariste blonde?

Jean-Paul   Oui. Elle aussi était très douée.*

Michèle   Pas étonnant! Ce sont mes cousins Lucien et Jeanne-Marie.

Exercice 1   Complétez.

1. Jean-Paul était à _____ .
2. Il y avait une _____ énorme.
3. Le _____ n'était pas là.
4. Le _____ était formidable.
5. Une _____ blonde accompagnait le chanteur.
6. Elle aussi était très _____ .
7. Lucien et Jeanne-Marie sont les _____ de Michèle.

Exercice 2   Il n'y avait personne...

Écrivez le contraire des phrases suivantes en employant une expression négative. N'utilisez pas *ne... pas*!

1. Il y avait beaucoup de monde à Beaubourg.
2. Sur la place on voyait toujours un mime.
3. Il y avait un chanteur et une guitariste.
4. Il y avait plus d'un artiste.
5. La foule applaudissait tout.

---

douée   *gifted*

ꝗecture culturelle

La chanson française

Il y a une vieille tradition de chanson française qui a duré longtemps. En France il y avait ce qu'on appelait des chanteurs de rue. Ces chanteurs de rue allaient de cour en cour. Dans la cour des immeubles ils chantaient et recevaient des pièces de monnaie° des habitants qui écoutaient leurs chansons. Que chantaient-ils? Leurs chansons étaient purement réalistes. Ils chantaient les faits divers.° Par exemple, on lisait dans le journal l'histoire d'une femme très pauvre mariée récemment° avec quelqu'un de très, très riche. Pour leur lune de miel° ils faisaient un grand tour du monde. Immédiatement on faisait une chanson de cette histoire. On écrivait la musique sur un papier et on la distribuait dans la rue. Tout le monde apprenait la chanson tout de suite.

Les chanteurs de rue me rappellent un peu les troubadours du Moyen Âge. Ils allaient de château en château. Ils chantaient pour le châtelain et ses invités. Les troubadours chantaient aussi sur les places et sur les champs de foire. Ils s'accompagnaient au luth ou à la vielle, une sorte de violon à trois cordes.

Une des chanteuses françaises les plus célèbres de l'époque moderne était Édith Piaf. Les chansons qu'elle chantait racontaient les anecdotes de la vie—de la misère, de l'espoir° et de l'amour heureux et tragique. Piaf n'a fait que reprendre° la tradition de la rue.

°**des pièces de monnaie** *coins* °**les faits divers** *news items* °**récemment** *recently*
°**lune de miel** *honeymoon* °**l'espoir** *hope* °**reprendre** *take up*

Dans les grandes villes françaises il existait toujours des cabarets où les gens allaient pour s'amuser et surtout pour chanter. Malheureusement il n'y en a plus beaucoup · aujourd'hui. On n'en trouve plus qu'à · Montmartre, un vieux quartier de Paris.

Actuellement la chanson française n'est plus ce qu'elle était. Il n'y a plus de chanteurs de rue. Néanmoins la tradition réaliste continue un peu aujourd'hui. Mais les chansons réalistes de nos jours touchent beaucoup plus la politique que les faits divers.

Exercice 1 Répondez.

1. Où allaient les chanteurs de rue?
2. Qu'est-ce qu'ils faisaient dans la cour des immeubles?
3. Qu'est-ce qu'ils recevaient?
4. Qui leur donnait des pièces de monnaie?
5. Que chantaient-ils?
6. Donnez un exemple des faits divers qu'on chantait.
7. Où est-ce qu'on écrivait la musique?
8. Est-ce qu'on distribuait la musique dans la rue?
9. Où allaient les troubadours du Moyen Âge?
10. Qu'est-ce qu'ils faisaient quand ils arrivaient au château?
11. Est-ce qu'ils ne chantaient que dans les châteaux?
12. À quoi s'accompagnaient-ils?

·**Actuellement** *Presently*   ·**Néanmoins** *Nevertheless*   ·**il n'y en a plus beaucoup** *there aren't many left*   ·**On n'en trouve plus qu'à** *You can only find them in*

Exercice 2 Édith Piaf

Écrivez au moins quatre phrases sur Édith Piaf.

1. Qui était-elle?
2. Que faisait-elle?
3. Que racontait-elle?
4. Quelle tradition a-t-elle reprise?

Exercice 3 Répondez.

1. Où se trouvaient les cabarets?
2. Pourquoi est-ce que les gens allaient dans les cabarets?
3. Combien de cabarets est-ce qu'il y a aujourd'hui?
4. Où se trouvent-ils?
5. Y a-t-il des chansons réalistes françaises aujourd'hui?
6. Est-ce qu'elles touchent les faits divers?

Activités

Cherchez des renseignements sur la vie d'Édith Piaf. Écoutez ses disques. Préparez un commentaire sur une de ses chansons.

Êtes-vous poète?

Répondez honnêtement aux questions suivantes pour savoir si vous êtes poète.

3 Lisez les faits divers dans le journal. Suggérez une histoire qui vous semble un bon sujet pour une chanson. Dites pourquoi vous avez choisi cette histoire.

> **ÉVÉNEMENT**
> **2 à 6 :** Mitterrand et Reagan confirment le maintien de la force multinationale à Beyrouth.
> **POLITIQUE**
> **8 :** L'ENA malade de sa troisième voie.
> **ÉCONOMIE**
> **10 :** Delors fait appel à la pub contre l'inflation.
> **MÉDIAS**
> **14, 15 :** Un an de Haute Autorité.
> **JUSTICE**
> **16 :** Procès des grâces médicales.
> **FAITS DIVERS**
> **17 :** Zampa court toujours.
> **SCIENCES**
> **20 :** L'intérieur des planètes.
> **ÉTRANGER**
> **22, 23 :** Les manifestations pacifistes. **24 :** Offensive iranienne contre l'Irak.
> **CULTURE**
> **27, 28 :** Livres. **29 :** Cinéma. **30 :** Musique. **31 :** Théâtre. **32, 33 :** Musique.
> **PROGRAMMES**
> **34 à 39.**

4 Si vous êtes très doué(e), écrivez une petite chanson sur le fait divers que vous avez choisi.

- Aimez-vous être seul?
- Aimez-vous rêver (*to dream*)?
- Aimez-vous regarder les étoiles?
- Admirez-vous la beauté d'un paysage (*landscape*)?
- Aimez-vous les enfants?
- Vos amis vous disent-ils que vous êtes dans la lune (*absent-minded*)?
- Écrivez-vous des poèmes pour votre plaisir?

Vous êtes sans doute poète si vous avez répondu que oui à six questions!

galerie vivante

Voici un billet pour l'opéra de Paris. Le théâtre s'appelle l'Opéra ou le Palais Garnier, en l'honneur de l'architecte Charles Garnier. Comment s'appelle l'opéra qu'on va entendre? À quelle heure commence-t-il? Quel est le prix du billet? Est-ce que la place se trouve au centre ou sur le côté?

Voilà un groupe de jongleurs au Centre Pompidou. De quelles couleurs sont les boules avec lesquelles la fille jongle? Est-ce que les deux petits sont les frères de la fille? Savez-vous jongler?

Les mimes sont très populaires en France. On les voit de temps en temps dans les rues. Le plus célèbre des mimes français est Marcel Marceau. Où avez-vous vu un mime?

Le Moulin Rouge!
Tout le monde connaît le
nom du cabaret le plus renommé de Paris!
C'est un vrai moulin (*windmill*)?

Voici un dépliant qui annonce les concerts de la
Sainte-Chapelle, une magnifique église gothique
située sur l'île de la Cité à Paris. Croyez-vous
qu'on donne des concerts de rock et de pop ici?

Combien de magasins Anders est-ce qu'il y a? Est-
ce qu'on répare aussi les pianos? Nommez quatre
autres instruments qu'on y vend.

7 On mange bien en France

La Bretagne

le poisson

le pêcheur

les fruits de mer

le homard

les huîtres

les coquilles Saint-Jacques

les moules

la langouste

132

Exercice 1 La Bretagne

Regardez la carte de la Bretagne. Cette province est entourée par la mer.
Répondez.

1. Est-ce qu'il y a beaucoup de pêcheurs en Bretagne?
2. Est-ce que les Bretons mangent du poisson et des fruits de mer?
3. Tu aimes le poisson? Tu manges du poisson?
4. Tu aimes les fruits de mer? Tu manges des fruits de mer?
5. Nommez quelques fruits de mer.

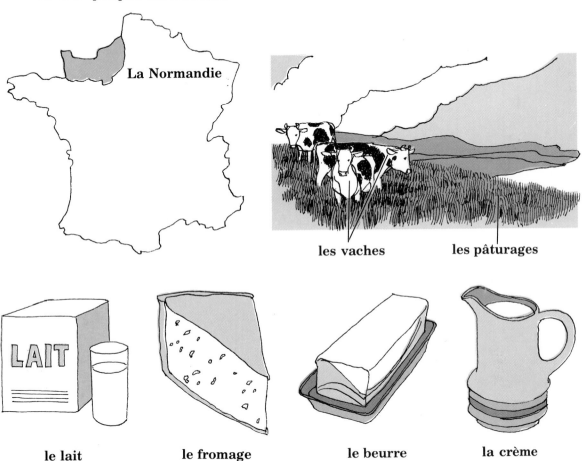

La Normandie

les vaches les pâturages

le lait   le fromage   le beurre   la crème

Exercice 2 La Normandie

Regardez la photo des pâturages normands. Complétez.

Dans les _____ normands il y a beaucoup de vaches. Les vaches
donnent du _____ . Avec le lait les Normands font du _____ et
du _____ . Les Normands préparent beaucoup de sauces délicieuses
avec de la crème et du _____ .

L'Alsace

la choucroute

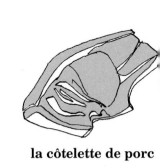

le jambon

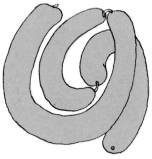

les saucisses

la côtelette de porc

les pâtes

l'ail

La Provence

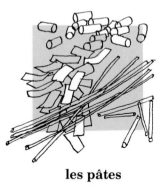

un olivier

l'huile d'olive

La Bourgogne

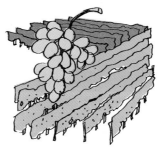

les vignobles

les raisins

le vin rouge

Exercice 3 Regardez ce plat. Répondez.

1. Qu'est-ce qu'il y a dans ce plat?
2. D'après vous, c'est un plat alsacien ou provençal?
3. Tu veux le manger ou pas? Pourquoi?

Exercice 4 Complétez.

1. Il y a beaucoup d'oliviers en _____ .
2. Les oliviers donnent des _____ .
3. Avec les olives on fait de l'_____ .
4. En Provence on prépare des sauces pour les pâtes avec de l'_____ et de l'_____ .
5. En Bourgogne il n'y a pas d'oliviers. Mais il y a beaucoup de _____ .
6. Dans les _____ de Bourgogne il y a beaucoup de vignes.
7. Les vignes donnent des _____ .
8. Avec les raisins on fait des _____ excellents.

Mme Parmentier est allée à la crémerie.
Le crémier parlait avec un client.
Il parlait avec un client quand Mme
   Parmentier est entrée.

Mme Parmentier a acheté **un paquet** de
   beurre.
Elle a acheté aussi un litre de lait.
Beaucoup de gens faisaient la queue à **la**
   caisse.

Exercice 5   Où est-elle allée?
   Corrigez.

1. Mme Parmentier est allée à la boucherie.
2. Le crémier ne parlait avec personne quand elle est entrée.
3. Elle a acheté du fromage et de la crème.
4. Elle a acheté un litre de beurre et un paquet de lait.
5. **Il n'y avait personne** à la caisse.

Structure

L'imparfait et le passé composé

The choice of whether to use the **passé composé** or the imperfect tense depends upon whether the speaker is describing an action completed in the past or a continuous, recurring action.

The **passé composé** is used to express actions or events that began and ended at a definite time in the past.

> **J'ai passé l'été dernier en Bretagne.**
> **Un jour je suis allé à Cancale pour faire les courses.**
> **À Cancale j'ai acheté des huîtres.**

The imperfect, in contrast to the **passé composé**, is used to express a continuous, habitual, or repeated action in the past. The moment when the action began or ended is unimportant.

> **Je passais tous les étés en Bretagne.**
> **J'allais tous les jours à Cancale pour faire les courses.**
> **À Cancale j'achetais toujours des huîtres.**

Exercice 1   On le faisait ou on l'a fait?
Répondez que *Oui*.

1. Est-ce que les jeunes gens ont joué au football l'autre jour?
   Quand ont-ils joué au football?
   Est-ce que les jeunes gens jouaient au football tous les jours?
   Quand jouaient-ils au football?
2. Est-ce que Marie a regardé la télé hier soir?
   Quand a-t-elle regardé la télé?
   Est-ce que Marie regardait la télé tous les soirs?
   Quand est-ce que Marie regardait la télé?
3. Est-ce que Thérèse a reçu de bonnes notes l'année dernière?
   Quand a-t-elle reçu de bonnes notes?
   Est-ce que Thérèse recevait toujours de bonnes notes?
   Quand recevait-elle de bonnes notes?
4. Est-ce que Jean est allé en Provence l'été dernier?
   Quand est-il allé en Provence?
   Est-ce que Jean allait tous les étés en Provence?
   Quand allait-il en Provence?
5. Est-ce que Monsieur Leclerc a préparé un bon dîner hier soir?
   Quand a-t-il préparé un bon dîner?
   Est-ce que Monsieur Leclerc préparait souvent de bons dîners?
   Quand préparait-il de bons dîners?

Exercice 2 **Personnellement**
Répondez.

Pendant les vacances d'été
1. Est-ce que tu nageais tous les jours?
2. Est-ce que tu jouais au football avec tes copains?
3. Qu'est-ce que tu faisais tous les jours?
4. Et le soir? Que faisais-tu? Où allais-tu?
5. Qu'est-ce que tes parents faisaient?

Et hier soir
6. Tu as regardé la télé?
7. Tu es sorti(e)?
8. Qu'est-ce que tu as fait?
9. À quelle heure es-tu revenu(e)?
10. Tu t'es couché(e) à quelle heure?

Exercice 3 **Je suis allé(e) à Pornic.**
Lisez.

Jeudi dernier je me suis levé(e) de bonne heure. Je me suis lavé(e) et je me suis vite habillé(e). J'ai fait le petit voyage de Bouaye à Pornic. À Pornic j'ai acheté des huîtres et des coquilles Saint-Jacques. Quand je suis revenu(e) chez moi, j'ai commencé tout de suite à préparer un bon dîner de fruits de mer.

Substituez *tous les jeudis* à *jeudi dernier* et faites tous les changements nécessaires.

Pornic

Deux actions dans la même phrase

Many sentences that relate past actions or events have two verbs which can either be in the same tense or in two different tenses. Analyze the following sentences.

> **Jean est sorti et Ginette est entrée.**
> **Quand elle est entrée, j'ai servi le dîner.**

In each of the above sentences both verbs are in the **passé composé** because they express two simple actions or events that began and ended in the past.

> **Pendant les vacances Charles allait à la plage et moi je travaillais.**
> **Quand j'avais soif, je prenais un coca.**

In each of the above sentences the two verbs are in the imperfect because they both express habitual or continuous actions. The time at which they began or ended is unimportant.

> **Quand je suis arrivé(e), Henri dormait.**
> **Ma mère jouait du piano quand Philippe est entré.**

In each of the above sentences one verb is in the imperfect and the other verb is in the **passé composé.** The verb in the imperfect describes what was going on. The verb in the **passé composé** expresses the action or event that intervened and interrupted what was going on.

Exercice 4 Personnellement
Répondez.

1. Quand tu étais petit(e), à quelle école allais-tu?
2. Est-ce que tu écrivais quand la maîtresse parlait?
3. Est-ce que tu parlais quand elle parlait?
4. Et hier, as-tu répondu à toutes les questions que le prof t'a posées?

Exercice 5 Qu'est-ce qui se passait quand...?
Répondez que *Oui*.

1. Est-ce que Jean regardait la télé quand le téléphone a sonné? A-t-il répondu au téléphone?
2. Est-ce que sa mère lisait le journal quand Jean l'a appelée au téléphone? Est-elle allée au téléphone?
3. Est-ce que sa mère parlait au téléphone quand Jean est sorti? Est-il allé au café?
4. Est-ce qu'il allait au café quand il a rencontré son amie Brigitte? Sont-ils allés au café ensemble?
5. Est-ce que Jean et Brigitte parlaient quand deux autres amis sont arrivés?
6. Est-ce qu'ils se parlaient quand le garçon est venu prendre leur commande?

Exercice 6 Qu'est-ce qu'ils faisaient?

Qu'est-ce que les amis faisaient quand les parents de Suzanne sont arrivés?

Exercice 7 Une surprise-partie chez Paul

Répétez au passé. Employez l'imparfait ou le passé composé.

1. Paul danse avec Marie quand Henri entre.
2. Georges joue de la guitare quand le téléphone sonne.
3. Paul parle au téléphone quand Michèle part.
4. Les amis écoutent la radio quand Jeannette commence à chanter.
5. Liliane et Richard regardent la télé quand Liliane sert de la pizza.
6. Tout le monde danse quand les parents de Paul disent «bonsoir».

∿Note

Certain verbs are used much more frequently in the imperfect than in the **passé composé**. Such verbs are **être, avoir, aimer, penser, croire, vouloir, pouvoir, espérer,** and **savoir**. These verbs usually indicate a state of mind that had neither a definite beginning nor ending.

> **Je voulais bien répondre à la question parce que je savais la réponse.**
> **Il croyait que je savais ce qu'il voulait.**

Remember, too, that most descriptions in the past are also in the imperfect rather than the **passé composé**.

> **Le petit avait les yeux très bleus. Il était adorable.**
> **Il n'avait que trois ans.**
> **Il voulait jouer dehors.**
> **Mais il faisait très froid et il n'y avait pas de soleil.**

Exercice 8 Quand tu étais petit(e)...
Complétez la conversation avec l'imparfait du verbe donné.

— Quand tu _____ (être) petit(e), _____-tu (savoir) nager?
— Non, je ne _____ (savoir) pas nager, mais j'_____ (aimer) beaucoup l'eau.
— Ta famille _____ (avoir) un bungalow sur la plage, n'est-ce pas?
— Oui, et moi je _____ (pouvoir) passer des heures dans l'eau. Mes parents _____ (croire) que j'_____ (être) un poisson! Je ne _____ (vouloir) jamais sortir de l'eau.

Exercice 9 Un voyage en France
Complétez avec le passé composé ou l'imparfait du verbe.

1. L'année dernière Diane et Christine _____ d'aller en France. **décider**
2. Christine _____ aller en Provence, mais Diane _____ aller à Paris. **vouloir, vouloir**
3. «Tu sais, j'_____ un livre sur la Provence et je voudrais bien la voir.» **lire**
4. Christine _____ déjà Paris, mais elle ne _____ pas la Provence. **connaître, connaître**
5. Les amies _____ de passer une semaine à Paris et une semaine en Provence. **décider**
6. Le vol _____ assez court. **être**
7. L'avion _____ à l'aéroport Charles-de-Gaulle. **atterrir**
8. Le premier jour Christine _____ rester au lit, mais Diane _____ se promener dans le quartier. **vouloir, vouloir**
9. Elles _____ l'hôtel et elles _____ à marcher le long du boulevard. **quitter, commencer**
10. Mais bientôt elles _____ dans un restaurant parce que Diane _____ très faim. **entrer, avoir**

La formation des adverbes en *-ment*

Most adverbs are formed by adding **-ment** to the feminine singular form of the adjective.

certain	**certaine**	**certainement**
complet	**complète**	**complètement**
naturel	**naturelle**	**naturellement**
sérieux	**sérieuse**	**sérieusement**

If the feminine form of the adjective ends in a vowel sound, as in **jolie, polie, vraie,** the masculine form is used in forming the adverb.

joli	**joliment**
poli	**poliment**
vrai	**vraiment**
absolu	**absolument**

Adjectives that end in **-ent** or **-ant** use the endings **-emment** and **-amment** to form adverbs.

fréquent	**fréquemment**
évident	**évidemment**
récent	**récemment**
courant	**couramment**

Adverbs that end in **-ment** usually follow the verb. Some, like **généralement** and **malheureusement,** may come at the beginning of a sentence.

> **Il va directement à l'hôtel.**
> **Malheureusement elle est malade.**

Exercice 10   La classe comprend facilement.
Complétez avec l'adverbe qui convient.

1. C'est une leçon facile.
   La classe comprend _____ .
2. Elle donne une réponse rapide.
   Elle répond _____ .
3. Il donne une réponse correcte.
   Il répond _____ .
4. Elle fait des études sérieuses.
   Elle étudie _____ .
5. Ta prononciation est correcte.
   Tu prononces _____ .
6. Son explication était complète.
   Il l'a expliqué _____ .

Exercice 11   Richard parle constamment!
Richard n'est pas très doué (*gifted*) en français mais il fait des efforts. Décrivez comment il travaille.

constant	correct	lent
difficile	fréquent	joli
facile	parfait	sérieux

1. Comment parle-t-il?
2. Comment prononce-t-il?
3. Comment répond-il?
4. Comment comprend-il?
5. Comment lit-il?
6. Comment écrit-il?
7. Comment étudie-t-il?
8. Comment pose-t-il des questions?

Conversation

Un restaurant français

Carole   Vous êtes allés dans un restaurant français hier, n'est-ce pas?

Philippe   Ah, oui! Nous sommes allés au Coq d'or.

Carole   Vous avez bien mangé?

Philippe   Très bien! La cuisine française est vraiment excellente.

Carole   Qu'est-ce que vous avez commandé?

Philippe   Le garçon nous a recommandé la spécialité de la maison.

Carole   Qu'est-ce que c'était?

Philippe   Une escalope de veau à la crème.

Carole   Ah, c'est un plat normand ça. C'est le veau normand.

Philippe   Et qu'est-ce qu'il était bon!

Exercice   Répondez.

1. Où est-ce que Philippe est allé hier soir?
2. A-t-il bien mangé?
3. Est-ce qu'il est allé au restaurant tout seul ou avec quelqu'un d'autre?
4. Qu'est-ce que le garçon leur a recommandé?
5. Est-ce que Philippe a commandé la spécialité de la maison?
6. Qu'est-ce que c'était?
7. Est-ce que c'était un plat provençal?
8. Est-ce qu'il était bon?

Lecture culturelle

Un voyage gastronomique

Robert Williams est un étudiant américain. À l'université il prépare un diplôme de français et de commerce international. Robert avait très envie de visiter la France. Par conséquent il a fait des économies et, l'été dernier, il a enfin réalisé son rêve. Il a fait un voyage à travers toute la France!

Robert savait que la France se divisait en plusieurs provinces. Mais il ne savait pas qu'il y avait une telle° différence entre elles. Chaque province a sa propre° particularité. Même° la cuisine est complètement différente d'une province à l'autre.

Robert a commencé son voyage en Alsace dans le nord-est de la France, près de la frontière allemande. À Strasbourg il est entré dans un tout petit restaurant typique. Quand il a lu le menu, il croyait qu'il était en Allemagne—de la choucroute, du jambon, des saucisses, du vin blanc! Robert a aussi remarqué qu'il y avait des gens dans le restaurant qui ne prenaient pas de vin; ils buvaient de la bière avec leur repas!

Robert est ensuite allé en Provence, dans le sud du pays. Quelle différence! Il n'y avait certainement pas de choucroute en Provence! Par contre,° il y avait des pâtes et même de la pizza. Les sauces étaient délicieuses et très relevées° avec de l'ail, du basilic,° du thym° et du laurier.° On employait aussi des tomates, des oignons et de l'huile d'olive. Comme la Provence est près de l'Italie, la cuisine provençale ressemble beaucoup à la cuisine italienne.

°**une telle** *such a*   °**propre** *own*   °**Même** *Even*   °**Par contre** *On the other hand*
°**relevées** *spicy*   °**basilic** *basil (an herb)*   °**thym** *thyme*   °**laurier** *bay leaves*

144

La Bourgogne est une région de vignobles; les vins de Bourgogne sont très connus. De la fenêtre du train Robert a remarqué qu'il y avait partout des vignobles. Il n'a donc pas été surpris d'apprendre qu'on utilisait beaucoup de vin dans la cuisine bourguignonne. Le bœuf bourguignon qu'il a commandé était du bœuf préparé avec du vin rouge et des oignons.

Robert s'est dirigé ensuite vers le nord-ouest. Il a visité la Bretagne où les vues sur la mer étaient absolument splendides. Comme la Bretagne est presque complètement entourée par la mer, beaucoup de Bretons sont pêcheurs. Qu'est-ce qu'on mange en Bretagne? Vous le savez déjà! Du poisson et des fruits de mer—huîtres, moules, homards, langoustes, coquilles Saint-Jacques.

Avant de rentrer à Paris Robert a décidé d'aller passer quelques jours en Normandie. Comme la Normandie est la région des pâturages, il y a énormément de vaches. Avec le lait des vaches, on fait du fromage. Avez-vous déjà mangé du camembert? C'est un fromage normand très connu. Les Normands utilisent beaucoup de crème aussi dans leur cuisine. Une escalope à la normande est une tranche de veau préparée avec une sauce à la crème. C'est délicieux!

Pour Robert cela ne faisait aucun doute—«la cuisine en France c'est un art». Et elle est très variée. Chaque région a ses spécialités.

Exercice 1 Identifiez.

1. Robert Williams
2. le diplôme que Robert préparait
3. le rêve de Robert
4. comment nous savons que Robert n'était pas riche
5. le voyage de Robert

Exercice 2 Choisissez.

1. La France se divise _____ .

   a. en états
   b. en provinces et départements

2. La différence entre les régions est _____ .

   a. très petite
   b. assez grande

3. Même la cuisine est complètement différente _____ .

   a. d'une province à l'autre
   b. d'une ville à l'autre

4. La cuisine alsacienne ressemble à la cuisine _____ .

   a. espagnole
   b. allemande

5. Sur la table alsacienne on trouve _____ .

   a. de la bière, des saucisses et de la choucroute
   b. du vin rouge et du bœuf

Exercice 3 Répondez.

1. Où se trouve la Provence?
2. Pourquoi les sauces provençales sont-elles délicieuses?
3. En quoi la cuisine provençale ressemble-t-elle à la cuisine italienne? (au moins cinq ressemblances)
4. Pour quel produit la Bourgogne est-elle célèbre?
5. Citez un plat bourguignon typique. Décrivez-le.

Exercice 4 Complétez.

1. La Bretagne est située _____ .
2. Elle est presque entièrement entourée par _____ .
3. Beaucoup de Bretons sont _____ .
4. Naturellement, on mange _____ .
5. La Normandie est la région des _____ .
6. Le beurre et le _____ normands sont célèbres.
7. Une sauce normande typique est faite avec de la _____ .
8. La cuisine en France c'est un _____ .
9. Chaque région a ses _____ .

Activités

1 Voici le menu d'un restaurant français. Le menu indique comment on prépare le plat. De quelle province est chaque plat?

Boeuf bourguignon
Veau normand
Filet de sole alsacienne
Quiche lorraine
Salade niçoise
Entrecôte à la bretonne
Foie de veau lyonnaise
Daube de boeuf provençale
Tournedos bordelaise
Jambon à l'alsacienne
Côtes de porc à la parisienne

2 Préparez une liste des plats que vous aimez.

3 De toutes les provinces que Robert a visitées, laquelle préférez-vous du point de vue de la cuisine? Pouvez-vous expliquer pourquoi?

4 Voici une recette pour le boeuf bourguignon. Il est très facile de préparer un bon boeuf bourguignon. Pourquoi n'essayez-vous pas?

Bœuf bourguignon

1 1/2 kg de bœuf coupé en cubes
3 cuillerées d'huile
1 carotte
1 bouquet garni (du persil,* du thym, une feuille de laurier*)
1/2 kg de champignons*
12 petits oignons blancs, pelés*
2 gousses* d'ail
5 dl* de vin rouge de Bourgogne
5 dl de bouillon de bœuf
Farine*

Saupoudrer* la viande de farine. Faire revenir* dans l'huile.
Ajouter* le vin, le bouillon, le bouquet garni, la carotte, l'ail. Laisser bouillir lentement* 2 h.
Ajouter les oignons. Laisser bouillir 1/2 h.
Ajouter les champignons. Laisser bouillir 1/2 h de plus.
Retirer* la carotte et le bouquet garni avant de servir.

---

persil parsley   *feuille de laurier* bay leaf   *champignons* mushrooms   *pelés* peeled   *gousses* cloves   *dl* pint   *farine* flour   *Saupoudrer* Dredge   *Faire revenir* Brown   *Ajouter* Add   *bouillir lentement* simmer   *Retirer* Remove

5 Décrivez tout ce que vous voyez dans le dessin.

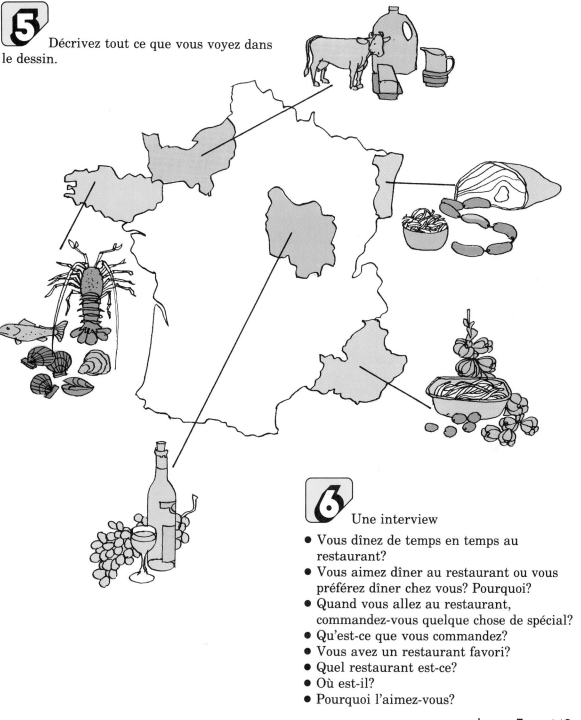

6 Une interview

- Vous dînez de temps en temps au restaurant?
- Vous aimez dîner au restaurant ou vous préférez dîner chez vous? Pourquoi?
- Quand vous allez au restaurant, commandez-vous quelque chose de spécial?
- Qu'est-ce que vous commandez?
- Vous avez un restaurant favori?
- Quel restaurant est-ce?
- Où est-il?
- Pourquoi l'aimez-vous?

galerie vivante

Le nom de ce restaurant signifie *swordfish*. Par ce nom et par les petits dessins, on voit tout de suite quelles sont les spécialités, n'est-ce pas? Faites une comparaison entre la liste de viandes et la liste de poissons. Qu'est-ce qu'on propose aujourd'hui? Pourquoi est-il possible de croire que le restaurant est à Marseille?

Beaucoup de gens aiment la restauration rapide parce que le service est rapide. Généralement il est aussi courtois. Pour assurer ce bon service, le propriétaire rappelle aux serveurs et aux serveuses qu'ils doivent dire «Bonjour», «Puis-je vous aider?» et «Bon appétit» et qu'ils ne doivent pas oublier la paille et la serviette.

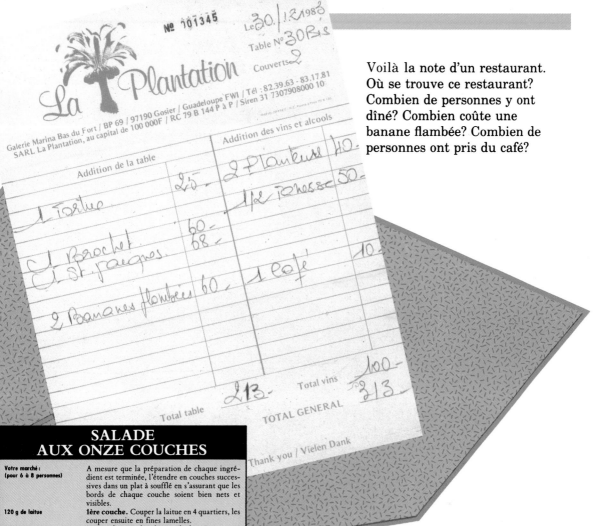

Voilà la note d'un restaurant. Où se trouve ce restaurant? Combien de personnes y ont dîné? Combien coûte une banane flambée? Combien de personnes ont pris du café?

SALADE
AUX ONZE COUCHES

Votre marché :
(pour 6 à 8 personnes)

A mesure que la préparation de chaque ingrédient est terminée, l'étendre en couches successives dans un plat à soufflé en s'assurant que les bords de chaque couche soient bien nets et visibles.

120 g de laitue
1ère couche. Couper la laitue en 4 quartiers, les couper ensuite en fines lamelles.

30 g de persil plat
2e couche. Hacher le persil plat. Réserver 2 cuillerées à soupe pour la garniture. Disposer le reste en couche dans le plat à soufflé.

3 œufs durs
3e couche. Couper les œufs durs en rondelles assez épaisses. Les assaisonner avec une 1/2 cuillère à thé de sel et de poivre.

150 g de poivrons rouges épépinés
4e couche. Emincer le poivron rouge.

150 g de carottes épluchées
5e couche. Râper les carottes.

125 g d'olives égouttées dénoyautées
6e couche. Hacher les olives.

150 g de haricots verts
7e couche. Découper les haricots verts en rondelles après les avoir épluchés. Les faire cuire 1 mn dans l'eau bouillante salée. Les égoutter et les refroidir à l'eau courante. Sécher avec du papier absorbant. Disposer en couche dans le plat de service. Saupoudrer d'aneth, sel, poivre.

1 petite cuillerée à café d'aneth
8e couche. Eplucher et couper les radis en rondelles.

100 g de radis
9e couche. Râper le fromage.

100 g de cheddar
10e couche. Hacher le bacon.

170 g de poitrine fumée cuite
11e couche. Emincer les oignons.
Servir avec une mayonnaise aux herbes, bien épicée.

75 g d'oignons épluchés
sel, poivre

Préparation : 1 h et 6 h à l'avance
Matériel : grand plat à soufflé transparent, planche en bois, hachoir, appareil pour râper les légumes, casserole, égouttoir, râpe à fromage.

Préparez cette salade chez vous et apportez-la en classe. Si trois ou quatre élèves préparent chacun(e) une salade, il y en aura assez pour toute la classe. Avec un peu d'imagination vous comprendrez tous les mots excepté:
1. *aneth* est «dill»
2. *poitrine fumée* est «bacon»

8 L'Afrique noire francophone

Vocabulaire

la tribu

les arachides

les ignames

la brousse

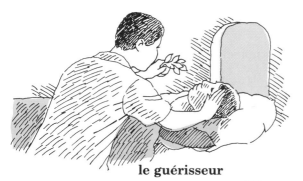

le guérisseur

les amulettes

le griot

Cette tribu n'habite pas la ville.
Elle habite la brousse.
Elle **vit** de **l'agriculture.**

Exercice 1 **En brousse**

1. Est-ce que la tribu habite la ville ou la brousse?
2. De quoi est-ce que la tribu vit?
3. Qu'est-ce qu'on cultive?

Exercice 2 **On soigne les malades.**
Complétez.

Le _____ est une sorte de médecin. Le _____ , comme le médecin, soigne les malades. Le médecin se sert de médicaments comme la pénicilline. Mais les guérisseurs se servent de plantes et d' _____ .

Note

Many terms related to politics and government are cognates. Read and pronounce the following words. You should have no trouble guessing the meaning of each word.

le gouvernement   **le président**
la politique   **le premier ministre**
la nation   **indépendant**
l'empire   **officiel**
la capitale

Autrefois le Cameroun **faisait partie** de **l'ancien empire** français. Le Cameroun a reçu son **indépendance** en 1960. C'est une **république indépendante depuis** 1960. Les langues **officielles** du Cameroun sont le français et l'anglais. Le **président** de la république est Paul Biya. Il est président depuis 1982.

Exercice 3   Le Cameroun
Répondez.

1. Est-ce que le Cameroun fait partie de l'empire français aujourd'hui?
2. Quand a-t-il reçu son indépendance?
3. Depuis quand est-ce que le Cameroun est une république indépendante?
4. Quelle est la langue officielle du Cameroun?
5. Qui est le président de la république?
6. Depuis quand est-il président?

Structure

Les verbes *suivre* et *vivre*

The verbs **suivre** (*follow*) and **vivre** (*to live*) are irregular in the present tense.

Infinitive	suivre	vivre
Present tense	je suis	je vis
	tu suis	tu vis
	il/elle suit	il/elle vit
	nous suivons	nous vivons
	vous suivez	vous vivez
	ils/elles suivent	ils/elles vivent

The verb **poursuivre** (*to pursue*) is conjugated like **suivre** and the verb **survivre** (*to survive*) is conjugated like **vivre**.

The verb **suivre** can also mean *to take (a course)*.

> **Je suis un cours de biologie.**
> **Mon ami suit un cours de français.**

You have already learned the verb **habiter,** which also means *to live*. Unlike **vivre, habiter** is used only when telling where someone lives.

> **Cette tribu habite la brousse.**
> **Ils vivent bien.**
> **Ils vivent de l'agriculture.**

Both the verbs **suivre** and **vivre** form the **passé composé** with **avoir.** Their past participles are **suivi** and **vécu.**

> **J'ai suivi la recette.**
> **Où a-t-il vécu?**

Exercice 1 Qui suit un cours d'algèbre?

Les filles s'intéressent aux maths et les garçons aux sciences. Dites qui suit quel cours.

l'algèbre	la biologie
la géométrie	la chimie
la trigonométrie	la physique

1. Victor
2. Thomas
3. Jacqueline
4. Anne-Marie et sa sœur
5. mes cousines
6. Robert et son frère

Exercice 2   Comment vivent-ils?

Imaginez un pays où tout le monde vit bien! Suivez le modèle.

les médecins
Les médecins vivent très bien ici.

1. les paysans
2. un professeur
3. les dentistes
4. un fermier
5. un avocat
6. les pêcheurs

Exercice 3   Ils l'ont suivi...

Répétez au passé composé

Quand le voleur sort de la banque, les agents de police le suivent. Ils le suivent pendant deux heures. Ils le poursuivent en voiture et en hélicoptère. Enfin les chiens policiers l'attrapent dans le bois. Le voleur survit aux morsures (*bites*) des chiens, mais il vit très misérablement en prison!

Exercice 4   Personnellement

Répondez.

1. Quels cours suivez-vous cette année?
2. Quels cours avez-vous suivi l'année passée?
3. Vivez-vous bien? Avez-vous toujours bien vécu?
4. Suivez-vous toujours les conseils de vos parents?
5. Avez-vous jamais poursuivi un voleur?
6. Est-ce qu'un chien vous a jamais poursuivi(e)?

Depuis + le présent

Depuis is used with the present tense to denote an action or condition that began in the past and is still going on in the present.

Cette république est indépendante depuis 1960.	*That republic has been independent since 1960.*
Elle est indépendante depuis vingt-six ans.	*It has been independent for 26 years.*
Marie chante depuis une demi-heure.	*Marie has been singing for half an hour.*
Marie chante depuis une heure et demie.	*Marie has been singing since one thirty.*

Note the difference in the usage of tenses in this construction. English uses a past tense since the action began in the past. French, however, uses the present tense because the action or condition is still going on in the present.

Note also that when **depuis** is followed by a specific time (**1960, une heure et demie**), it is translated as *since*. When **depuis** is followed by a period of time (**vingt-six ans, une demi-heure**), it is translated as *for*.

Two questions may be asked with **depuis**:

Depuis combien de temps?	*How long, for how long?*
Depuis quand?	*Since when, since what time?*

Exercice 5 J'habite cette ville depuis...

Dites depuis combien de temps...
1. vous habitez cette ville
2. vous habitez cette maison/cet appartement
3. vous allez au lycée
4. vous suivez un cours de français
5. vous étudiez avec ce prof

Exercice 6 Depuis quand?

   1789   1776   1969   1960   1963   1903

   Choisissez une date.

Depuis quand...
1. est-ce que les républiques africaines sont indépendantes?
2. est-ce que les États-Unis sont une nation indépendante?
3. est-ce que les Français ont leur liberté?
4. est-ce que le président John F. Kennedy est mort?
5. est-ce que des hommes vont sur la lune?
6. est-ce que les avions existent?

Exercice 7 Depuis quand ou depuis combien de temps?
Posez une question avec *depuis quand* ou *depuis combien de temps*.

1. Les griots existent en Afrique *depuis longtemps.*
2. Ils racontent des contes et des légendes *depuis l'époque romaine.*
3. Ils transmettent ces légendes de génération en génération *depuis des siècles.*
4. Les enfants africains apprennent ces contes *depuis des temps immémoriaux.*
5. On écrit ces contes seulement *depuis l'ère moderne.*

Exercice 8 Personnellement
Répondez.

1. Depuis quand jouez-vous d'un instrument de musique?
2. Depuis quand faites-vous du sport?
3. Depuis quand parlez-vous français?
4. Depuis quand êtes-vous membre d'une équipe ou d'un club?
5. Depuis quand connaissez-vous votre meilleur(e) ami(e)?

Expressions utiles

When you want to tell someone you think he or she is very lucky, you may use the word **veinard(e)**.

If someone tells you that you are very lucky or gives you a piece of information with which you agree you may answer with **en effet**! En effet is roughly equivalent to the English expression *Indeed!* or *You bet!*

ℭonversation

Tout le monde veut devenir docteur!

(Antoine, un jeune Français qui visite le Sénégal, a fait la connaissance d'un jeune Sénégalais, Hamidou.)

Antoine	Tu es né ici à Dakar?
Hamidou	Non. Dans un tout petit village dans la brousse.
Antoine	Depuis combien de temps habites-tu Dakar?
Hamidou	Je suis ici depuis sept ans seulement. Je suis étudiant en médecine.
Antoine	Veinard! On dit que la Fac de Médecine est excellente à l'Université de Dakar.
Hamidou	En effet! Presque tous les pays de l'Afrique francophone sont représentés ici!
Antoine	Donc tout le monde veut devenir docteur!

Exercice 1 Répondez.

1. Quel pays est-ce qu'Antoine visite?
2. De qui a-t-il fait la connaissance?
3. Où est né Hamidou?
4. Depuis combien de temps habite-t-il Dakar?
5. Pourquoi est-il à Dakar?
6. D'après Antoine, pourquoi Hamidou a-t-il de la chance?
7. Quels pays africains sont représentés à la Faculté de Médecine?
8. Qui veut devenir docteur?

Exercice 2 Une lettre de Dakar
Complétez la lettre d'Antoine.

Cher Raoul,

    Me voici à Dakar! C'est une ville _____ . Hier j'ai _____ . Il est né _____ .
Ici à Dakar il _____ . On dit que la Fac de Médecine _____ . Hamidou dit que
_____ . Veux-tu venir faire tes études ici à Dakar?

                            Bien à toi,
                            Antoine

ℒecture culturelle

L'Afrique francophone

    La Côte d'Ivoire, le Sénégal, le Cameroun, le Mali, le Congo, le Niger, le Tchad, le Burkina Faso, la Guinée, le Gabon, le Togo, et ce n'est pas tout. La liste est assez longue. Ce sont les républiques africaines qui autrefois faisaient partie de l'ancien empire français. Toutes ces républiques sont indépendantes, quelques-unes depuis 1958.

Bamako

Comment est la vie dans ces pays africains francophones? Il est difficile de généraliser car la vie est assez différente d'un pays à l'autre. Mais la langue officielle de toutes ces républiques est le français. En effet il n'existe pas de langue africaine mais plutôt une multitude de langues et de dialectes parlés. Par exemple au Cameroun on parle vingt-six langues différentes!

Le niveau de vie° en Afrique est différent d'un pays à l'autre. Certains pays comme le Cameroun et la Côte d'Ivoire sont industrialisés. D'autres, comme le Gabon et le Congo, vivent du pétrole, du manganèse, de l'uranium ou des diamants. D'autres pays encore vivent uniquement de leur agriculture. Ce sont, bien entendu, les pays qui ont des industries et des minéraux qui ont un niveau de vie plus élevé.

Les pays situés au bord de la mer ont eu beaucoup de contacts avec l'extérieur. Ainsi la vie à Abidjan (Côte d'Ivoire) ou à Dakar (Sénégal) est plus européenne que la vie à Bamako (Mali), une ville de l'intérieur.

Par ailleurs° la vie est différente en ville ou en brousse. Dans les grandes villes il y a des théâtres, des hôtels et des immeubles modernes et toujours beaucoup de circulation. À l'école les élèves suivent un programme identique à celui qui est suivi en France.

En brousse l'existence tribale reprend le dessus.° Chaque Africain a son village

---

° **Le niveau de vie**   *The standard of living*   ° **Par ailleurs**   *In other respects*
° **reprend le dessus**   *takes over*

160

où il se rend pour retrouver son langage, ses coutumes° et sa cuisine. En brousse il existe des écoles primaires qui réunissent les enfants de plusieurs villages. Mais pour l'enseignement secondaire, l'enfant doit aller en ville.

Il est intéressant de noter que la tradition française côtoie° la tradition africaine en ville. Un médecin moderne peut avoir comme proche voisin un guérisseur qui soigne les malades avec des plantes et des amulettes. Un restaurant offre un menu tout à fait français tandis que le restaurant à côté a un menu africain avec des arachides, du manioc,° des ignames, du gibier!°

Léopold Sédar Senghor, ancien président du Sénégal, avait raison quand il a dit que nous devons «goûter° la douceur d'être différents et ensemble».

Un restaurant à Dakar

Une école à Abidjan

Un village
au Sénégal

° **coutumes** *customs* ° **côtoie** *coexists with* ° **manioc** *tapioca* ° **gibier** *game*
° **goûter** *taste*

Exercice 1 Répondez.

1. Nommez cinq républiques africaines.
2. De quoi faisaient partie ces républiques autrefois?
3. Depuis quand quelques-unes de ces républiques sont-elles indépendantes?
4. Pourquoi ne peut-on pas généraliser sur la vie en Afrique?
5. Quelle est la langue officielle?
6. Quelle est la langue africaine?
7. Où est-ce qu'on parle vingt-six langues ou dialectes?

Exercice 2 Identifiez.

Identifiez
1. deux républiques industrialisées
2. deux républiques qui vivent du pétrole ou des minéraux
3. de quoi vivent les autres républiques
4. les pays avec un niveau de vie élevé
5. deux villes qui ont ressenti l'influence européenne
6. une ville de l'intérieur

Exercice 3 Comparez.

Comparez la vie en brousse avec la vie en ville. Dites si chacune des expressions suivantes est caractéristique de la ville ou de la brousse. Faites deux colonnes, si vous voulez.

- de beaux théâtres
- de grands hôtels
- l'existence tribale
- beaucoup de circulation
- les coutumes traditionnelles
- école primaire pour plusieurs villages
- des restaurants français
- de la nourriture africaine
- un programme scolaire identique à celui qui existe en France
- le guérisseur traditionnel
- l'enseignement secondaire
- les plantes et les amulettes

Exercice 4 «Différents et ensemble»

1. Qui a dit que nous devons «goûter la douceur d'être différents et ensemble»?
2. Qui est Léopold Sédar Senghor?
3. Êtes-vous d'accord avec lui?
4. Quels exemples de cette philosophie trouvez-vous dans le texte?

Activités

1 Cherchez des renseignements détaillés sur un des pays africains francophones. Présentez-les à la classe.

2 Léopold Sédar Senghor est un homme extrêmement doué. Il a servi son pays, le Sénégal, comme président. C'est aussi un poète et un intellectuel célèbre. Senghor est le seul Africain membre de l'Académie française. Dans une encyclopédie, cherchez des renseignements biographiques sur Senghor.

galerie vivante

Les enfants à Dakar attendent
l'arrivée de Papa Noël. Quels
cadeaux est-ce que les enfants
espèrent recevoir? De quelles
couleurs est habillé Papa Noël?

Voici une carte du
Sénégal. Est-ce que
Dakar, la capitale, se
trouve sur la côte ou à
l'intérieur? Cherchez les
parcs nationaux du
Sénégal. À Djoudj on
trouve des oiseaux, n'est-
ce pas? C'est à Niokolo-
Koba qu'on peut voir des
éléphants et des lions.
Au parc de la Basse
Casamance on peut voir
la luxuriante flore
subtropicale.

Voici un poème par un poète du Cameroun—
Elalongué Epanya Yondo.

Dors, mon enfant

> Dors mon enfant dors
> Quand tu dors
> Tu es beau
> Comme un oranger fleuri. . .
> Dors mon enfant dors
> Tu es si beau
> Quand tu dors
> Mon beau bébé noir dors.
>
> (*Kamerun! Kamerun!* Présence africaine)

Qui parle? Combien de fois répète-t-on le mot «dors»? Avec quel
arbre est-ce qu'on compare le bébé?

Voici un village sénégalais. En
quoi sont les maisons? Quel
animal voyez-vous? Est-ce que
les villageois parlent français?

Une ratatouille délicieuse

Lucille et Angèle voulaient faire un voyage, mais elles ne savaient où aller. Elles ne connaissaient ni la Provence ni la Bretagne. Elles ont choisi la Provence parce que, heureusement, la tante de Lucille habitait Nice. «Tante Jeanne habite Nice depuis vingt ans. Elle connaît très bien la Provence», a dit Lucille.

Les filles sont arrivées vendredi par le train. Comme elles étaient un peu fatiguées, elles se sont reposées avant de visiter le célèbre marché aux fleurs. Après la visite Tante Jeanne leur a préparé une délicieuse ratatouille niçoise. Il y avait des aubergines,* des courgettes,* des oignons, des tomates, de l'ail. Tante Jeanne n'a rien oublié!

Exercice 1   Elles ont choisi la Provence.
Complétez d'après la lecture.

1. Lucille et Angèle voulaient _____ .
2. Elles ne _____ où aller.
3. Elles ne connaissaient ni la _____ ni la _____ .
4. Elles ont choisi la Provence parce que _____ .
5. Tante Jeanne habite Nice depuis _____ .
6. Les filles se sont reposées parce qu'elles _____ .
7. Elles ont visité _____ .
8. Tante Jeanne leur a préparé _____ .

---

*__des aubergines__ *eggplants*   *__des courgettes__ *zucchini*

Le passé composé des verbes réfléchis

The passé composé of reflexive verbs is formed with **être**. The reflexive pronoun is placed before the form of **être**. The past participle agrees with the reflexive pronoun when it is the direct object.

Paul s'est lavé.   Marie s'est lavé les mains.
Marie s'est lavée.   Elles se sont téléphoné.
Elles se sont reposées.   Elles se sont préparé une salade.

Exercice 2 Je me suis réveillé(e)...
Répondez.

1. Vous vous êtes réveillé(e) de bonne heure?
2. Vous vous êtes levé(e) tout de suite?
3. Vous vous êtes lavé(e) dans la salle de bains?
4. Vous vous êtes habillé(e) soigneusement?
5. Vous vous êtes brossé les dents?
6. Vous vous êtes admiré(e)?
7. Vous et vos parents, vous vous êtes dit bonjour?

Exercice 3 Marthe s'est réveillée
Répétez au passé composé.

Martha se réveille à sept heures. Elle ne se lève pas immédiatement. Au bout de quelques minutes, elle sort du lit et elle se lave vite. Elle s'habille et elle se maquille avec soin. Enfin elle descend à la salle à manger. Ses parents et elle se disent bonjour et s'embrassent.

Exercice 4 Nous nous sommes téléphoné hier.
Répondez.

Vous et vos copains...
1. Vous vous êtes téléphoné hier?
2. Vous vous êtes écrit l'été passé?
3. Vous vous êtes dit des secrets?

4. Vous vous êtes admirés?
5. Vous vous êtes rencontrés au lycée?

Expressions négatives au passé composé

Rien, jamais, and **plus,** like **pas,** are placed after the form of **avoir** or **être.**

Il n'a pas téléphoné.   Ils ne sont jamais sortis.
Elle n'a rien vu.   Je n'ai plus écrit.

The expressions **personne, que,** and **ni... ni,** however, come after the past participle.

Il n'a regardé personne.
Je n'ai mangé que du pain.
Nous n'avons acheté ni pulls ni blousons.

Exercice 5 Je n'ai rien vu.
Répétez au passé composé.

— Tu vois les moutons?

— Mais non! Je ne vois rien.

— Mais tu entends les canards, n'est-ce pas?

— Non, non! Je n'entends ni les moutons ni les canards.

— Tu ne vois personne par ici?

— Je ne vois jamais personne.

— Mais tu parles avec tes voisins, n'est-ce pas?

— Non. Je ne parle plus avec eux. Je ne parle qu'avec mes parents.

L'imparfait

For most verbs the imperfect is formed by adding the endings to the stem of the present tense **nous** form.

> **regarder:** (nous regard~~ons~~) je regardais, tu regardais,
> il/elle regardait, nous regardions, vous regardiez,
> ils/elles regardaient

> **finir:** (nous finiss~~ons~~) je finissais, tu finissais, il/elle finissait,
> nous finissions, vous finissiez, ils/elles finissaient

> **vendre:** (nous vend~~ons~~) je vendais, tu vendais, il/elle vendait,
> nous vendions, vous vendiez, ils/elles vendaient

This rule holds true for the irregular verbs with the exception of **être**. The stem for the imperfect of **être** is **ét-**.

> **être:** j'étais, tu étais, il/elle était, nous étions, vous étiez,
> ils/elles étaient

Remember that the imperfect is used to describe habitual past actions, repeated past actions, or continuous past actions or conditions.

> **L'homme était grand et élégant.**
> **Le samedi on jouait au football.**

Exercice 6 Amadou
Complétez avec l'imparfait ou le passé composé.

Amadou _____ (être) le fils d'un guérisseur. Quand un villageois _____ (être) malade, son père _____ (aller) le guérir. Il _____ (connaître) bien les plantes qui _____ (pouvoir) servir de médicaments. Il _____ (utiliser) aussi des amulettes.

Amadou _____ (décider) à un très jeune âge qu'il ne _____ (vouloir) pas suivre la profession de son père. Lui il _____ (vouloir) entrer à la Faculté de

Médecine de l'Université de Paris. Heureusement il _____ (pouvoir) réaliser son rêve. Il _____ (devenir) médecin. Aujourd'hui Amadou est un médecin célèbre.

Exercice 7 **Quand nous étions à Paris...**
Répétez à l'imparfait.

Quand nous sommes à Paris nous allons toujours à Beaubourg. Il est intéressant de regarder les mimes, les artistes et les musiciens qui se trouvent sur la grande place. Il y a toujours une grande foule qui admire le talent de ces jeunes. On applaudit et on crie bravo. Quelquefois on leur donne de l'argent.

Depuis + le présent

To express an action begun in the past and still going on, the present tense is used with **depuis.**

J'habite cette maison depuis 1980.	*I have been living in this house since 1980.*
Jean étudie le français depuis deux ans.	*John has been studying French for two years.*

Exercice 8 **Personnellement**
Répondez.

1. Depuis combien de temps suivez-vous un cours de français?
2. Depuis combien de temps habitez-vous les États-Unis?
3. Depuis combien de temps parlez-vous anglais?
4. Depuis quand allez-vous au lycée?
5. Depuis quand est-ce que les Français ont la devise: Liberté, Égalité, Fraternité? (1789)
6. Depuis quand est-ce que les jeans sont universels? (1960)

𝕼ecture culturelle

supplémentaire
Les loisirs des jeunes Français

Pendant la semaine les jeunes Français suivent un programme assez rigide car ils passent une grande partie de leur journée en classe. Le soir ils ont beaucoup de devoirs à faire chez eux et ils travaillent sans se distraire.[*]

Pendant les week-ends, pourtant, ils disposent de temps libre. Que font-ils pour s'amuser? Quelles sont leurs activités préférées?

Voir des amis: Comme les jeunes des Etats-Unis et beaucoup d'autres pays, les Français aiment rencontrer leurs amis pour rigoler.[*] Assez souvent ils organisent des surprises-parties et ils invitent des amis chez eux. La plupart des parents français acceptent les amis de leurs enfants à la maison sans faire d'objection. Pendant une surprise-partie les jeunes mangent des canapés,[*] boivent du coca, écoutent de la musique, dansent ou tout simplement rigolent.

Aller au cinéma: Les jeunes Français sont des fanas de cinéma. Ils aiment aller voir les films avec une bande de copains. Ainsi après le cinéma ils peuvent discuter du film qu'ils viennent de voir. Les jeunes Français aiment les films de qualité. Souvent, avant de voir un film, ils savent déjà le nom de l'auteur, le nom des acteurs et du réalisateur.[*] Les films sont présentés en version française ou en version originale. La plupart des jeunes préfèrent la version française. Les films américains surtout sont très populaires auprès des[*] jeunes Français.

---

[*]**sans se distraire** *without relaxing*   [*]**rigoler** *(slang) to have fun*   [*]**canapés** *appetizers,*
snacks   [*]**réalisateur** *producer* [*]**auprès des** *with*

Aller danser: Les Français aiment beaucoup danser et il y a des boîtes spéciales pour les jeunes. Quelle musique préfèrent-ils? Le disco, bien sûr! De temps en temps on organise aussi des soirées dansantes dans les Maisons des Jeunes pour réunir les jeunes.

Se promener en famille: Les jeunes sortent assez souvent avec leur famille. On va passer le dimanche à la campagne où l'on fait un pique-nique au bord d'une rivière ou dans un joli pré. ˙Le dimanche beaucoup de familles françaises déjeunent au restaurant.

Lire: Il y a beaucoup de jeunes Français qui aiment lire. Ils aiment les romans policiers, les romans d'aventure et les romans de science-fiction. Néanmoins, ils aiment également la littérature classique. Les jeunes achètent plus de dix millions de livres de poche chaque année. Ils lisent aussi les journaux, mais les journaux les attirent˙ moins que les bouquins. ˙Qu'est-ce qui les intéresse dans un journal? Les sports, les actualités politiques, la mode et les horoscopes. Les bandes dessinées (B.D.) les intéressent beaucoup!

Les activités culturelles et artistiques: Beaucoup de jeunes aiment aller au théâtre. Ils aiment également ˙la musique. Ils vont aux concerts, mais surtout ils écoutent de la musique chez eux. Il y a beaucoup d'émissions de musique moderne et de retransmissions de concerts de musique classique à la radio. Les jeunes Français achètent beaucoup de disques de rock et de jazz, c'est vrai, mais plus de trente pour cent des disques qu'ils achètent sont des disques de musique classique.

˙**pré** *meadow*   ˙**attirent** *attract*   ˙**bouquins** *(slang) livres*   ˙**également** *as well*

Exercice 1 Complétez.

1. Les jeunes Français disposent de temps libre pendant _____ .
2. Ils aiment rencontrer _____ pour _____ .
3. Ils organisent des _____ .
4. Ils invitent des amis _____ .
5. Pendant une surprise-partie les jeunes _____ , _____ , _____ et _____ .

Exercice 2 Corrigez.

1. Les jeunes détestent le cinéma.
2. On va au cinéma tout seul.
3. On ne s'intéresse pas aux noms de l'auteur, des acteurs et du réalisateur.
4. On préfère la version originale d'un film.
5. Les films italiens sont les plus populaires.

Exercice 3 Répondez.

1. Où vont les jeunes pour danser?
2. Qu'est-ce qu'on organise dans les Maisons des Jeunes?
3. Où est-ce que les jeunes vont avec leur famille?
4. Quels romans est-ce que les jeunes Français lisent?
5. Lisent-ils aussi la littérature classique?
6. Qu'est-ce qui les intéresse dans les journaux?
7. Quelles activités culturelles les intéressent?
8. Quelle musique est-ce qu'ils préfèrent?

ℂecture culturelle

supplémentaire

Le vieux Montmartre

Montmartre! Quel joli nom! Quel nom célèbre! Montmartre est un très vieux quartier de Paris. Beaucoup de touristes ne connaissent que la place Pigalle à cause des boîtes de nuit qui se trouvent ici.

Les touristes connaissent aussi la butte Montmartre, la colline* où est située la célèbre basilique du Sacré-Cœur. Au XIIe siècle il y avait un couvent là-haut.* Après la guerre de 1870 on a construit le magnifique Sacré-Cœur. Pour arriver à l'église il est nécessaire de monter beaucoup de marches ou de prendre le funiculaire. De la terrasse on a une vue merveilleuse sur Paris! On peut voir Notre-Dame, le Louvre, la tour Eiffel et l'Arc de Triomphe!

Montmartre est aussi célèbre pour ses peintres. Quand il était jeune et pauvre Picasso travaillait sur la place du Tertre. Même aujourd'hui il y a des artistes partout, dans la rue et sur les trottoirs.*

Exercice Choisissez.

1. Montmartre est _____ .
   a. un vieux quartier de Paris
   b. une boîte de nuit
   c. un couvent

2. Le Sacré-Cœur est _____ .
   a. une colline
   b. une butte
   c. une basilique

3. On a construit le Sacré-Cœur _____ .
   a. au XIIe siècle
   b. au XIXe siècle
   c. au XXe siècle

4. On prend le funiculaire pour _____ .
   a. monter au Sacré-Cœur
   b. monter à la tour Eiffel
   c. monter à l'Arc de Triomphe

5. La place du Tertre est célèbre pour _____ .
   a. ses trottoirs
   b. le pauvre Picasso
   c. ses artistes

---

colline *hill*   *là-haut* *up there*   *trottoirs* *sidewalks*

9 Un sculpteur imaginatif

la peinture

le tableau   le peintre

le musée

Le **sculpteur** est dans son **atelier.**
Il admire sa **sculpture.**
Il **a l'air** content.
Il est **fier** de son travail.
Il **en** est fier.

Exercice 1   Des artistes
Complétez.

1. Les _____ et les _____ sont artistes.
2. Un sculpteur fait des _____ .
3. Un peintre fait des _____ .
4. Les sculpteurs et les peintres
   travaillent dans un _____ .
5. Le sculpteur regarde sa sculpture.
   Il l'admire. Il a l'air _____ .
6. Le peintre regarde son tableau. Il est
   satisfait de son travail. Il en est _____ .
7. Quand on a envie de voir des statues et de
   tableaux, on doit aller au _____ des
   Beaux Arts.

174

la statue

le phare

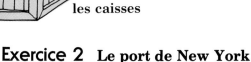

les caisses

le navire de guerre

le paquebot

Exercice 2 Le port de New York
Regardez le dessin et répondez.

1. C'est le port de New York?
2. Est-ce qu'il y a une statue dans la baie?
3. Est-ce que la statue est sur une île?
4. Est-ce une statue de la Liberté?
5. Vous voyez un phare dans le port?
6. Est-ce qu'un navire entre dans le port?
7. C'est un paquebot pour les passagers ou c'est un navire de guerre?
8. Est-ce que le navire est chargé de caisses?

Exercice 3 Formez des questions.

1. *Un paquebot* entre dans le port de New York.
2. *Les passagers* admirent le panorama de la ville.
3. Ils voient *la statue de la Liberté*.
4. *Un grand navire* entre dans le port en même temps.
5. Le navire est chargé de *grandes caisses*.

Structure

Révision des expressions avec *avoir*

You already know several expressions with **avoir.** Review the following.

avoir faim	avoir tort	avoir froid	avoir (treize) ans
avoir soif	avoir envie	avoir raison	avoir peur
avoir chaud	avoir besoin		

Exercice 1 On a froid ou chaud en été?
Choisissez la réponse qui convient.

1. On a froid ou chaud en été?
2. En hiver on a froid ou chaud?
3. On boit de l'eau quand on a soif ou faim?
4. On mange du pain quand on a soif ou faim?
5. Un homme pauvre a besoin d'argent ou de vacances?
6. À la plage on a envie de faire du ski ou de nager?
7. Si un élève dit que trois et trois font sept, il a raison ou tort?
8. Quel âge avez-vous?
9. Avez-vous peur des chats ou des tigres?

Expressions avec *avoir*

avoir honte	*to be ashamed*
avoir sommeil	*to be sleepy*
avoir mal à la tête (au ventre)	*to have a headache (stomachache)*
avoir lieu	*to take place*
avoir l'air triste (heureux)	*to look sad (happy)*

Note that the adjective in the expression **avoir l'air** agrees with the subject.

Marie a l'air heureuse.
Ces hommes ont l'air tristes.

Qu'est-ce que tu as? Qu'est-ce que vous avez? Qu'est-ce qu'il a? may mean, literally, *What do you have?* or *What does he have?* They may also mean *What's the matter (with you, with him)?*

Exercice 2 Maman a toujours raison.
Lisez la conversation.

Maman Bonjour, Paul. Mais qu'est-ce que tu as? Tu as l'air très triste!

Paul J'ai honte de le dire, Maman, mais je n'ai pas envie d'aller en classe aujourd'hui.

Maman Ah, non! Et pourquoi pas?

Paul J'ai sommeil, j'ai mal à la tête, j'ai mal au ventre et...

Maman Et tu as un examen de maths, n'est-ce pas?

Paul Euh, oui, Maman. Tu as raison!

Exercice 3   Qu'a-t-il?

Paul a donné beaucoup d'excuses. Dites ce qu'il a.

Exercice 4   Qu'est-ce que vous avez?

Qu'est-ce que vous avez quand...
1. vous faites quelque chose de très stupide
2. vous ne dormez pas depuis longtemps
3. vous avez envie de manger quelque chose
4. vous avez envie de boire quelque chose
5. vous répondez bien à une question
6. vous répondez mal à une question

Exercice 5   Vous avez l'air content.

Quel air avez-vous quand...
1. vous n'avez pas le moral
2. vous recevez de bonnes notes
3. vous recevez de mauvaises notes
4. vous recevez un très joli cadeau
5. quelqu'un vous dit quelque chose de tragique

Le pronom *en*

The pronoun **en** is used to replace any direct object (other than a person) that is introduced by any form of **de (du, de la, de l', des).**

Il prend <u>du café</u>?	**Oui, il <u>en</u> prend.**
Vous avez <u>de la crème</u>?	**Oui, j'<u>en</u> ai.**
Elle met <u>de l'ail</u> dans la sauce?	**Oui, elle <u>en</u> met.**
Il mange <u>des huîtres</u>?	**Oui, il <u>en</u> mange.**
Il ne veut pas <u>de jambon</u>?	**Non, il n'<u>en</u> veut pas.**

En is also used to replace any other expressions that are introduced by **de.**

L'artiste est fier <u>de son travail</u>?	**Oui, il <u>en</u> est fier.**
Tu as peur <u>des tigres</u>?	**Oui, j'<u>en</u> ai peur.**
Elle parle <u>de ses projets</u>?	**Non, elle n'<u>en</u> parle pas.**
Tu as besoin <u>de ce livre</u>?	**Non, je n'<u>en</u> ai pas besoin.**
Ils viennent <u>du marché</u>.	**Ils <u>en</u> viennent.**

Exercice 6   Du champagne? Oui, elle en sert.

Hélène va donner une surprise-partie. Elle sert de tout. Répondez avec *en.*

1. Elle sert du champagne?
2. Elle sert des sandwiches?
3. Elle sert de la pizza?
4. Elle sert des pâtes?
5. Elle sert de la salade?
6. Elle sert de la tarte aux fraises?
7. Elle sert des chocolats?
8. Elle sert de la mousse au chocolat?

Exercice 7 Victor n'a peur de rien.
Victor est très courageux. Répondez que non. Employez *en*.

1. Victor a peur des serpents?
2. Il a peur des tigres?
3. Il a peur d'un chien féroce?
4. Il a peur d'un rat?
5. Il a peur des petits oiseaux?

Exercice 8 Carole est très fière.
Carole est très douée. Elle est justement fière de ce qu'elle fait. Répondez que oui. Employez *en*.

1. Carole est fière de ses sculptures?
2. Elle est fière de ses statues?
3. Elle est fière de sa peinture?
4. Elle est fière de ses dessins?
5. Elle est fière de ses notes?

Exercice 9 Qui vient d'où?
Répondez avec *en*.

1. L'artiste vient de son atelier?
2. Son ami vient du musée?
3. Il vient de l'exposition?
4. Il vient du musée des Beaux Arts?

Exercice 10 Personnellement
Répondez avec *en*.

1. Vous prenez du lait le matin?
2. Vous mangez du pain tous les jours?
3. Vous parlez de vos projets avec vos copains?
4. Vous êtes fier (fière) de votre travail?
5. Vous faites du sport?
6. Vous avez besoin de vacances?

En avec le passé composé et l'impératif

The position of the pronoun **en** in the sentence is the same as that of any other object pronoun.

In the **passé composé, en** is placed before the verb **avoir.** However, there is no agreement of the past participle with the pronoun **en.**

Tu as acheté <u>des robes</u>?	**Oui, j'<u>en</u> ai acheté.**
Tu as parlé <u>de tes projets</u>?	**Non, je n'<u>en</u> ai pas parlé.**

In the command form **en,** like any other pronoun, precedes the verb in the negative command and follows the verb in the affirmative command.

Est-ce que je peux prendre <u>des bonbons</u>?	**Oui, prenez-<u>en</u>!**
	Non, n'<u>en</u> prenez pas!

Remember that the **tu** command of **-er** verbs does not have an **-s.** However, the **-s** is written when followed by **en,** and there is a liaison with the pronoun.

Je dois acheter <u>la robe</u>?	**Oui, achète-<u>la</u>!**
Je dois acheter <u>du savon</u>?	**Oui, achètes-<u>en</u>!**

Exercice 11 Qu'est-ce que tu as fait pendant la surprise-partie?
Répondez avec *en*.

1. Tu as pris du champagne?
2. Tu as mangé des sandwiches?
3. Tu as servi de la mousse au chocolat?
4. Tu as parlé de tes projets?
5. Tu as reçu des cadeaux?
6. Tu as écouté des disques?

Exercice 12 Oui, mettez-en! Non, non, n'en mettez pas!
Philippe et Germaine font une salade niçoise. Ils demandent constamment à leur mère s'ils doivent mettre cet ingrédient dans la salade. À vous de décider si oui ou non.

1. On met des olives?
2. On met du vin?
3. On met des tomates?
4. On met du thon (*tuna fish*)?
5. On met de l'huile?
6. On met des anchois (*anchovies*)?
7. On met du vinaigre?
8. On met du fromage?
9. On met de la laitue?
10. On met du sel?
11. On met de l'ail?
12. On met du poivre?

Exercice 13 Le guide l'accompagne
Lisez le paragraphe.

Aujourd'hui Annette visite le musée du Louvre. Le guide la conduit dans les salles qui l'intéressent. Il lui montre les statues et les tableaux fameux. Il en parle longuement. Il lui parle aussi des artistes et il lui explique les détails des œuvres. Elle admire surtout la Vénus de Milo, la célèbre statue grecque. Annette en est ravie!

Exercice 14 Répétez le paragraphe de l'exercice 13 au passé composé.

Expressions utiles

You have already learned the expression **Zut!**, meaning *Darn!* There is a similar exclamation that even rhymes with **Zut: Flûte!**

There is an expression that French speakers use when they hold one opinion about one thing and a completely different opinion about something else. It is equivalent to the English expression, "Now that's something else again."

C'est autre chose!

Conversation

La belle Vénus!

Lucienne   Regarde un peu! Il pleut à verse![*]

Michel   Flûte! Pas de pique-nique! Qu'est-ce que tu as envie de faire?

Lucienne   Il y a une nouvelle exposition au musée d'art moderne. Tout le monde en parle!

Michel   Ça non! Tous ces cercles, cubes et lignes! Pas pour moi!

Lucienne   Mais tu aimes les portraits, n'est-ce pas?

Michel   Franchement non! La peinture ne m'intéresse pas. Mais la sculpture ça c'est autre chose!

Lucienne   Ah, je comprends! Tu adores la Vénus de Milo!

Exercice 1   Répondez.

1. Quel temps fait-il?
2. Qui ne peut pas faire de pique-nique?
3. Qu'est-ce que Lucienne suggère?
4. Pourquoi est-ce que Michel refuse?
5. Est-ce que Michel aime les portraits?
6. D'après Michel qu'est-ce qui est autre chose?
7. Comment est-ce que Lucienne explique la réaction de Michel?

Exercice 2   Qu'est-ce qu'on dit?

Quand on est content ou d'accord avec une personne, on dit:

D'accord!	Chic!
Entendu!	Chouette!
C'est ça!	Oui, oui!
Volontiers!	

Qu'est-ce qu'on peut dire quand on n'est pas content ou quand on n'accepte pas une suggestion?

---

[*] **Il pleut à verse**   *It's pouring*

ℒecture culturelle

La Liberté éclairant le monde

En 1871 un jeune Alsacien visite les États-Unis pour la première fois. Il est impressionné par les grandes villes et les vastes plaines de cet immense pays. Quand il voit le port de New York il sait qu'il a trouvé l'endroit idéal! C'est là qu'il va placer son monument comme phare à l'entrée du port de New York!

Mais qui est ce Français imaginatif? À quel monument pense-t-il? C'est Frédéric-Auguste Bartholdi, un sculpteur qui travaille à Paris. Son ami, Édouard de Laboulaye, un historien français qui admire beaucoup les États-Unis, a eu l'idée de commémorer la Déclaration d'Indépendance des États-Unis par un monument, cadeau de la France. Il en a parlé à Bartholdi.

Pendant sa visite Bartholdi prépare le terrain—il trouve l'endroit et il discute le projet avec le président Ulysses S. Grant et le poète Henry W. Longfellow. Maintenant deux problèmes se posent—où obtenir l'argent et comment construire le monument?

En France on organise toutes sortes de représentations, de dîners, de soirées. Enfin on recueille 250 mille dollars. Aux États-Unis avec l'aide du journaliste Joseph Pulitzer on se procure 200 mille dollars.

Bartholdi imagine déjà le monument. C'est la statue d'une jeune femme en tunique, qui porte la torche de la liberté dans la main droite. Mais elle a besoin d'une personnalité; comment est cette Liberté américaine?

Il pense au célèbre tableau du peintre Eugène Delacroix, La Liberté guidant le peuple. Mais cette Liberté est trop théâtrale. Pour rendre sa statue plus réaliste, Bartholdi lui donne les traits de sa mère.

La statue que Bartholdi imagine est énorme! Comment élever un monument colossal qui résiste aux vents, aux tempêtes? Il consulte un ingénieur français, Gustave Eiffel, qui lui suggère une charpente en fer recouverte de pièces de cuivre.

Enfin Bartholdi se met au travail dans son atelier à Paris. À cause de l'immensité de la statue (46 mètres) on doit la construire pièce par pièce.

En mai 1885 on met la statue, en pièces détachées, dans 214 caisses! On met ces caisses à bord d'un train spécial qui va de Paris à Rouen. On les embarque pour l'Amérique sur *l'Isère,* un navire de guerre. La statue arrive aux États-Unis le 17 mai 1885.

La Liberté éclairant le monde est inaugurée le 28 octobre 1886 sur l'île Bedloe par le président Grover Cleveland. Ce monument, offert par la France comme symbole de l'amitié franco-américaine, symbolise beaucoup plus. Pour les millions d'immigrants qui l'ont vu dans le port de New York, il symbolise la liberté religieuse et politique, un refuge loin des persécutions.

éclairant *lighting, illuminating*	**recueille** *collect*	**traits** *features*
charpente *framework*	**fer** *iron*	**cuivre** *copper*

la LIBERTÉ à M. Morton, ambassadeur des États-Unis.
ateliers de MM. GAGET GAUTHIER et Cⁱᵉ, 25, rue de Chazelles.

Exercice 1 Complétez.

1. Un jeune _____ visite les États-Unis pour la première fois en 1871.
2. Il est impressionné par _____ et _____ .
3. Il désire placer un monument comme _____ dans le port de New York.
4. Le sculpteur s'appelle _____ .
5. Son ami veut commémorer _____ .
6. Bartholdi discute le projet avec _____ et _____ .
7. On ne sait pas où obtenir assez d'_____ .
8. On ne sait pas comment _____ .

Exercice 2 Identifiez-les.
Identifiez les noms suivants avec au moins une phrase.

1. Joseph Pulitzer
2. Eugène Delacroix
3. Gustave Eiffel
4. *l'Isère*
5. l'île Bedloe

Exercice 3 Répondez.

1. Comment est-ce que Bartholdi imagine le monument?
2. Pourquoi n'accepte-t-il pas la Liberté de Delacroix?
3. Quels traits donne-t-il à sa Liberté?
4. À quoi est-ce que le monument doit résister?
5. Qui suggère une charpente en fer?
6. Où est-ce que Bartholdi construit la statue?
7. Pourquoi la construit-il pièce par pièce?

Exercice 4 Le voyage de la Liberté
Décrivez le voyage de la Liberté. Utilisez au moins cinq phrases.

214 caisses
un train spécial
un navire de guerre
le 17 mai, 1885
l'inauguration

Activités

1 Si vous avez déjà visité la statue de la Liberté, racontez vos impressions. Donnez tous les détails possibles.

Si vous n'avez pas encore visité la statue de la Liberté, dites pourquoi vous voudriez ou vous ne voudriez pas la visiter.

2 Bartholdi et Eiffel

Écrivez un dialogue imaginaire entre Bartholdi et Eiffel.

- Bartholdi dit qu'il a un problème.
- Eiffel lui demande s'il peut l'aider.
- Bartholdi explique qu'il construit une statue colossale qui doit résister aux tempêtes.
- Eiffel suggère une charpente en fer.
- Bartholdi demande avec quoi il va la couvrir.
- Eiffel suggère des pièces de cuivre.
- Bartholdi le remercie de cette bonne idée.

3 Cherchez des détails sur la vie de Gustave Eiffel. Comment s'appelle son chef-d'œuvre? De quoi est-il devenu le symbole?

4 Décrivez tout ce que vous voyez dans les dessins.

galerie vivante

Quelle organisation a préparé ce dépliant?
Où veut-on encourager les jeunes à aller?

Ministère de la Culture

le musée et les jeunes

Activités pédagogiques
dans les musées nationaux

Direction des Musées
de France

Division de l'Action Culturelle

1983 - 1984

Est-ce que le Louvre est un
musée national? Combien coûte
l'entrée?

DES GRANDS MUSÉES

Le musée du Louvre est un des musées les plus renommés du monde. Il est vrai qu'on y trouve des trésors de l'art français, mais il y a aussi des chefs-d'œuvre d'artistes d'autres nations. La Joconde (*Mona Lisa*), de Léonard de Vinci, est une des peintures les plus fameuses du monde. D'après vous, a-t-elle l'air triste ou heureuse?

Voici un plan du musée du Louvre. Vous voyez le rez-de-chaussée et le premier étage. Cherchez les chefs-d'œuvre suivants et dites où ils sont:

a. la Victoire de Samothrace
b. la Vénus de Milo
c. la Joconde

Si vous avez faim ou soif, où allez-vous?

musée
du louvre

PARIS

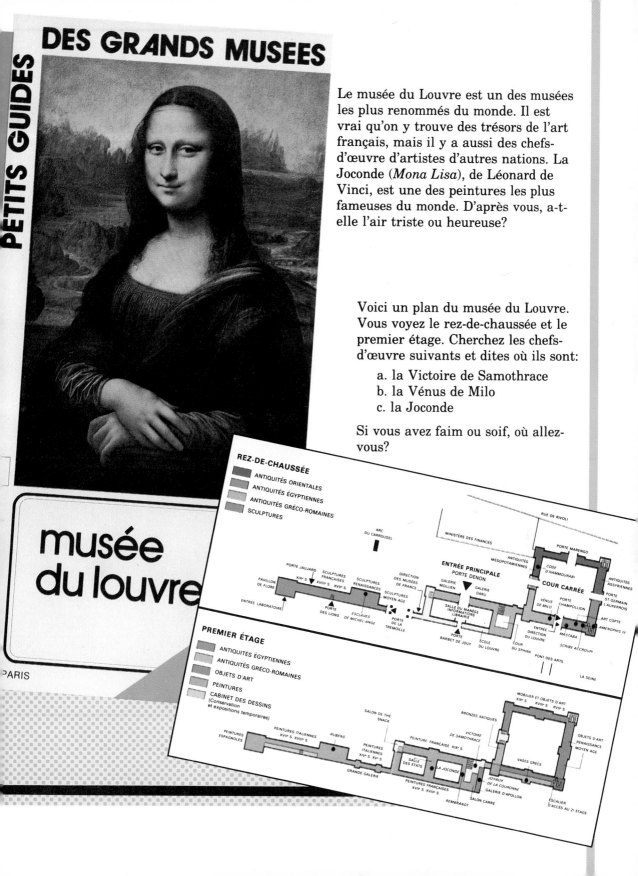

10 À l'hôtel

l'hôtel

CHAMBRES A LOUER

la pension

le hall

le bagagiste

la réception

188

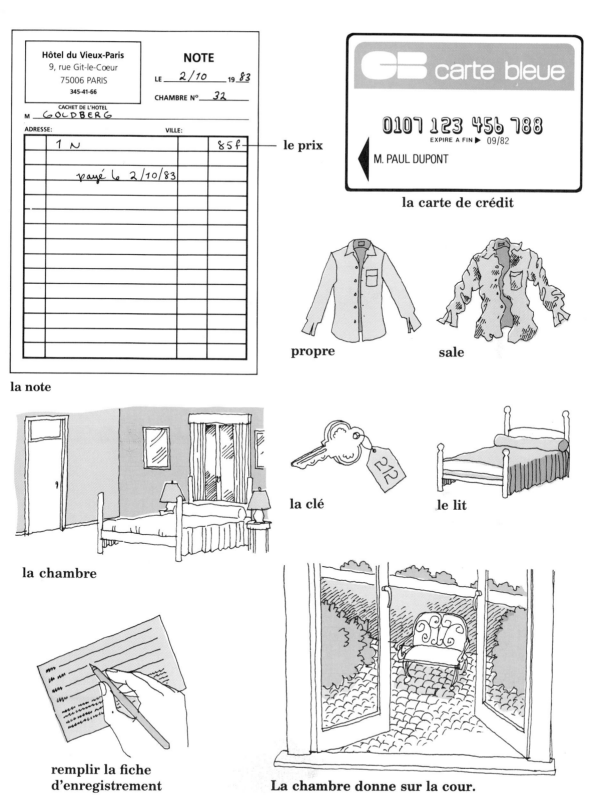

Hôtel du Vieux-Paris
9, rue Git-le-Coeur
75006 PARIS
345-41-66

NOTE

LE __2/10__ 19 __83__

CHAMBRE N° __32__

CACHET DE L'HÔTEL

M __GOLDBERG__

ADRESSE: VILLE:

1 N   85f ─── **le prix**

payé le 2/10/83

la note

la carte de crédit

propre   **sale**

la chambre

la clé   **le lit**

**remplir la fiche
d'enregistrement**

La chambre donne sur la cour.

Eugénie remplira la fiche d'enregistrement.
Le bagagiste montera les valises.
Eugénie prendra l'ascenseur.

Exercice 1 Elle arrive à l'hôtel.
Répondez.

1. Eugénie arrive à l'hôtel?
2. Elle va à la réception?
3. Est-ce que la réception est dans le hall?
4. Elle parle avec le réceptionniste?
5. Elle remplit la fiche d'enregistrement?
6. Qui montera les valises?
7. Est-ce qu'Eugénie prendra l'ascenseur pour monter dans sa chambre?
8. Sa chambre donne sur la cour ou sur la rue?
9. Combien de lits y a-t-il dans la chambre?
10. La chambre est propre ou sale?
11. Est-ce que le bagagiste lui donne la clé?

Exercice 2 Elle partira vendredi.
Complétez.

Eugénie restera quatre jours à l'_____ . Elle partira vendredi. Vendredi elle
paiera la _____ . Elle paiera sa note à la _____ . Elle la paiera avec une

_____ _____ _____ .

Exercice 3 Personnellement
Répondez.

1. Préférez-vous descendre dans un hôtel ou dans un motel?
2. Les lits dans les hôtels (motels) sont-ils toujours confortables?
3. Quels renseignements inscrit-on sur une fiche d'enregistrement?
4. Préférez-vous monter par l'ascenseur ou par l'escalier mécanique?
5. De combien de valises vous servez-vous quand vous voyagez?
6. À quel étage préférez-vous une chambre d'hôtel?
7. Préférez-vous une chambre qui donne sur la cour, sur la rue ou sur la mer?
   Pourquoi?

Structure

Le futur

You have learned that future actions can be expressed with the verb **aller** and the infinitive.

Il va descendre dans cet hôtel.
Allez-vous monter ma valise?
Nous allons partir demain.

There is also a future tense that corresponds to the English *will*. Study the following forms of regular verbs in the future.

Infinitive	parler	finir	attendre	ENDINGS
Stem	parler	finir	attendré	
Future	je parlerai	je finirai	j'attendrai	-ai
	tu parleras	tu finiras	tu attendras	-as
	il/elle parlera	il/elle finira	il/elle attendra	-a
	nous parlerons	nous finirons	nous attendrons	-ons
	vous parlerez	vous finirez	vous attendrez	-ez
	ils/elles parleront	ils/elles finiront	ils/elles attendront	-ont

Note that the stem for the future tense of **-er** and **-ir** verbs is the entire infinitive. The **-re** verbs drop the final **-e** before adding the future endings.

The negative and interrogative of the future is formed in the same way as in the present and imperfect. As in other tenses the object pronoun precedes the verb.

Eugénie n'arrivera pas en retard.
Choisira-t-elle une chambre qui donne sur la cour?
Le réceptionniste lui donnera la clé.
Elle ne la perdra pas.

Exercice 1 Qu'est-ce qu'on mangera?
Répondez d'après le modèle.

Thomas choisira le rosbif?
Non, non! Il ne mangera pas le rosbif.

1. Lucille choisira les moules?
2. Gaston choisira l'agneau?
3. Pauline choisira le steak-frites?
4. Marc et son frère choisiront le poisson?
5. Agnès et sa sœur choisiront les fruits de mer?

Exercice 2 À l'hôtel
Répondez.

1. Agnès arrivera à l'hôtel à dix heures?
2. Tu arriveras à la même heure?
3. Vous parlerez avec le réceptionniste?
4. Vous remplirez une fiche d'enregistrement?
5. Tu choisiras une chambre qui donne sur la cour?
6. Vous demanderez le prix de la chambre?
7. Tu demanderas aussi si le service est compris?
8. Qui montera vos valises?
9. Il vous donnera la clé?
10. Agnès perdra la clé?
11. Tu perdras la clé?
12. Combien de jours resterez-vous à l'hôtel?

Exercice 3 Tu voyageras en Italie.
Lisez la conversation.

— Où voyageras-tu cet été?
— Cet été je voyagerai en Grèce et en Italie.
— Combien de jours resteras-tu à Athènes?
— Je ne resterai à Athènes que trois jours, mais je passerai deux semaines en Italie.
— Tu visiteras sans doute Rome et Florence et Venise!
— Bien sûr! Je visiterai toutes ces belles villes italiennes!

Exercice 4 Encore!
Répétez la conversation de l'exercice 3 avec _vous_.

Note

The future of **appeler, jeter, mener, lever,** and verbs like them is built on the **il/elle** form of the present. The regular future endings are added.

Infinitive	Present	Future
appeler	**il appelle**	**il appellera**
jeter	**il jette**	**il jettera**
payer	**il paie**	**il paiera**
mener	**il mène**	**il mènera**
lever	**il lève**	**il lèvera**
acheter	**il achète**	**il achètera**

Exercice 5 Jacques travaillera dans un hôtel.

Lisez la sélection.

Pendant l'été Jacques va travailler dans un hôtel en Suisse. Il va monter les valises; il va descendre les valises. Il va monter les petits déjeuners; il va descendre les plateaux après. Il va appeler les taxis. Il va promener les chiens dans le parc. Il va apprendre beaucoup! Et on va le payer très bien.

Exercice 6 Au futur

Répétez la sélection de l'exercice 5 au futur.

Le pronom *en* avec des expressions de quantité

En must be used with expressions of quantity when the noun is not expressed.

> **Tu as beaucoup de disques?**
> **Ah, oui! J'en ai beaucoup.**
> **Ah, oui! J'en ai trop.**
> **Oui! J'en ai assez.**
> **Oui! J'en ai plusieurs.**
> **Oui! J'en ai quelques-uns.**
> **Non. J'en ai très peu.**
> **Non. Je n'en ai aucun.**

Note that in English we can either say *I have a lot of them* or merely *I have a lot*. *Of them* can be expressed or omitted in English. In French, however, the pronoun **en** must be used.

Just as **en** must be used with expressions of quantity, it must also be used with a number when the word modified by the number is not stated.

> **Combien de lits y a-t-il dans la chambre? Il y en a deux.**
> **Combien de frères as-tu? J'en ai trois.**

Exercice 7 Tu en as beaucoup?
Répondez d'après le modèle.

Tu as beaucoup de disques?
Oui, j'en ai beaucoup.
> ou
Non, j'en ai très peu.

1. Tu as beaucoup de livres?
2. Tu as beaucoup de magazines?
3. Tu as beaucoup de vêtements?
4. Tu as beaucoup de cassettes?
5. Tu as beaucoup de timbres?

Exercice 8   Charles aime beaucoup les animaux.
Répondez avec *en*.

1. Charles a plusieurs chiens?
2. Il a plusieurs chats?
3. Il a beaucoup d'oiseaux?

4. Il a assez de poissons?
5. Il a trop d'animaux?

Exercice 9   Combien en avez-vous?
Répondez avec un nombre. Si vous n'en avez pas, dites «je n'en ai aucun(e)».

1. Vous avez combien de chemises?
2. Vous avez combien de jeans?
3. Vous avez combien de pulls?
4. Vous avez combien de blousons?
5. Vous avez combien de chapeaux?

6. Vous avez combien de chiens?
7. Vous avez combien de chats?
8. Vous avez combien d'oiseaux?
9. Vous avez combien de poissons?
10. Vous avez combien d'animaux?

ote

You have now learned all the uses of the pronoun **en**. Remember that **en** replaces all objects introduced by a form of **de.** The only exception to this is when the noun that follows **de** refers to a specific person or persons. In that case the stress pronoun must be used.

Thing

Il parle de son travail?	Oui, il en parle.
Il a besoin de sa voiture?	Oui, il en a besoin.
Il est fier de son travail?	Oui, il en est fier.

Specific person(s)

Il parle de son père?	Oui, il parle de lui.
Il a besoin de sa mère?	Oui, il a besoin d'elle.
Il est fier de ses sœurs?	Oui, il est fier d'elles.

There is one case in which **en** may replace **de** plus a noun referring to people, and that is when **de** means *some* or *any* (partitive constructions). Study the following examples.

Tu as des amis canadiens?	Oui, j'en ai.
Tu as des professeurs français?	Non, je n'en ai pas.

Exercice 10   Personnellement
Répondez.

1. Tu parles souvent de tes projets?
2. Tu parles de tes parents?
3. Tu as des amis?
4. Tu as besoin de tes amis?
5. Tu parles de tes amis?

6. Tu as peur des animaux?
7. Tu as peur des examens?
8. Tu as peur de tes profs?
9. Tu es fier (fière) de ton travail?
10. Tu es fier (fière) de ta sœur?

Conversation

À la réception d'un hôtel

Réceptionniste	Bonjour, mademoiselle. Qu'est-ce qu'il vous faut?
Eugénie	Bonjour, monsieur. J'ai réservé une chambre à deux lits avec salle de bains.
Réceptionniste	Oui, mademoiselle. À quel nom, s'il vous plaît?
Eugénie	Au nom de Johnson.
Réceptionniste	Ah, oui, mademoiselle. Vous avez une très jolie chambre au troisième étage. Elle donne sur la cour où il n'y a pas de bruit. Ça vous plaira, j'en suis sûr.
Eugénie	Le petit déjeuner est compris?
Réceptionniste	Bien entendu. Le petit déjeuner et le service sont compris, mademoiselle. Vous resterez une semaine?
Eugénie	Non, malheureusement. Nous ne resterons que quatre jours. Nous partirons le quinze.
Réceptionniste	D'accord, mademoiselle. Je vous prie de remplir la fiche d'enregistrement.
Eugénie	Bien volontiers. Vous acceptez les cartes de crédit?
Réceptionniste	Bien sûr, mademoiselle. Bon. Voici votre clé. C'est la chambre numéro 310. Vous trouverez l'ascenseur là à droite. Le bagagiste va monter vos valises à l'instant.
Eugénie	Merci, monsieur.
Réceptionniste	À votre service, mademoiselle. Je vous souhaite un bon séjour chez nous.

Exercice 1 Répondez.

1. Qu'est-ce que Mlle Johnson a réservé?
2. Où est sa chambre?
3. Comment est-elle?
4. De quoi l'employé est-il sûr?
5. Qu'est-ce qui est compris?

Exercice 2 Dites.

En un petit paragraphe dites:
1. combien de temps elle restera à l'hôtel
2. quand elle partira
3. comment elle paiera sa note
4. où elle trouvera l'ascenseur
5. qui montera les valises de Mlle Johnson

ℒecture culturelle

Les hôtels en France

En France dans les grandes villes et au bord de la mer il y a de très grands hôtels de luxe où une chambre peut vous coûter plus de deux cents dollars par jour. Bien entendu ces hôtels élégants ne sont pas fréquentés par les étudiants qui voyagent en France.

N'y a-t-il pas de petits hôtels modestes en France? Mais si, il y en a beaucoup. Il y a énormément de pensions charmantes où une chambre ne coûte pas très cher. Presque toujours le petit déjeuner est compris avec le prix de la chambre.

Ce n'est pas le cas aux États-Unis. Dans nos villes il y a très peu de petits hôtels confortables et propres. Le petit déjeuner n'est presque jamais compris.

En général les clients d'un hôtel doivent libérer leur chambre à midi. Dans les grands hôtels on va à la caisse pour payer la note. Dans un petit hôtel on la paie à la réception.

En Amérique beaucoup de voyageurs préfèrent loger dans des motels. Mais en France, comme dans tous les pays d'Europe, il y en a très peu. De temps en temps on en trouvera un ou deux au bord de la mer mais en ville il n'y a pas de motels.

Exercice 1 Complétez.

En France les grands hôtels de luxe se trouvent dans _____ et au bord _____ . Une chambre peut coûter deux cent dollars _____ . Ces hôtels ne sont pas fréquentés par _____ . Il y a beaucoup de petits _____ . Il y a aussi énormément de _____ . Le petit déjeuner est presque toujours _____ .

Exercice 2 Comparez.

Préparez un petit paragraphe où vous discutez:
1. des petits hôtels
2. du petit déjeuner
3. des motels

$\mathfrak{A}$ctivités

1 Voici une note d'hôtel. Répondez d'après les renseignements sur la note.

- Comment le client s'appelle-t-il?
- Combien de jours est-il resté à l'hôtel?
- Quel était le numéro de sa chambre?
- Quel était le prix de la chambre?

- Est-ce qu'il a payé des taxes?
- Comment s'appelle l'hôtel?
- Où est-il?
- Quelle est la date de l'arrivée du client?
- Quand est-il parti?

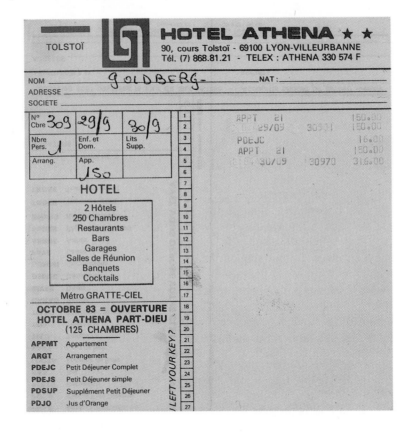

2 Voici les catégories des hôtels en France.

de luxe
quatre étoiles
trois étoiles
deux étoiles
une étoile

Regardez les photos des hôtels dans cette leçon. Donnez une catégorie à chaque hôtel.

 Une carrière

Pourquoi est-ce qu'on choisit une carrière dans l'hôtellerie? Voudriez-vous travailler dans un grand hôtel?

Voici des raisons qu'on donne. Les acceptez-vous? En trouvez-vous d'autres?

On dit que:
- C'est un travail intéressant.
- On a l'occasion de faire la connaissance de beaucoup de gens de beaucoup de pays du monde.
- Le tourisme devient de plus en plus important.

Décrivez tout ce que vous voyez dans le dessin.

Préparez une conversation entre la cliente et le réceptionniste.

galerie vivante

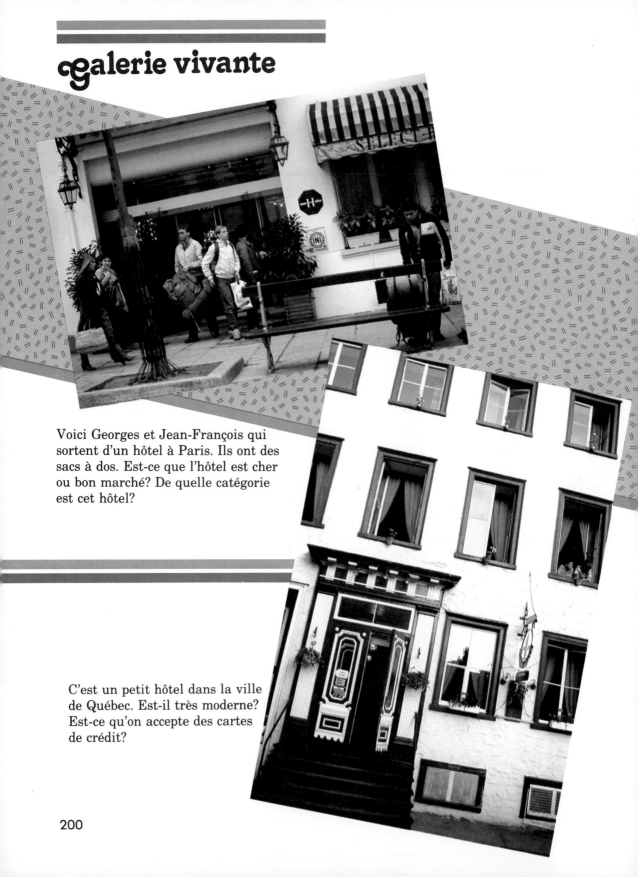

Voici Georges et Jean-François qui
sortent d'un hôtel à Paris. Ils ont des
sacs à dos. Est-ce que l'hôtel est cher
ou bon marché? De quelle catégorie
est cet hôtel?

C'est un petit hôtel dans la ville
de Québec. Est-il très moderne?
Est-ce qu'on accepte des cartes
de crédit?

200

Dans quelle rue est situé l'Hôtel de Castille?
Quel hôtel célèbre se trouve tout près?
Nommez deux monuments parisiens qui ne
se trouvent pas loin. Quelle ambassade n'est
pas trop loin?

Dans quelle ville se trouve l'Hôtel
New York? À quel étage se trouve la
chambre?

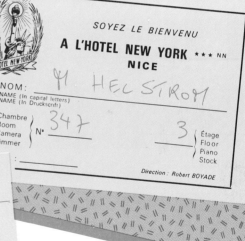

Où se trouve l'hôtel Fleur
d'Épée? Pourquoi est-ce que les
chambres sont plus chères du 16
décembre au 26 avril?

11 On est en route

l'autoroute — la voie

un camion

un poids lourd

le péage

un panneau

DOUANE
ZOLL

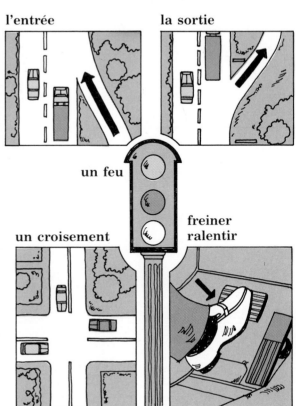

l'entrée — la sortie

un feu

un croisement

freiner
ralentir

un parcmètre

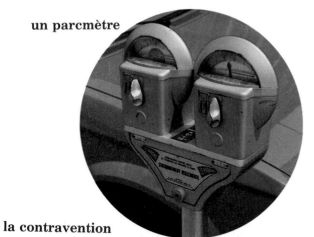

la contravention

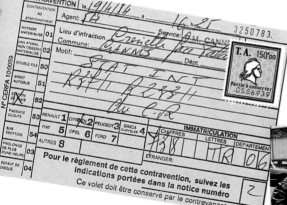

la contractuelle

les motards

doubler

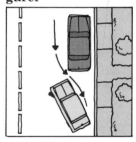

garer

les piétons

Exercice 1 Sur l'autoroute
Identifiez.

1.

4.

2.

3.

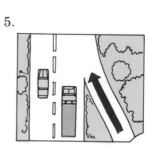

5.

6.

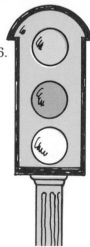

Exercice 2 Je ne prendrai pas cette route.
Complétez.

Je ne prendrai pas cette route-là

1. parce qu'il y a trop de _____ .

2. parce qu'il y a trop de _____ .

3. parce qu'il y a trop de _____ .

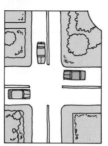

4. parce qu'il y a trop de _____ .

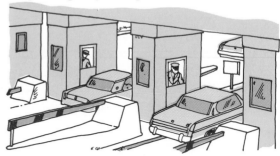

5. parce qu'il y a trop de _____ .

Exercice 3 Sur l'autoroute
Répondez.

1. Sur une grande autoroute, est-ce qu'il y a plus d'une voie dans chaque direction?
2. Il faut payer un péage sur les autoroutes?
3. Est-ce qu'on peut aller plus vite sur les autoroutes?
4. Est-il facile de doubler une voiture sur les autoroutes?
5. Est-ce qu'il y a beaucoup de poids lourds sur les autoroutes?

Exercice 4 Le parcmètre
Lisez la conversation et puis répondez aux questions.

— Tu as mis une pièce dans le parcmètre?
— Zut! Je n'ai rien mis dans le parcmètre. J'ai oublié.
— La contractuelle va certainement te donner une contravention.
— Zut! Zut! Et zut!

1. Est-ce qu'Henri a mis une pièce dans le parcmètre?
2. Pourquoi n'y a-t-il pas mis de pièce?
3. Qu'est-ce qu'il va avoir?
4. Qui va lui donner la contravention?

Exercice 5 Tu auras une contravention.
Lisez la conversation et puis complétez les phrases.

— Tu es folle. Ralentis un peu! Voilà un motard. Freine! Freine!
— Quelle est la vitesse autorisée?
— Je ne sais pas. Ah, voilà un panneau routier. C'est 60 kilomètres à l'heure. Et toi, tu roules à 90.

1. La _____ _____ est 60 kilomètres à l'heure.
2. Le _____ routier indique la vitesse maximum.
3. Marie-Laure _____ à 90 kilomètres à l'heure.
4. Elle doit _____ et _____ .
5. Si elle ne ralentit pas, le _____ lui donnera une contravention.

Structure

Le futur des verbes *avoir, savoir, faire, être* et *aller*

The following verbs use a special stem to form the future. The regular future endings are added to these stems.

Infinitive	*Future*
avoir	j'aurai
savoir	je saurai
faire	je ferai
être	je serai
aller	j'irai

Exercice 1 Personnellement
Répondez.

1. Vous aurez assez d'argent pour faire le voyage?
2. Vous ferez le voyage en juin?
3. Vous irez en Provence?
4. Vous serez combien de temps en Provence?
5. Vous irez en voiture?

Exercice 2 J'aurai ma voiture.
Lisez.

Dans une semaine j'aurai ma nouvelle voiture et je serai très heureux (heureuse). Je ferai un petit voyage. J'irai à la campagne où je rendrai visite à mes amis. Quelle joie!

Exercice 3 Nous aurons notre voiture.
Répétez l'exercice 2 avec *nous*.

Exercice 4 Qu'est-ce que tu vas faire?
Pratiquez la conversation.

— Qu'est-ce que tu vas faire demain?
— Oh, je crois que je vais aller au lac.
— Tu vas avoir ta petite amie avec toi ou tu vas être seul?
— Je vais le savoir plus tard.

Exercice 5 Qu'est-ce que tu feras?
Répétez la conversation de l'exercice 4 au futur.

Exercice 6 Complétez au futur.

Jacques _____ (savoir) demain s'il _____ (avoir) assez d'argent pour passer huit jours au bord de la mer. S'il peut aller au bord de la mer, j'_____ (aller) avec lui. Nous _____ (faire) le voyage en voiture. Il n'y _____ (avoir) pas de problème parce que je sais que j'_____ (avoir) la voiture de mon père.

Si + le présent et le futur

The tense sequence in **si** (*if*) clauses is the same in French as in English. The present is used in the **si** clause and the future is used in the main clause.

Si j'<u>ai</u> le temps, j'<u>irai</u> à la banque.   *If I have the time, I'll go to the bank.*

S'il <u>a</u> l'argent, il <u>achètera</u> une voiture.   *If he has the money, he'll buy a car.*

Exercice 7   Il ira en prison!
Avec les deux phrases données, faites une seule phrase avec *si*.

1. Paul veut visiter le musée.
   Il gare sa voiture dans le parking du musée.
2. Il ne voit pas le panneau qui dit: «Défense de stationner».
   Il a une contravention.
3. Il oublie de mettre une pièce dans le parcmètre.
   La contractuelle lui donne une contravention.
4. Paul ne paie pas l'amende (*the fine*).
   Il va en prison.

Exercice 8   Complétez selon votre inspiration.

1. Si nous avons le temps, ...
2. S'il fait beau demain, ...
3. Si tu n'as pas assez d'argent, ...
4. Si vous prenez l'autoroute, ...
5. Si vous roulez trop vite, ...
6. Si vous oubliez de mettre une pièce dans le parcmètre, ...

Quand + le futur

When the verb in the main clause is in the future tense, the verb in the clause introduced by **quand** *must* also be in the future tense. Note that English, unlike French, uses the present tense after *when*.

> Nous <u>partirons</u> quand il <u>arrivera</u>.
>
> Quand elle <u>ira</u> à Paris, elle <u>visitera</u> le Louvre.

> *We will leave when he arrives.*
>
> *When she goes to Paris, she will visit the Louvre.*

Exercice 9 Quand ils iront au chalet...
Répondez.

1. Que feront-ils quand ils iront au chalet?
   a. faire du ski
   b. allumer un feu dans la cheminée
   c. ouvrir une bouteille de champagne

2. Quand est-ce que les piétons traverseront la rue?
   a. il y a un feu vert
   b. la circulation s'arrête
   c. l'agent de police leur fait signe

Exercice 10 Quand j'aurai de l'argent...
Suivez le modèle.

Avoir de l'argent / aller en France
a. *Si j'ai de l'argent, j'irai en France.*
b. *Quand j'aurai de l'argent, j'irai en France.*

1. avoir l'argent / acheter une voiture
2. avoir mon permis de conduire / faire de longs voyages
3. être sur l'autoroute / faire attention aux panneaux routiers
4. entendre un motard / ralentir

Exercice 11 Personnellement
Répondez.

1. Est-ce que vous serez heureux(-euse) quand vous aurez votre permis de conduire?
2. Est-ce que vous saurez conduire quand vous aurez votre permis de conduire?
3. Est-ce que vos parents et vos voisins seront heureux quand vous aurez votre permis de conduire?
4. Est-ce que vous achèterez une voiture quand vous aurez l'argent?
5. Est-ce que vous ferez de longs voyages quand vous aurez des vacances?

Conversation

Trop vite? Pas moi!

Émile   Je conduis très bien, n'est-ce pas?

Marcel   Franchement, je crois que tu roules trop vite.

Émile   Trop vite? Pas moi!

Marcel   Freine, mon vieux, freine!

Émile   Qu'est-ce qui se passe?

Marcel   Voilà le motard qui s'approche!

Émile   Le motard? Mais pourquoi?

Marcel   Tu as dépassé la limite de vitesse. Voilà pourquoi!

Exercice 1   Choisissez.

1. Émile et Marcel sont en avion ou en voiture?
2. Émile croit qu'il conduit bien ou mal?
3. Marcel croit qu'Émile roule trop vite ou trop lentement?
4. Émile n'a pas vu le poids lourd ou le motard?
5. Émile a dépassé la limite de vitesse ou de stationnement?

Exercice 2   Le monologue d'Émile

Imaginez qu'Émile est tout seul dans sa voiture. Préparez un monologue basé sur la conversation ci-dessus. Des suggestions:

Oui, c'est vrai! Moi, je conduis très, très bien!

rouler vite

observer le code de la route

dans le rétroviseur (*rear-view mirror*)

qu'est-ce qu'il veut

pourquoi moi

Expressions utiles

Review the expressions that are used in giving directions.

à droite	**à côté de**
à gauche	**au coin**
tout droit	**en face de**
jusqu'à la troisième rue	**près de**
retourner	**loin de**

ℒecture culturelle

Sur la route de Fontainebleau

—Eh, bien! Demain matin je me mettrai en route de bonne heure. J'irai pour la première fois à Fontainebleau. Si vous me donnez de bonnes directions, j'arriverai en un rien de temps!˙

—Très volontiers! Pour sortir de la ville, vous prendrez d'abord le boulevard Suchet. Ensuite vous prendrez l'autoroute du sud ou la nationale numéro sept. Les autoroutes portent la lettre A et un numéro; la plupart sont à péage. Un panneau routier vous en indiquera l'entrée. Les routes nationales aussi s'appellent par leurs numéros, par exemple N7.

Les autoroutes sont beaucoup plus rapides que les nationales et les départementales. Il y a trois ou quatre voies dans chaque direction et on peut facilement doubler une voiture qui ralentit. Sur les routes départementales on trouve moins de camions et de poids lourds, c'est vrai, mais il n'y a qu'une voie dans chaque direction. Et si la ligne est continue, il est interdit de la franchir et de doubler. Je vous recommande sûrement de prendre l'autoroute!

Après le premier péage tenez la droite.˙ Vous prendrez la première sortie à votre droite. Quand vous quitterez l'autoroute, vous irez tout droit jusqu'au premier croisement. Au panneau que vous verrez˙ bientôt, tournez à gauche. Continuez tout droit, jusqu'au premier feu. Freinez s'il est rouge! Cela va sans dire! Là, à ce feu, vous serez dans le centre-ville et vous vous garerez facilement.

Mais attention, hein! N'oubliez pas de mettre une pièce dans le parcmètre! Si par hasard˙ vous l'oubliez, vous aurez certainement une contravention. Ou comme on dit: «La contractuelle va te flanquer un papillon»!˙

Exercice 1 Répondez.

1. Quand est-ce que le voyageur se mettra en route?
2. Où est-ce qu'il ira?
3. Quand est-ce qu'il arrivera?
4. Qu'est-ce qu'on doit lui donner?

Exercice 2 Complétez.

1. Le voyageur prendra le boulevard Suchet pour _____ .
2. Ensuite il choisira ou _____ ou _____ .
3. La plupart des autoroutes sont à _____ .
4. L'entrée de l'autoroute est indiquée sur _____ .

˙**en un rien de temps** *in no time*
˙**tenez la droite** *keep to the right*   ˙**vous verrez** *you will see*
˙**par hasard** *by chance*   ˙**te flanquer un papillon** *(slang) slap a ticket on you*

210

Exercice 3 Complétez les directions.

1. Après le premier péage il _____ .
2. La sortie qu'il prendra se trouve _____ .
3. Quand il quittera l'autoroute, il _____ .
4. Quand il verra le panneau, il _____ et il _____ .
5. Au premier feu il _____ et il _____ .

Activités

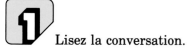
Lisez la conversation.

— Pardon, madame. J'ai perdu mon chemin. Le marché de la rue de Grenelle est loin d'ici?

— Non, monsieur. Mais vous allez dans la mauvaise direction. Il faut retourner sur vos pas et aller tout droit jusqu'à la troisième rue.

— La troisième?

— C'est ça. Tournez à gauche et continuez tout droit jusqu'à la deuxième rue. Si vous tournez à droite dans la rue de Grenelle vous verrez le marché à gauche.

— Merci, madame. Vous êtes très gentille.

— Je vous en prie. Au revoir, monsieur.

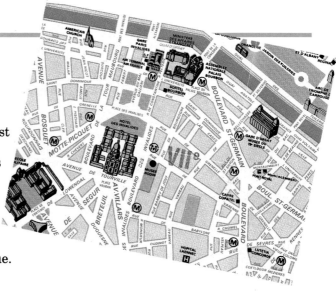

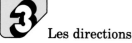
Faites un plan de rues où vous indiquez les directions données par la dame.

Les directions

● Expliquez à M. Legrand comment il peut aller en voiture de votre école à votre maison.

● Quelle est la capitale de votre état? Expliquez à Mme Colin comment elle peut aller en voiture de votre ville à la capitale de votre état.

● Expliquez à un ami comment il peut aller à pied de votre maison au supermarché.

Une interview

● Vous avez votre permis de conduire?
● Si vous ne l'avez pas, quand l'aurez-vous?
● Dans votre état, à quel âge est-ce qu'on peut obtenir un permis de conduire?
● Faut-il passer un examen pour obtenir le permis de conduire?

galerie vivante

On est en vacances sur la Côte d'Azur. C'est vous qui conduisez. Vous arrivez à ce carrefour et vous comprenez parfaitement tous les panneaux. Où se trouve le camping les Romarins?

L'équivalent en anglais de 8 mètres c'est combien de «feet»?

Êtes-vous sur une autoroute, une route nationale ou une route départementale?

Si vous voulez prendre l'autoroute ici, tournez-vous à droite ou à gauche? Comment savez-vous que vous êtes dans la ville de Lyon?

Jean-Paul est à moto? A-t-il l'air heureux ou triste? Pourquoi? Quel temps fait-il? Est-ce que Jean-Paul est triste à cause de la pluie?

Voici une question controversée. Est-ce qu'on aime les chiens dans cette rue, oui ou non? Préparez-vous à défendre le pour ou le contre de cette question.

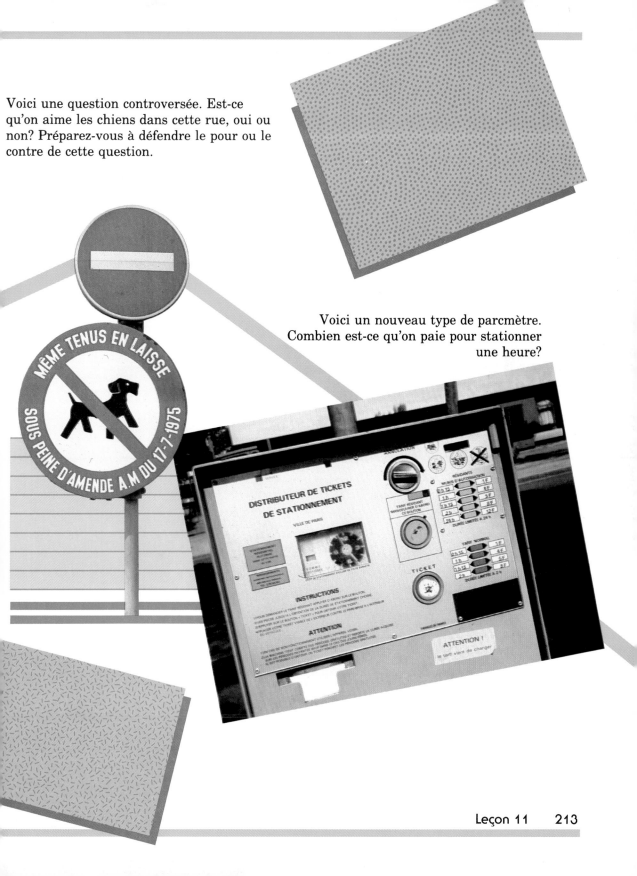

Voici un nouveau type de parcmètre. Combien est-ce qu'on paie pour stationner une heure?

12 Une lycéenne

Suzette est élève au lycée Henri IV. Elle étudie neuf matières cette année. Elle est **demi-pensionnaire;** elle déjeune à la cantine. Le mercredi après-midi, elle est **libre;** elle n'a pas classe.

Lycée Henri IV EMPLOI DU TEMPS					
	Lundi	Mardi	Mercredi	Jeudi	Vendredi	Samedi
8½ h	Maths		Maths		Histoire	Anglais
9½ h		Français			Géographie	Français
10½ h	Chimie	Chimie	Éducation physique	Chimie	Espagnol	Latin
11½ h	Anglais		Géographie	Anglais	Chimie	Maths
13½ h		Histoire				
14½ h	Éducation physique	Géographie		Maths	Français	
15½ h	Espagnol	Latin			Latin	

Elle passe ses heures de loisir à la Maison des Jeunes. Elle **y** va souvent. Elle chante dans une **chorale,** elle joue au **billard** et elle va aux soirées dansantes. À l'**auto-école** elle suit un cours de **conduite.**

Exercice 1 Répondez.

1. Qui est Suzette?
2. Combien de matières est-ce qu'elle étudie cette année?
3. Où déjeune-t-elle? Pourquoi?
4. Qu'est-ce qui se passe le mercredi?
5. Où est-ce qu'elle passe ses heures de loisir?
6. Est-ce qu'elle y va souvent?
7. Qu'est-ce que Suzette fait à la Maison des Jeunes?
8. Où est-ce qu'elle suit un cours de conduite?

Exercice 2 Personnellement
Répondez.

1. Comment s'appelle votre lycée?
2. Combien de matières est-ce que vous étudiez cette année?
3. Vous rentrez pour déjeuner ou vous déjeunez à la cantine du lycée?
4. Vous êtes libre quels jours de la semaine?
5. Où passez-vous vos heures de loisir?
6. Chantez-vous dans une chorale? Jouez-vous au billard?
7. Où allez-vous danser?

Structure

Le futur des verbes *voir, envoyer, pouvoir, devoir, recevoir, vouloir, venir*

Study the following verbs that have an irregular stem in the future tense.

voir	je verrai	devoir	je devrai
envoyer	j'enverrai	recevoir	je recevrai
pouvoir	je pourrai		
		vouloir	je voudrai
		venir	je viendrai

Exercice 1 Qu'est-ce qu'elle dira quand elle les verra?
Répondez.

1. Est-ce que Pauline recevra de mauvaises notes?
2. Est-ce qu'elle voudra les voir?
3. Devra-t-elle les montrer à ses parents?
4. Aura-t-elle honte quand elle les verra?
5. Pourra-t-elle aller souvent à la Maison des Jeunes?
6. Devra-t-elle rester chez elle?

Exercice 2 Tu voudras donner une surprise-partie, n'est-ce pas?
Répondez personnellement.

1. Tu voudras donner une surprise-partie pour l'anniversaire de ton ami(e)?
2. Tu enverras des invitations à tous vos amis?
3. Tous vos amis pourront venir?
4. Tu crois qu'ils viendront avec des cadeaux?
5. Ton ami(e) recevra beaucoup de cadeaux?
6. Il (elle) sera surpris(e) quand il (elle) les verra?

Exercice 3 Complétez avec le futur.

1. Je sais que tu _____ (être) content quand tu _____ (voir) tous les cadeaux que tu _____ (recevoir).
2. Il dit que tu _____ (recevoir) le contrat qu'il t'_____ (envoyer) et que tu _____ (pouvoir) le comprendre sans difficulté.
3. Nous croyons qu'ils _____ (vouloir) venir et qu'ils _____ (venir) après-demain mais ils ne _____ (pouvoir) rester que deux jours.
4. Jacques dit que quand le prof me _____ (voir) il _____ (pouvoir) me dire pourquoi je _____ (recevoir) une mauvaise note.

Personne ne, rien ne

You have already learned that the expressions **ne... personne** and **ne... rien** can function as the direct object. Review the following.

> **Je ne vois rien.**   **Je n'ai rien vu.**
> **Je ne vois personne.**   **Je n'ai vu personne.**

Both these expressions can also be used as the subject of the sentence. When they are the subject, **personne** or **rien** precedes **ne** and the expression comes right before the verb. Study the following.

> **Qui est avec toi?**   **Personne n'est là.**
> **Qu'est-ce qui se passe?**   **Rien ne se passe.**

Exercice 4 Personne n'y est allé.
Pratiquez la petite conversation.

— Qui va au cours de maths?
— Personne ne va au cours de maths.
— Qu'est-ce qui arrive?
— Rien n'arrive.
— Qui fait les devoirs?
— Personne ne fait les devoirs.
— Qu'est-ce qui se passe?
— Rien ne se passe.
— Oh là là!

Exercice 5 Répondez d'après la conversation de l'exercice 4.

1. Qui est allé au cours de maths?
2. Qu'est-ce qui est arrivé?
3. Qui a fait les devoirs?
4. Qu'est-ce qui s'est passé?

Exercice 6 Répondez avec *personne* ou *rien.*

1. Qui est plus beau (belle) que vous?
2. Qui est plus intelligent(e) que vous?
3. Qui a peur de vous?
4. Qu'est-ce qui vous réveille le samedi matin?
5. Qu'est-ce qui vous surprend au lycée?

Le pronom *y*

The pronoun **y** is used to replace a phrase introduced by a preposition other than **de** when the object of the preposition is a thing.

Elle va <u>à la maison</u>.	Elle <u>y</u> va.
Nous répondons <u>à sa lettre</u>.	Nous <u>y</u> répondons.
Elle attend sa mère <u>devant le lycée</u>.	Elle <u>y</u> attend sa mère.
Tu entres <u>dans la cantine</u>?	Tu <u>y</u> entres?

Just as the past participle in the **passé composé** does not agree with the pronoun **en,** it does not agree with the pronoun **y** either.

J'ai répondu à sa lettre.   **J'y ai répondu.**

Note that when a preposition other than **de** is followed by a person rather than a thing, either the indirect object pronouns (**lui, leur**) or the proper prepositional pronoun must be used. Study the following.

Tu as répondu à la lettre?	Oui, j'y ai répondu.
Tu as répondu à Ginette?	Oui, je lui ai répondu.
Tu fais du jogging devant le lycée?	Oui, j'y fais du jogging.
Tu t'assieds devant Paul?	Oui, je m'assieds devant lui.

Exercice 7 Oui, j'y vais.
Pratiquez la conversation.

— Tu vas à la Maison des Jeunes?
— Oui, j'y vais tous les samedis.
— Ton copain y va aussi?
— Oui, lui aussi il y va très souvent.
— Chic alors!

Exercice 8 Une conversation
Répétez la conversation. Substituez *vous* à *tu.*

Exercice 9 Personnellement
Répondez en remplaçant les mots en italique par _y_.

1. Vous allez *au lycée* tous les jours?
2. Vous préparez vos leçons *à la maison*?
3. Vous parlez français *dans la classe de français*?
4. Vous attendez vos amis *devant le lycée*?
5. Vous allez souvent *au cinéma*?
6. Vous allez *au cinéma* à pied?

Exercice 10 C'est _y_ ou _en_?
Répondez avec _y_ ou _en_.

1. Combien de cours suivez-vous?
2. Combien de livres de français avez-vous?
3. Vous écrivez dans vos livres de classe?
4. Vous êtes allé(e) au match de foot samedi?
5. Vous déjeunez à la cantine?
6. Vous passerez vos vacances de février à Chamonix?
7. Vous suivrez un cours de conduite au lycée?

Conversation

Il sera ceinture noire!

Françoise On va à la Maison des Jeunes demain? La classe de karaté commence à trois heures.

Marianne Comme tu voudras. Moi, je n'y ai rien à faire. Rien ne m'intéresse.

Françoise Rien! Tu veux dire «personne», n'est-ce pas? Personne ne t'intéresse—sauf* Jean-Paul!

Marianne Jean-Paul? Jean-Paul n'est rien pour moi!

Françoise Ah, j'y suis maintenant! Tu es fâchée* parce qu'il ne t'as pas encore invitée à la boum. Mais quand il sera ceinture noire, tu lui pardonneras!

Exercice Complétez le résumé.

Françoise va à _____ parce qu'elle suit un cours de _____ . Marianne dit qu'elle n'y a _____ . Elle dit que _____ ne l'intéresse. Françoise lui dit que «personne» ne l'intéresse sauf _____ . Marianne dit que Jean-Paul n'est _____ . Françoise croit que Marianne est fâchée parce que Jean-Paul ne l'a pas encore _____ . Elle est sûre que Marianne pardonnera à Jean-Paul quand il _____ .

---

sauf except   *fâchée* angry

ℚecture culturelle

Au lycée Carnot

Nous voici au lycée Carnot à Cannes. Nous y avons une amie, Chantal Legris. Elle nous a invités à passer quelques jours dans son lycée. Est-ce qu'il y a des différences entre un «high school» américain et le lycée de Chantal? On va le voir tout de suite.

Cette année Chantal devra étudier neuf matières. Elle n'aura pas les mêmes cours tous les jours, ni à la même heure. Par exemple, elle fera des maths quatre fois par semaine. Elle ne fera de la gymnastique que deux fois par semaine.

Beaucoup d'élèves du lycée de Chantal rentrent chez eux pour déjeuner. Mais Chantal ne rentre pas chez elle. Comme* elle est demi-pensionnaire, elle déjeune à la cantine du lycée. Personne ne manque jamais l'heure du déjeuner et de la récréation entre douze heures et treize heures!

---

*__Comme__ *Since*

Le mercredi et le samedi, Chantal n'a pas classe l'après-midi—elle est libre. Les autres jours, elle quitte l'école entre seize et dix-sept heures.

Il existe d'autres différences importantes entre un «high school» et un lycée. Une école secondaire américaine offre aux étudiants une grande variété d'activités. On a toutes sortes de clubs; on a un orchestre et un chœur ou une chorale. On monte des pièces de théâtre. On a beaucoup d'équipes de sport—football, base-ball, basket, tennis, hockey. En plus* on offre des cours de conduite!

Aucune* de ces activités n'existe dans un lycée français. Les étudiants vont au lycée pour apprendre et pour y recevoir une éducation. Rien ne les distrait de leurs études! Pour les Français l'éducation est de la première importance. Les enseignants* ne participent jamais aux activités des élèves. Mais si l'école ne fournit* pas d'activités, où les jeunes Français peuvent-ils aller pour s'amuser?

---

*__En plus__ *Besides*   *__Aucune__ *Not one*   *__enseignants__ *professeurs*   *__fournit__ *provide*

Dans la plupart des grandes villes françaises il y a des Maisons des Jeunes et de la Culture. Ces Maisons des Jeunes fournissent beaucoup de possibilités pour les heures de loisirs. On y joue aux cartes, au billard, au ping-pong. On y fait du sport, du théâtre ou de la musique. On y apprend le chant, la poterie ou la reliure.° Le dimanche on y organise souvent des surprises-parties pour réunir les jeunes du quartier.

Combien est-ce qu'on doit payer pour entrer dans une Maison des Jeunes? Rien. Absolument rien! C'est la municipalité qui la subventionne.°

Exercice 1 Identifiez Chantal Legris.

Dites:
1. qui elle est
2. où elle habite
3. à quel lycée elle va
4. combien de matières elle étudiera cette année

Exercice 2 Expliquez les expressions suivantes.

1. un/une demi-pensionnaire
2. la cantine
3. on est libre

Exercice 3 Comparez ces aspects d'un «high school» et d'un lycée.

1. l'heure de la sortie de l'école
2. les jours où on est libre
3. les sports qu'on offre
4. les activités qu'on offre

Exercice 4 Répondez.

1. Pour quelles raisons est-ce que les jeunes Français vont au lycée?
2. Qu'est-ce qui les distrait de leurs études?
3. Qu'est-ce qui est de la première importance pour les Français?
4. Qui ne participe jamais aux activités des élèves?

Exercice 5 Corrigez.

1. Les jeunes Français peuvent passer les heures de loisir au lycée.
2. Les Maisons des Jeunes et de la Culture ne se trouvent qu'à Paris.
3. On y joue seulement au tennis.
4. On n'y fait que du sport.
5. On n'y apprend rien.
6. En semaine on y organise des bals et des surprises-parties.
7. On paie cher pour entrer dans une Maison des Jeunes.

°**la reliure** *bookbinding*   °**subventionne** *subsidizes*

Activités

Un jeu

Quelqu'un commence et dit: «Je faisais ma valise et j'y ai mis un anorak».

Un autre dit: «Je faisais ma valise et j'y ai mis un anorak et une bouteille».

Et ainsi de suite, en suivant l'ordre alphabétique et en répétant toujours *tous* les articles précédents.

La Maison des Jeunes

Regardez la liste des cours offerts par la MJC de Cannes.

- Quelles sortes de danses est-ce qu'on peut y apprendre?
- Combien de classes de tennis est-ce qu'il y a?
- Est-ce qu'on peut apprendre à faire de la voile?
- Quel jour est la classe de photographie?
- Quel cours préférez-vous?

M.J.C CANNES CENTRE

DISCIPLINES	NIVEAU	JOURS	HORAIRES	SALLE
DANSE CLASSIQUE	DEB./INTERM.			
	DEBUTANT	LUNDI	10h – 11h	
DANSE MODERNE	AVANCE	MERCREDI	18h – 19h	ES3
	DEBUTANT	MERCREDI	20h – 21h	ES3
JAZZ	AVANCE	VENDREDI	19h30 – 20h30	ES3
	AVANCE	VENDREDI	20h30 – 21h30	ES3
	DEBUTANT	LUNDI	17h – 18h	ES3
DANSE ROCK	DEBUTANT	MERCREDI	14h – 15h	ES3
	INTERMEDIAIRE	JEUDI	18h – 19h	ES3
DANSE FOLK	DEBUTANT	SAMEDI	15h – 16h30	ES3
GUITARE	AVANCE	MARDI	19h – 20h	ES3
	DEBUTANT	SAMEDI	14h – 15h	ES3
	DEBUTANT	LUNDI	19h – 20h	ES3
PIANO	AVANCE	MARDI	18h – 19h	13
	DEBUTANT	MARDI	20h – 21h	13
INIT. MUSICALE	INITIATION	MERCREDI	17h – 18h	13
	INITIATION	MARDI	18h – 19h	12
YOGA	AVANCE	MERCREDI	10h – 11h	12
	DEBUTANT	MARDI	17h – 17h30	12
	TOUS NIVEAUX	LUNDI	17h30 – 18h	12
CULTURE PHYSIQUE EN MUSIQUE	TOUS NIVEAUX	MARDI	20h – 21h	23
	PERFECTIONN.	VENDREDI	9h – 10h	23
GYM	TOUS NIVEAUX	MERCREDI	20h30 – 21h30	ES3
	TOUS NIVEAUX	MERCREDI	9h30 – 10h30	ES3
	TOUS NIVEAUX	VENDREDI	19h – 20h	ES3
	TOUS NIVEAUX	MARDI	18h30 – 19h30	ES3
	TOUS NIVEAUX	MARDI	14h – 15h	ES3
TENNIS	TOUS NIVEAUX	MARDI	15h – 16h	ES3
	TOUS NIVEAUX	JEUDI	18h – 19h	ES3
	PERFECTIONN.	LUNDI	15h15 – 16h15	ES3
	DEBUTANT	MARDI	12h – 13h	Terrain de Tennis
	DEBUTANT	MERCREDI	12h – 13h	
	PERFECTIONN.	JEUDI	10h30 – 11h30	
ECHECS	DEBUTANT	VENDREDI	13h – 14h	
	DEBUTANT	SAMEDI	12h – 13h	
PEINTURE/ DESSIN	PERFECTIONN.	SAMEDI	11h45 – 12h45	
THEATRE	DEBUTANT	MERCREDI	15h15 – 16h15	
	PERFECTIONN.	MERCREDI	15h – 16h30	12
	INITIATION	MERCREDI	16h30 – 18h	12
VOILE	INITIATION	MERCREDI	13h45 – 15h45	21
	PERFECTIONN.	LUNDI	19h – 21h	21
ARTISANAT	TOUS NIVEAUX	LUNDI	18h – 21h	12
	TOUS NIVEAUX	MERCREDI	18h – 21h	S.Spect.
PHOTO	TOUS NIVEAUX	SAMEDI	9h – 12h	
		DIMANCHE	14h – 18h	
		MARDI	9h – 12h	
	TOUS NIVEAUX	MARDI	17h – 19h30	21/22
		JEUDI	20h – 22h30	21/22
			17h – 20h	22

galerie vivante

▶ Comme vous le voyez, il y
a un festival international
du film à Cannes. À
quelle époque?

FESTIVAL
INTERNATIONAL DU FILM

11-23 MAI 1988

41e

CANNES

▶ Ces quatre filles sont à la Maison des
Jeunes à Cannes. Faites leur description.
Dites comment elles s'appellent et pourquoi
elles sont à la MJC.

VOTRE ANNEE A PICAUD-STUDIO 13

Au bord de la mer, à quelques centaines de mètres du vieux port, dans un parc verdoyant et à proximité d'un parking gratuit, la Maison des Jeunes et de la Culture PICAUD et sa salle de spectacles le STUDIO 13, vous attendent avec ses nombreuses activités.
Quel que soit votre âge, quelles que soient vos passions, soyez les bienvenus !

PICAUD, OU L'ECHO DES FESTIVALS

Picaud vous met au coeur des Festivals en liant son animation aux grands moments de la vie cannoise.
Un nombre important de spectacles ou d'évènements sont repris à Picaud : Festival International du Film, Festival International de la Danse, Festival International des Jeux, Festival International de Café Théâtre...

VOS GRANDS RENDEZ-VOUS :

NOVEMBRE 88
FESTIVAL INTERNATIONAL DE LA DANSE
OUVERTURE DU STUDIO 13
"NOUVELLE FORMULE"

DECEMBRE 88
RENCONTRES CINEMATOGRAPHIQUES
DE CANNES

JANVIER 89
ROCK D'HIVER AU MIDEM 89

FEVRIER 89
FESTIVAL DES JEUX AVEC LA DIRECTION
GENERALE DU TOURISME

MARS 89
BI-CENTENAIRE DE 1789

AVRIL 89
RENCONTRE DES ECOLES DE DANSE

MAI 89
FESTIVAL INTERNATIONAL DU FILM
DE CANNES
CINECOLE
CANNES JUNIOR
FESTIVAL DE L'HUMOUR

JUIN 89
LA FETE A PICAUD

JUILLET 89
ROCK SUR LA VILLE

▶ Voici un programme de la MJC à Cannes. À quels spectacles ou évènements voudriez-vous assister?

▶ Comme vous le voyez, la MJC organise des séjours en montagne. Où aura lieu ce séjour-ci? C'est pour combien de jours? Quelles sont les trois activités qu'on offre? Quel âge ont les participants?

SÉJOUR MONTAGNE

LA STATION DE VARS

SKI DE PISTE
SKI DE FOND
RANDONNEE

POUR LES 9-12 ANS

DU 5 FEVRIER AU 12 FEVRIER

RENSEIGNEMENTS :
MJC RANGUIN
centre commercial
06150 CANNES LA BOCCA
tel 47·21·16

225

ℛévision

Un voyage à Cannes

Annette   Tu as l'air fatiguée, Sylvie. Ta voiture ne marche pas bien?

Sylvie   Mais si! Très bien! On a fait un voyage à Cannes la semaine passée. Quels encombrements! Quelle foule! Il y avait des voitures de tous les pays d'Europe!

Annette   Vous y avez trouvé des chambres?

Sylvie   Heureusement on les a retenues à l'avance, mais personne ne nous a dit que c'était le week-end des régates! Il en restait très peu.

Annette   Tu t'es bien amusée? Tu penses y retourner l'année prochaine?

Sylvie   Jamais de la vie! Dès maintenant* quand je ferai un voyage, je consulterai d'abord le calendrier!

Exercice 1 Les vacances de Sylvie
Corrigez.

1. Sylvie a l'air triste.
2. Son amie croit que sa moto ne marche pas bien.

---

* **dès maintenant** *from now on*

3. Sylvie répond qu'elle a fait un voyage à Caen.
4. Il n'y avait pas d'encombrements parce qu'il y avait très peu de touristes.
5. Sylvie et ses amies savaient à l'avance que c'était le week-end des régates.
6. Il était facile de trouver des chambres parce qu'il en restait beaucoup.
7. Dès maintenant quand Sylvie fera un voyage, elle consultera d'abord son docteur.

Les expressions avec *avoir*

Many expressions are formed with the verb **avoir**.

J'ai faim.
J'ai soif.
J'ai chaud.
J'ai froid.
J'ai raison.
J'ai tort.
J'ai envie de nager.
J'ai besoin d'argent.
J'ai quinze ans.

J'ai peur de vous.
J'ai honte de mes notes.
J'ai sommeil.
J'ai mal aux pieds (à la tête, au ventre, etc.)
Georges a l'air triste.
Marie a l'air fatiguée.
Les régates ont lieu demain.

Exercice 2　Jeannot a mal aux pieds!

Lisez la conversation et répondez aux questions.

Luc　Salut, Jeannot! Mais qu'est-ce que tu as, mon vieux? Tu as l'air bien triste.

Jeannot　C'est mon vélo. Je l'ai laissé dans la rue et quelqu'un l'a volé.

Luc　Mon pauvre vieux! Et maintenant tu as honte de ta négligence, tu as envie de pleurer, tu as besoin d'argent, tu as peur de ton père, et...

Jeannot　Et j'ai mal aux pieds!

1. Qui a l'air triste?
2. Où a-t-il laissé son vélo?
3. Qui l'a volé?
4. De quoi est-ce que Jeannot a honte?
5. De quoi est-ce qu'il a envie?
6. De quoi est-ce qu'il a besoin?
7. De qui est-ce qu'il a peur?
8. Où est-ce qu'il a mal?

Le pronom *en*

The pronoun **en** replaces **de** and the name of an object. It may also replace other expressions with **de.** It is placed before the verb.

> **Il achète du lait?**
> **Oui, il en achète.**
> **Il en achète un litre.**
> **Il en achète beaucoup.**
>
> **As-tu peur des tigres?**
> **Non, je n'en ai pas peur.**
> **Je n'en ai jamais eu peur.**
>
> **Ne buvez pas de vin!**
> **N'en buvez-pas!**

The past participle does not agree with **en.**

> **Des voitures? Je n'en ai pas vu.**
> **Des pommes? J'en ai mangé deux.**

En replaces **de** and the noun referring to things and places. It may replace **de** and the noun referring to people *only* when it means *some*.

> **As-tu des copains charmants?**
> **Oui, j'en ai.**

If **de**, used with a person, means *of* or *about,* the pronouns **moi, toi, lui, elle, nous, vous, eux, elles** are used.

> **Il parle de Suzanne?**
> **Oui, il parle d'elle.**

228

Exercice 3 Personnellement
Répondez. Utilisez *en*.

1. Vous avez des amis français?
2. Vous avez des amis algériens?
3. Vous buvez beaucoup d'eau?
4. Vous écrivez beaucoup de lettres?
5. Vous avez plusieurs jeans?
6. Combien de tee-shirts avez-vous?
7. Vous avez peur des animaux sauvages?
8. Vous venez du lycée?

Exercice 4 Il en a peur?
Répétez la conversation. Substituez *motard* à *chien*.

— Pourquoi est-ce que l'enfant pleure?
— Il a peur du chien.
— Du chien? Il en a vraiment peur? Mais pourquoi? Ce chien est si gentil!

Le futur

The future tense is formed from the infinitive of most verbs. Study the forms of the future tense.

Infinitive	parler	finir	vendre	ENDINGS
Future	je parlerai	je finirai	je vendrai	-ai
	tu parleras	tu finiras	tu vendras	-as
	il/elle parlera	il/elle finira	il/elle vendra	-a
	nous parlerons	nous finirons	nous vendrons	-ons
	vous parlerez	vous finirez	vous vendrez	-ez
	ils/elles parleront	ils/elles finiront	ils/elles vendront	-ont

Review the irregular future forms.

avoir	j'aurai	envoyer	j'enverrai
savoir	je saurai	pouvoir	je pourrai
faire	je ferai	devoir	je devrai
être	je serai	recevoir	je recevrai
aller	j'irai	venir	je viendrai
voir	je verrai	vouloir	je voudrai

Remember that, contrary to English, *both* verbs in French must be in the future tense when **quand** introduces the clause.

Quand j'irai à Paris, je visiterai le Louvre.   *When I go to Paris I will visit the Louvre.*

Exercice 5 Ils feront un pique-nique.
Répétez au futur.

Dimanche Micheline et ses copains font un pique-nique. Ils se lèvent tôt et ils se mettent en route. Ils cherchent un joli endroit tranquille, de préférence près d'un lac. Là, ils ouvrent leur panier et ils en sortent des sandwiches et des salades. Ils boivent du coca. Comme dessert il y a des fruits. Après le repas Pierre joue de la guitare et tout le monde chante. Quelle belle journée!

Exercice 6 Conversations
Complétez au futur.

a. — Qu'est-ce que tu _____ (faire) quand tu _____ (avoir) de l'argent?
— Quand j'_____ (avoir) de l'argent j'_____ (acheter) des cassettes. Et toi?
— Moi, j'_____ (aller) au cinéma.
b. — Quand _____-tu (savoir) la date de la fête?
— Quand Luc _____ (venir).
— Tu _____ (pouvoir) me téléphoner?
— Je te le _____ (dire) quand je te _____ (voir) en classe.

Le pronom *y*

The pronoun **y** replaces a phrase introduced by a preposition other than **de**. Remember that **à** plus a person is replaced by the indirect object pronoun.

Ils vont à la Maison des Jeunes.	**Ils y vont.**
On se rencontre devant le musée?	**Oui, on s'y rencontre.**

BUT:

Il enverra le paquet à Jean.	**Il lui enverra le paquet.**
J'irai chez Marie.	**J'irai chez elle.**

Exercice 7 Personne n'y va!
Lisez la conversation et répondez aux questions.

— Qui va à la Maison des Jeunes demain? Tu y vas, Julie?
— Non. Personne n'y va. Tout le monde est occupé.
— Tu as téléphoné à Marc?
— Oui, je lui ai téléphoné hier soir. Il est très triste, tu sais. Il ne pense qu'à son chien.
— C'est vrai! Il y pense toujours et il en parle constamment!

1. Qui va à la Maison des Jeunes?
2. Pourquoi est-ce que personne n'y va?
3. Qui a téléphoné à Marc?
4. Marc est content?
5. Est-ce qu'il pense à son chien?
6. Quand est-ce qu'il parle de son chien?

ℒecture culturelle

supplémentaire

Les activités sportives

Est-ce qu'on fait du sport en France? Bien entendu le sport est pratiqué en France, mais pas autant* que dans d'autres pays. Très peu de Français prennent le sport au sérieux.

Les stades sont moins nombreux en France qu'aux États-Unis. Le samedi on ne verra pas une grande foule en train d'aller* au stade pour voir un match de football. Dans les écoles françaises les élèves n'ont que trois heures d'éducation physique par semaine. Même dans ces classes de gymnastique il n'y a pas de formation* rigoureuse. Les élèves sortent dans la cour surtout pour s'amuser sans vraiment apprendre à pratiquer un sport selon les règles. Très peu d'écoles en France ont un terrain de sport, et il y a très peu d'équipes organisées qui entrent en compétition.

---

*autant *as much*   *en train d'aller *(in the process of) going*   *formation *training*

On ne connaît ni le football américain ni le base-ball, mais le football («soccer» en anglais) est le sport national. Dans les parcs et sur les plages on verra de temps en temps une bande de jeunes qui jouent au football. Chaque grande ville a son équipe et il y a des championnats nationaux et internationaux. Mais en général les sports individuels sont plus populaires que les sports d'équipe chez les Français.

Comme il y a beaucoup de montagnes en France, les Français font beaucoup de ski. En hiver ils quittent les villes le vendredi soir pour aller skier dans les Alpes, le Massif Central ou les Pyrénées. Il y a même des classes de neige organisées par les écoles. Les élèves vont passer huit ou quinze jours dans les montagnes pour apprendre à faire du ski.

En été les Français aiment nager; ils vont sur les plages de la côte Atlantique et de la Méditerranée. On y pratique aussi la planche à voile, le ski nautique et la plongée sous-marine. Le gouvernement est actuellement* en train d'augmenter le nombre de piscines couvertes* dans les villes françaises. La natation* devient un des sports les plus populaires.

Un autre sport qui a assez de participants en France c'est le cyclisme. Beaucoup de jeunes font du vélo et appartiennent* à des clubs qui organisent des courses entre les différentes villes. Le Tour de France, une course cycliste internationale, a lieu chaque été en France. La course dure trois semaines et les cyclistes font le tour du pays.

Aujourd'hui le tennis a beaucoup de succès en France. Autrefois c'était un sport réservé aux riches, mais aujourd'hui le tennis se démocratise.

En France, comme aux États-Unis, la forme physique intéresse de plus en plus de gens. Par conséquent beaucoup de centres de culture physique s'ouvrent dans les villes françaises. On y va pour faire de la gymnastique dirigée.*

En réalité tous les sports sont représentés en France. Le gouvernement fait des efforts pour encourager les sports dans les écoles. On construit des stades, des gymnases, des terrains de sport. On veut donner à tous les Français l'occasion* de participer aux activités sportives.

---

actuellement *presently*
couvertes *indoor*   *natation* *swimming*
appartiennent *belong*   *dirigée* *guided*
occasion *opportunity*

Exercice 1 Corrigez.

1. Tous les Français sont fanas du sport.
2. Les stades sont plus nombreux en France qu'aux États-Unis.
3. Les élèves français ont cinq heures d'éducation physique par semaine.
4. On pratique toutes sortes de sports dans les écoles françaises.
5. Le base-ball est très populaire en France.
6. Le ski est le sport national français.

Exercice 2 Répondez.

1. Où est-ce que les Français font du ski?
2. Où vont-ils pour nager?
3. Quels sports sont pratiqués dans les stations balnéaires?
4. Quelle course cycliste a lieu chaque été?
5. Quel sport était autrefois réservé aux riches?
6. Où est-ce qu'on va pour faire de la gymnastique dirigée?
7. Qu'est-ce qu'on fait pour encourager les sports?

Lecture culturelle

supplémentaire
L'argot

Dans toutes les langues il existe des mots d'argot et les gens les emploient très volontiers quand ils parlent avec des amis. Les Français aussi emploient l'argot quand ils sont avec des amis. Connaissez-vous quelques mots ou quelques expressions d'argot qu'on peut utiliser avec des copains?

Le français	L'argot
les chaussures	les pompes
le chapeau	le galurin, le galure
la chemise	la liquette
le pantalon	le falzar
le policier	le flic
le garçon, l'homme	le mec, le type
la fille, la femme	la nana
la nourriture	la bouffe
la voiture	la bagnole
manger	bouffer
C'est très bien.	C'est chouette.
J'en ai assez.	J'en ai marre.
C'est fou.	C'est dingue.
C'est affreux (dégoutant).	C'est dégueulasse.
C'est affreux (vilain).	C'est moche.
Il (Elle) est tranquille.	Il est peinard. (Elle est peinarde.)

Exercice Complétez avec un mot d'argot.

1. Tu as vu la _____ de Danielle? C'est une Renault.
2. Mets ton _____ . Il fait froid aujourd'hui.
3. — Quelqu'un a pris mon vélo!
   — Mais c'est _____ !
4. Janine et Marc ont préparé un bon dîner. On a bien _____ .

13 Une île tropicale

une maison en bois

les palmiers

l'ananas (*m*)

Jean-Paul **vient de** sortir de la maison.

une chemise à **manches courtes**

Les amis sont assis dans **le jardin.**
Ils mangent un plat **créole.**

Voilà **une mouche.**
La mouche **dérange** les am...

Exercice 1   Corrigez.

1. Cette maison est en briques.
2. Jean-Paul vient d'entrer dans la maison.
3. La maison est entourée de légumes.
4. Jean-Paul porte une chemise à manches longues.
5. Les amis dînent dans la maison.
6. Il y a des moustiques dans le jardin.
7. Le palmier les dérange.

236

Exercice 2 Personnellement
Répondez.

1. Vous connaissez une île tropicale?
2. Quelle île tropicale connaissez-vous?
3. Vous aimez les fruits?
4. Vous mangez des bananes?
5. Vous mangez des ananas?
6. Vous préférez les bananes ou les ananas?
7. Votre maison est en bois, en briques ou en ciment?
8. Elle est entourée d'un jardin?
9. Il y a des palmiers dans le jardin?
10. En été, il y a des mouches?
11. Les mouches vous dérangent?

Structure

Révision des pronoms *me, te, nous, vous*

The object pronouns **me, te, nous,** and **vous** may be used as direct or indirect objects. Compare the following.

Direct object	*Indirect object*
Il me voit.	**Il me donne une banane.**
Nous te voyons.	**Nous te parlons en français.**
Elle nous aime.	**Elle nous écrit souvent.**
Je vous admire.	**Je vous offre des fleurs.**

Remember that when these pronouns are used as direct objects in the **passé composé,** the past participle agrees. There is no agreement with the past participle when the pronoun is the indirect object.

Il <u>nous</u> a invit<u>és</u> au bal.   **Il <u>nous</u> a donn<u>é</u> des ananas.**

Exercice 1 René m'écrit.
Répondez.

1. Est-ce que René t'écrit souvent?
2. Est-ce qu'il te décrit la Martinique?
3. Il t'a envoyé une carte postale, n'est-ce pas?
4. Et vous, est-ce que René vous envoie des cartes?
5. Est-ce qu'il vous invite?
6. Il vous dit qu'il voudrait vous voir?

Révision des pronoms *le, la, l', les*

Review the direct object pronouns.

Elle voit le palmier.	**Elle le voit.**
Je connais Marianne.	**Je la connais.**
Il admire le panorama.	**Il l'admire.**
Je cherche les photos.	**Je les cherche.**

Remember that in the negative, **ne** precedes the object pronoun.

Je ne le comprends pas.

Remember to make the past participle agree with the direct object pronoun in the **passé composé.**

J'ai acheté les fleurs.	**Je les ai achetées.**

Exercice 2 Suivez le modèle.

Marc aime les blue-jeans?
Oui, il les aime.

1. Marc aime les blousons d'aviateur?
2. Il choisit le blouson bleu?
3. Il met le pantalon noir?
4. Il cherche la chemise rouge?
5. Il adore les bottes de cowboy?
6. Il a acheté les pulls?

Deux pronoms compléments d'objet

It is possible to use both a direct and an indirect object pronoun in the same sentence. Look at the following sentences in which both a direct and indirect object pronoun are used.

Elle me montre le jardin.	**Elle me le montre.**
Il t'apporte la chemise.	**Il te l'apporte.**
On nous sert les plats.	**On nous les sert.**

Me, te, nous, and **vous** always precede the direct object pronouns **le, la,** and **les.** Both pronouns come before the verb.

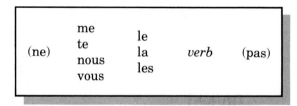

Remember that:
1. In the negative, **ne** comes before the pronouns.

Il ne me les donne pas.

238

2. In the **passé composé,** the past participle agrees with the direct object
pronoun.

Il m'a donné la chemise.	**Il me l'a donnée.**
Il m'a donné les fleurs.	**Il me les a données.**

This order of pronouns also holds true with negative commands.

Ne me donne pas le livre de Jacques.	**Ne me le donne pas.**

Exercice 3 Une leçon de géographie
Répondez.

1. Le prof vous enseigne la géographie?
2. Le prof vous montre la carte de la Martinique?
3. Il vous montre le plan de Fort-de-France?
4. Il vous indique les îles tropicales?
5. Il vous donne les noms des arbres?
6. Il vous montre la photo de la montagne Pelée?
7. Il vous propose les devoirs?

Exercice 4 Qui te l'a acheté?
Suivez le modèle.

J'ai un nouveau disque.
Qui te l'a acheté?

1. J'ai un nouveau transistor.
2. J'ai un nouveau jeu vidéo.
3. J'ai une nouvelle mobylette.
4. J'ai une nouvelle cassette.

5. J'ai une nouvelle raquette.
6. J'ai de nouveaux skis.
7. J'ai de nouveaux bâtons.
8. J'ai de nouvelles bottes.

Exercice 5 Avant le vol
Demandez. Utilisez un pronom pour les mots en italique.

1. Demandez si on vous sert *le déjeuner* à une heure.
2. Demandez si l'employé vous donne *la carte d'accès* avant de monter à bord.
3. Demandez si on vous demande *le passeport* à la sortie.
4. Demandez si l'hôtesse vous sert *les repas chauds* pendant le vol.
5. Demandez si les hôtesses vous montrent *les sorties* avant le vol.

Exercice 6 Personnellement
Répondez. Utilisez deux pronoms.

1. Qui te dit «bonjour» tous les jours?
2. Est-ce que ton petit ami (ta petite amie) t'a envoyé ces fleurs?
3. Qui vous envoie la plus jolie carte de Noël à vous et à votre famille?
4. Qui vous a servi le dessert à vous et à votre famille hier soir?
5. Est-ce que les étudiants me donnent toujours les bonnes réponses?
6. Qui m'a apporté ces journaux?

Venir de

Venir is used in the present with **de** and the infinitive to indicate an action that has just taken place.

Le garçon vient de sortir.	*The boy has just gone out.*
Nous venons de déjeuner.	*We have just had lunch.*
Elles viennent d'arriver.	*They have just arrived.*

Exercice 7 La journée d'André
Répondez.

1. Il est sept heures et demie; André vient de se lever ou de se coucher?
2. Il est douze heures; il vient de déjeuner ou de dîner?
3. Il est seize heures; il vient d'entrer en classe ou de rentrer du lycée?
4. Il est dix-neuf heures; il vient de dîner ou de prendre le petit déjeuner?
5. Il est vingt-deux heures; il vient de regarder la télé ou de dîner?
6. Il est vingt-trois heures; il vient de se lever ou de se coucher?

Exercice 8 On s'est bien amusé.
Qu'est-ce qu'on vient de faire?

1. Jacques vient de _____ .

2. Hélène _____ .

3. Moi, je _____ .

4. Tu _____ .

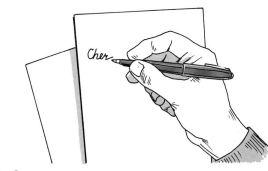

5. Les amis _____ .

6. On _____ .

7. Les filles _____ .

Conversation

Deux étudiants antillais

Sébastien   René, d'où es-tu?

René   Je suis antillais.

Sébastien   Tu ne me l'as pas dit. Moi aussi. Je suis de la Guadeloupe.

René   Moi, je suis de la Martinique.

Sébastien   Tu es arrivé à Paris quand?

René   Je suis arrivé avant-hier.

Sébastien   Tu as trouvé un logement?

René   Une chance! Je viens de trouver un tout petit studio ce matin.

Sébastien   Tu seras à quelle fac?

René   À la Fac des Lettres. Et toi?

Sébastien   À Sciences-Po.

Exercice Répondez.

1. Est-ce que les étudiants sont antillais?
2. Qui est martiniquais?
3. Qui est guadeloupéen?
4. Quand est-ce que René est arrivé à Paris?
5. Qu'est-ce qu'il vient de trouver?

ℒecture culturelle

Un étudiant martiniquais

Il fait beau aujourd'hui. Il fait 32 degrés et le soleil brille très fort. René Lemans habite 82 rue des Palmiers à Schœlcher. Sa petite maison en bois, entourée de fleurs et d'arbres fruitiers, n'est qu'à cent mètres d'une jolie plage. Mais au lieu d'aller nager aujourd'hui, René doit aller en classe. Ça ne le dérange pas car René peut aller à la plage pendant toute l'année. Son petit village Schœlcher se trouve à la Martinique. La Martinique, une des Antilles, se trouve dans la mer des Caraïbes. Il y fait toujours beau.

Il est sept heures. René vient de se lever. Il se lave et il s'habille vite. Il met un pantalon noir et une chemise—à manches courtes, bien entendu! À la Martinique on n'a jamais besoin de porter une veste ou un blouson!

Fort-de-France

Après son petit déjeuner René prend le bus pour Fort-de-France, la capitale de la Martinique. Il fait ses études dans un lycée à Fort-de-France. Il y travaille sérieusement parce qu'il veut recevoir de bonnes notes. Pourquoi? Il nous l'avoue* franchement: il a envie d'étudier à l'Université de Paris. Vous demandez pourquoi un jeune Martiniquais décide d'aller à Paris pour faire ses études universitaires? Réné vous l'explique volontiers.

—«Pourquoi pas? Moi je suis un citoyen français parce que la Martinique est un département français. Les étudiants des départements d'outre-mer* ont le même système d'enseignement que leurs compatriotes métropolitains. Nous aussi nous avons le droit d'aller dans une université française!»

*avoue *confesses*   *d'outre-mer *overseas*

244

René est très fier de Fort-de-France. C'est une ville sympathique avec des boutiques, des boulangeries et des pâtisseries comme à Paris ou à Toulouse. Mais les gens qui se promènent sous les palmiers de la capitale parlent créole, un dialecte franco-africain. Beaucoup de Martiniquais sont d'origine africaine. Par conséquent on sent l'influence africaine dans toute la culture matiniquaise, dans les traditions, les chants, les danses—et, bien entendu, dans la cuisine. Les plats créoles sont délicieux, mais beaucoup plus épicés que les plats typiquement français!

Exercice 1 Une description
Parlez de René Lemans.

Dites
1. où il habite
2. où est situé son village
3. comment est sa maison
4. où se trouve la plage
5. quel temps il fait

Exercice 2 Répondez.

1. Au lieu d'aller nager, que doit faire René?
2. Où est située la Martinique?
3. Qu'est-ce que René met?
4. Pourquoi est-ce qu'on n'a jamais besoin de porter une veste ou un blouson?
5. Que fait René après le petit déjeuner?

Exercice 3 Complétez.

René est un étudiant _____ . Il veut recevoir _____ . C'est son ambition de _____ . Il n'y aura pas de problème car il est martiniquais et donc _____ . Les étudiants des départements d'outre-mer ont le même _____ . Eux aussi ils ont le droit d' _____ .

Exercice 4 L'influence africaine
En un paragraphe de quatre ou cinq phrases expliquez l'influence africaine à la Martinique: pourquoi cette influence, où est-ce qu'on la trouve.

Activités

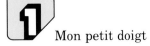

1 Mon petit doigt

Avec un camarade préparez-vous à présenter cette petite conversation devant la classe. Il faut la lire assez vite!

— Qui te l'a dit?
— Qui me l'a dit? Toi, tu me l'as dit!
— Moi? Moi, je te l'ai dit!? Mais non! Pas moi! Je n'ai rien dit à personne!
— Bon! Si tu ne me l'as pas dit, c'est mon petit doigt qui me l'a dit!*

2 Un volcan tropical

La Martinique est une île volcanique. En 1902 il y a eu une éruption tragique de la montagne Pelée. Cherchez des renseignements sur Pelée et ses éruptions.

---

*__mon petit doigt qui me l'a dit__   *a little bird told me*

3 L'impératrice Joséphine

Marie-Josèphe Tascher de la Pagerie est une Martiniquaise célèbre. Elle est née à Trois-Îlets, petite ville près de Fort-de-France, de l'autre côté de la baie. En 1796, elle s'est mariée avec le général Napoléon Bonaparte. Elle est devenue impératrice en 1804.

Cherchez d'autres renseignements sur sa vie et d'autres photos de l'impératrice. Apportez-les en classe.

4 Décrivez tout ce que vous voyez.

galerie vivante

Beaucoup de touristes vont à la Martinique à l'époque du carnaval. Ils y vont parce que les défilés et les bals sont magnifiques. Pour quelle autre raison est-ce qu'il y a beaucoup de touristes à la Martinique en février et en mars?

C'est un jour de marché à la Martinique. Est-ce qu'il y a plus de vendeurs ou de vendeuses? Plus de clients ou de clientes? Quels sont les comestibles que vous pouvez nommer? Savez-vous comment s'appellent ces fleurs?

On aime bien les sports à la Martinique. Décrivez ce groupe de garçons. De quel sport sont-ils fanas? (N'oubliez pas que la Martinique est un département français!)

Voici trois jolies Martiniquaises—Lucie, Françoise et Anne-Marie. Mangent-elles une pizza ou une glace?

Pointe-à-Pitre est la capitale de la Guadeloupe. Voici une Guadeloupéenne au marché de Pointe-à-Pitre. Quel joli chapeau!

Jean-François, un jeune Guadeloupéen, revient du marché. Qu'est-ce qu'il y a acheté?

14 Téléviseur ou transistor?

le poste de
télévision

les chaînes

le séjour   (le living)

les émissions

la publicité

la météo

les informations

les sous-titres
une pièce de théâtre

un spectacle de variétés

250

les dessins animés   **le feuilleton**   **une série**

Exercice 1 Personnellement
Répondez.

1. Vous avez un poste de télévision?
2. Est-il dans le séjour?
3. Vous en avez un dans votre chambre aussi?
4. Vous aimez voir des films à la télé?
5. Vous connaissez le feuilleton *Dallas*?
6. Vous le regardez de temps en temps?
7. Vous préférez les pièces de théâtre ou les spectacles de variétés?
8. Vous regardez la météo et les informations?
9. Le samedi matin, vous regardez les dessins animés?
10. Vous avez une chaîne favorite?

Exercice 2 C'est quelle sorte d'émission?

1. *Donald Duck*
2. *Dallas*
3. *Un Show de Las Vegas*
4. *Hamlet*
5. *Quel temps fera-t-il?*
6. *Qu'est-ce qui se passe dans le monde?*

$tructure

Verbes irréguliers comme *traduire*

Study the forms of **traduire**.

Infinitive	traduire		
Present	je traduis	**Imperfect**	je traduisais
	tu traduis		
	il/elle traduit	**Future**	je traduirai
	nous traduisons		
	vous traduisez	**Passé composé**	j'ai traduit
	ils/elles traduisent		

Note the **s** in the plural forms of the present and in all the forms of the imperfect.

Other verbs like **traduire** are **conduire, produire** (*to produce*), **détruire** (*to destroy*), **construire** (*to build*), and **reconstruire** (*to rebuild*).

Exercice 1 Personnellement
Répondez.

1. Ton père conduit?
2. Ta mère conduit aussi?
3. Ils conduisent beaucoup?
4. Et toi, tu conduis?
5. Si non, tu as envie de conduire?
6. Si tu ne conduis pas maintenant, quand conduiras-tu?
7. Vos parents conduisent une voiture américaine, européenne ou japonaise?

Exercice 2 Les informations
Complétez.

1. La guerre _____ _____ presque toute la ville de Yasamin. **détruire**
2. Voici une habitante de la ville. Elle nous parle en arabe. L'interprète nous _____ ce qu'elle dit. **traduire**
3. Cette guerre _____ _____ beaucoup de misère. **produire**
4. Les armées _____ _____ presque toute la ville. **détruire**
5. C'est une situation très triste. En ce moment nous _____ notre ville.
   reconstruire

Exercice 3 Complétez avec *traduire*.

— Tu _____ (*présent*) toujours les leçons de français?

— Mais non! Je ne les _____ (*présent*) pas! Quand je faisais du latin, je _____ (*imparfait*) mes leçons. Mais nous ne _____ (*présent*) jamais les leçons en langues modernes!

Révision des pronoms compléments *lui, leur*

Lui and **leur** serve as indirect object pronouns. They replace **à** + a person.

Son oncle donne un transistor à David.
Son oncle lui donne un transistor.

La fille parle aux acteurs.
La fille leur parle.

Review the position of **lui** and **leur** in negative sentences and in the **passé composé**.

Je ne lui téléphone pas le dimanche.
Il leur a répondu tout de suite.
Nous ne leur avons pas dit «au revoir».

Exercice 4 Votre copain (copine) et vous
Suivez le modèle.

Vous lui parlez, n'est-ce pas?
Oui, je lui parle.

1. Lui téléphonez-vous tous les jours?
2. Lui écrivez-vous souvent?
3. Lui donnez-vous des cadeaux?
4. Lui répondez-vous honnêtement?
5. Lui parlez-vous franchement?

Exercice 5 Pas en classe!
Répondez avec un pronom.

1. Est-ce que les profs permettent aux élèves d'écouter la radio en classe?
2. Est-ce que les profs leur permettent de regarder des feuilletons en classe?
3. Est-ce que les profs leur permettent d'écouter de la musique pop en classe?
4. Est-ce que les profs leur permettent de traduire les sous-titres en anglais?

Deux compléments—*le, la, les* et *lui, leur*

Just as **me, te, nous,** and **vous** can be used with the direct object pronouns **le, la, les,** so can the pronouns **lui** and **leur.** Note, however, the position of the pronouns. **Le, la,** and **les** precede **lui** or **leur.** Look at the following sentences.

Je donne le livre à Jean (à Marie).   Je le lui donne.
Je donne la photo à Jean (à Marie).   Je la lui donne.
Je donne les disques à Jean (à Marie).   Je les lui donne.
Je donne le disque à mes amis.   Je le leur donne.

Note that **le, la,** and **les** precede **lui** and **leur.**

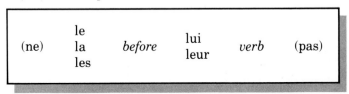

	le		lui		
(ne)	la	before	leur	verb	(pas)
	les				

This order of pronouns holds true with the negative commands and with the **passé composé.**

Je ne le lui donne pas.
Ne le lui donne pas!
Ne la leur donne pas!
Ne les lui donne pas!

Je la lui ai donnée.
Je ne la lui ai pas donnée.

Exercice 6   Vous êtes très généreux(-euse)!
Répondez avec *lui.*

1. Le transistor? Tu l'as donné à Lucien?
2. Le téléviseur? Tu l'as donné à Monique?
3. La guitare? Tu l'as donnée à Philippe?
4. Les disques? Tu les as donnés à Dominique?
5. Les cartes? Tu les as données à Lise?

Exercice 7   L'acteur et les touristes
Répondez. Utilisez *le, la* ou *les.*

1. L'acteur leur montre le studio?
2. L'acteur leur explique le film?
3. L'acteur leur indique la scène?
4. L'acteur leur décrit les décors?
5. L'acteur leur montre les théâtres?

Exercice 8   Le vendeur le lui a vendu.
Répondez avec *le vendeur* ou *la vendeuse.* Utilisez les pronoms *le, la* et *les.* Attention à l'accord du participe passé!

1. Qui lui a vendu le transistor?
2. Qui lui a vendu les disques?
3. Qui lui a vendu la guitare?
4. Qui lui a vendu les raquettes?
5. Qui leur a vendu les films?
6. Qui leur a vendu le téléviseur?
7. Qui leur a vendu cette cassette?
8. Qui leur a vendu ces revues (*f*)?

Exercice 9 Mais non!

Répondez d'après le modèle.

Tu as donné les disques à Jean?
Non, je ne les lui ai pas donnés.

1. Tu as lu le livre au petit enfant?
2. Tu as vendu ton transistor à Anne?
3. Tu as expliqué la pièce à Paul?
4. Tu as écrit la lettre à tes parents?
5. Tu as donné les renseignements à Ginette?
6. Tu as décrit les costumes aux amis?
7. Tu as envoyé les cassettes à ton cousin?

Conversation

On met la télé?

(Margaret est une jeune Américaine qui fait un séjour en France dans la famille de Sylvie.)

Margaret   Pourquoi tu ne mets pas la télé?

Sylvie   Tu veux la regarder?

Margaret   Oui. Tu peux la mettre?

Sylvie   Quelle chaîne veux-tu?

Margaret   Je ne connais pas les chaînes. Tu peux choisir.

Sylvie   À cette heure-ci, il n'y a que trois chaînes qui marchent.

Margaret   Trois seulement?

Sylvie   Oui. *(Elle met la télé.)* Voilà! Sur la 1 et la 2, il y a des informations. Sur la 3, il y a de la publicité.

Margaret   C'est tout? Alors, tu peux l'éteindre.

Exercice 1   Margaret ou Sylvie?
De qui est-ce qu'on parle?

1. Elle est française.
2. Elle veut regarder la télé.
3. Elle connaît les chaînes françaises.
4. Elle sait mettre et arrêter la télé.

Exercice 2   Répondez.

1. Qui est Margaret?
2. Est-ce qu'elle demande à Sylvie de mettre la télé?
3. Qui ne connaît pas les chaînes?
4. Combien de chaînes marchent à cette heure?
5. Qui met la télé?
6. Qu'est-ce qu'il y a sur la 1 et la 2?
7. Qu'est-ce qu'il y a sur la 3?
8. Margaret décide de regarder la télé après tout?

ꟼecture culturelle

La télévision en France

Aujourd'hui presque toutes les familles en France ont un téléviseur, surtout dans les grandes villes. Néanmoins la télévision n'est pas aussi populaire en France qu'aux États-Unis. Les jeunes Français qui habitent les grandes villes regardent la télévision beaucoup moins que ceux * qui habitent à la campagne.

Il existe sans doute des raisons au manque d'intérêt pour la télévision. En France il n'y a que six chaînes de télévision: deux chaînes publiques (A2 et FR3), trois chaînes privées (TF1, la 5 et M6) et une chaîne câble (Canal +). Pour avoir Canal +, il faut donc payer si on veut s'y abonner.*

Quelle programmation est proposée par la télévision? Il y a bien sûr des informations ainsi que la météo. Il y a aussi beaucoup de programmes sociaux ou culturels. On discute, par exemple, de la littérature, de la musique ou de la peinture. On présente aussi des films documentaires sur les pays en voie de développement,* comme, par exemple, «La Vie des écoliers au Mali».

Le soir il y a toujours un film, une pièce de théâtre ou un spectacle de variétés. Quelquefois on double les films américains; c'est-à-dire qu'on traduit la bande

---

ceux *those*   **s'y abonner** *to subscribe to it*   *en voie de développement* *developing*

sonore * de l'anglais en français. Qu'est-ce que c'est drôle de regarder un feuilleton américain et d'entendre Starsky et Hutch ou Bugs Bunny qui parlent français! D'autres fois, comme au cinéma, on se sert de sous-titres.

Est-ce qu'il y a de la publicité à la télé en France? Oui, il y en a, mais la publicité n'intervient jamais pendant l'émission. Elle n'intervient qu'avant et après l'émission.

Comme on peut le voir, le choix des programmes de télévision est assez limité. C'est peut-être pour ça que les jeunes ont une attitude un peu négative envers * la télévision. Leur attitude envers la radio est différente. Beaucoup de jeunes Français ont un transistor et ils l'écoutent souvent. À la radio il y a des émissions spéciales pour les jeunes. On les leur présente assez souvent. Ce sont surtout les émissions de musique moderne qui intéressent les jeunes!

Exercice 1   Corrigez.

1. Très peu de familles en France ont un téléviseur.
2. La télé est plus populaire en France qu'aux États-Unis.
3. En France les jeunes des campagnes regardent moins la télé que les jeunes des villes.
4. Il y a dix chaînes de télévision en France.
5. Toutes ces chaînes sont indépendantes.

Exercice 2   La programmation
Faites une liste de sept ou huit sortes de programmes qu'on peut regarder à la télé française.

Exercice 3   Écrivez au moins une phrase sur chaque sujet.

1. les films américains à la télé en France
2. les feuilletons américains
3. la publicité

Exercice 4   Répondez.

1. Pourquoi est-ce que beaucoup de jeunes en France ont une attitude un peu négative envers la télévision?
2. Pourquoi est-ce que beaucoup de jeunes Français préfèrent la radio?

---

* **bande sonore**   *sound track*   * **envers**   *toward*

258

SAM
8 OCTOBRE
TF1

20.35   *Feuilleton*
DALLAS
réalisé par Irving J. Moore
avec
Barbara Bel Geddes,
Patrick Duffy, Linda Gray,
Larry Hagman, Charlene Tilton

Larry Hagman

A2

20.35   *Variétés*
CHAMPS-ÉLYSÉES
présenté par Michel Drucker
avec
Pierre Bachelet,
Gérard Blanchard,
Danielle Darrieux, Dorothée,
Barbara Hendricks

Pierre Bachelet

FR3

20.35   *Série*
LE DÉMON DE MIDI
réalisé par Michael Simpson
avec
Gwen Watford, Peter Jones,
Linda Robson, Renda Cowling,
Kate Dorning

Gwen Watford

Activités

1 Un débat

Choisissez un programme. Ensuite, demandez à vos camarades de classe quel programme ils choisissent et pourquoi. Essayez de persuader les autres de regarder le programme que vous avez choisi. Qui gagne le débat?

2 Tout le monde est assis dans le séjour.

- Qu'est-ce que ton père veut regarder?
- Et ta mère?
- Et tes sœurs et tes frères?
- Et toi?
- Qu'est-ce qu'on va regarder?
- Qui a gagné?

3 Un sondage

Faites un sondage d'opinion (*poll*) parmi vos camarades. Demandez-leur:

- combien de téléviseurs ils ont
- où ils sont placés
- qui regarde la télé chez lui (elle)
- quels programmes ils regardent
- combien d'heures par semaine ils regardent la télé

Ajoutez (*Add*) d'autres questions de votre inspiration. Apportez les résultats du sondage en classe.

SÉLECTION DE LA SEMAINE

LUN 19 DÉC. / **MAR** 20 DÉC.

LUN 19 DÉC.

20.35 FILM TV
LA DERNIÈRE IMAGE (1)
de Lakhdar-Hamina
avec Véronique Jannot,
Michel Boujenah

22.10 MAGAZINE
CHOCS

20.40 MAGAZINE
LA MARCHE DU SIÈCLE
SANS DOMICILE FIXE
de Jean-Marie Cavada
avec l'abbé Pierre

22.30 FILM
LA TRAVIATA
de Franco Zeffirelli

20.30 FILM
L'HOMME EN COLÈRE
de Claude Pinoteau
avec Lino Ventura,
Angie Dickinson

22.50 DOCUMENT
OCÉANIQUES

20.30 FILM
LE VISITEUR DE LA NUIT
de Sander Stern
avec Robert Stack,
Vera Miles

22.30 SÉRIE
LE VOYAGEUR

20.30 FILM TV
ROLLER BOOGIE
de Mark Lester
avec Linda Blair,
Roger Perry

22.25 SÉRIE
DROLES DE DAMES

20.30 FILM
LE PASSAGER
de Geoffrey Reeve
avec Charlotte Rampling,
David Birney

22.40 BOXE
RAY SUGAR ROBINSON

MAR 20 DÉC.

20.35 FILM
HOLD UP
d'Alexandre Arcady
avec Jean-Paul Belmondo,
Guy Marchand

22.50 MAGAZINE
CIEL, MON MARDI !

20.30 FILM
EXODUS
d'Otto Preminger
avec Paul Newman,
Eva Marie-Saint

23.40 DÉBAT
UN BATEAU POUR LA TERRE PROMISE

20.30 FILM
LA COLÈRE DE DIEU
de Ralph Nelson
avec Robert Mitchum,
Rita Hayworth

22.50 FILM
GINGER ET FRED
de Federico Fellini

20.30 FILM
ATOR
de David Hills
avec Miles O'Keefe,
Sabrina Siani

22.30 FILM
LES LANCIERS NOIRS
de Giacomo Gentilomo

20.30 FILM TV
LE DROIT CHEMIN
d'Alf Kjellin
avec Glenn Ford,
Julie Harris

22.00 SÉRIE
DROLES DE DAMES

20.30 FILM
L'AFFAIRE CHELSEA DEARDON
d'Ivan Reitman
avec Robert Redford

22.25 FILM
NOYADE INTERDITE
de Pierre Granier-Deferre

galerie vivante

En France, comme aux États-Unis, il existe une rivalité entre les chaînes de la télé. Quel pourcentage de téléspectateurs a regardé TFI samedi soir? Pourquoi? Ont-ils été très satisfaits, assez satisfaits, ou peu satisfaits du programme?

Samedi, sur 100 téléspectateurs, 68 regardaient la télévision.

 49% ont regardé **« Dallas »**
(Indice de satisfaction, 15/20)

 44% ont regardé **« Champs-Elysées »**
(Indice de satisfaction, 14/20)

 7% ont regardé **« Agence matrimoniale »**
(Indice de satisfaction, non précisé)

Samedi 21 janv. A2

22.05 **LES ENFANTS DU ROCK ★★★**

Emission proposée par Antoine de Caunes.

HOUBA HOUBA EN AUSTRALIE

L'Australie est à la mode. Après ses exploits sportifs (les victoires d'« Australia II » et la Coupe Davis), son cinéma (« Mad Max »), voici sa musique où règne, incontesté, le rock. Antoine de Caunes a séjourné un mois à Sydney et Melbourne, où vivent les plus grands groupes.

◄ *Le kangourou, animal fétiche de l'Australie et de notre journal : « Rock, rock, rock » Aglaé !*

Voici une partie d'une page de *Télépoche*. D'après cette annonce, quel pays est à la mode? Les Français admirent ses victoires sportives et son cinéma. Quelle musique est la plus populaire en Australie?

Beaucoup de téléspectateurs français aiment bien les sports—surtout le Tour de France. En 1984 pour la première fois on a vu un Tour de France féminin. Trente-cinq jeunes femmes y ont participé. Et la gagnante? La gagnante c'est Mary-Ann Martin, une Américaine de Boulder, Colorado!

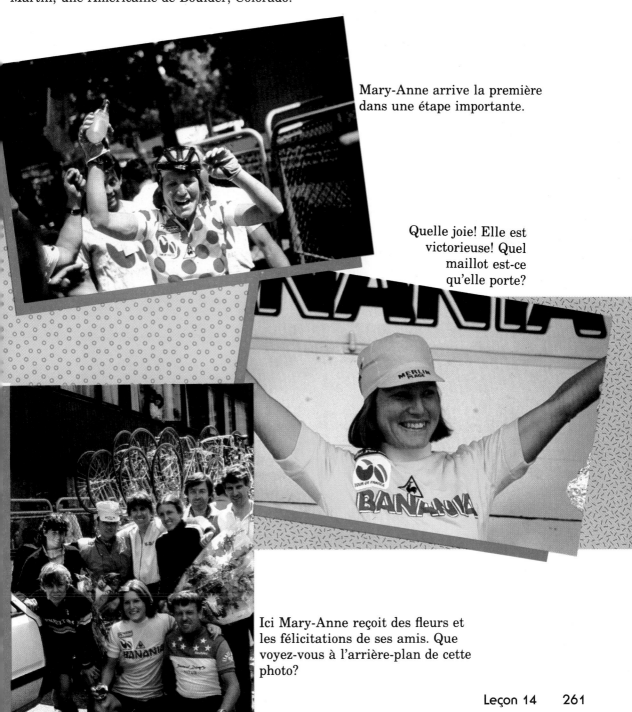

Mary-Anne arrive la première dans une étape importante.

Quelle joie! Elle est victorieuse! Quel maillot est-ce qu'elle porte?

Ici Mary-Anne reçoit des fleurs et les félicitations de ses amis. Que voyez-vous à l'arrière-plan de cette photo?

15 Le système scolaire

Mme Papineau est
maîtresse d'école.
Elle **enseigne** dans une
école **primaire.**

M. Coty est professeur.
Il enseigne dans une école
secondaire.

La femme de M. Coty est professeur aussi.
Elle enseigne à **l'université.**

Les élèves **passent un examen.**

Claude est heureux.
Il a **réussi.**
Il savait qu'il réussirait.

Arlette est triste.
Elle a **échoué** à (a **raté**) l'examen.

Exercice 1 L'enseignement

Choisissez.

1. _____ enseigne dans une école primaire.

   a. Le professeur
   b. La maîtresse ou le maître
   c. L'élève

2. Le professeur enseigne dans _____ .

   a. une école secondaire
   b. une école élémentaire
   c. un jardin d'enfants

3. Un professeur _____ aussi à l'université.

   a. fait ses études
   b. enseigne
   c. passe

4. Demain les élèves du professeur Coty _____ un examen.

   a. suivent
   b. réussissent
   c. passent

5. Bernadette a beaucoup étudié. Donc, elle était sûre qu'elle _____ .

   a. raterait l'examen
   b. échouerait à l'examen
   c. réussirait à l'examen

6. Ginette a reçu une mauvaise note. Elle a _____ .

   a. passé son examen
   b. échoué à son examen
   c. réussi à son examen

Note

Be careful with the expression **passer un examen.** It looks as if it would mean *to pass an exam* in English. However, it means *to take an exam.* **Passer** in this case is an example of a false cognate.

Exercice 2

Many words dealing with education are cognates. Look at the words in the list below. Be careful to pronounce them correctly. You should have no trouble with their meanings.

élémentaire	l'université
primaire	professionnel
secondaire	le diplôme
l'examen	l'éducation
les études	obligatoire

Exercice 3 Personnellement
Répondez.

1. À quelle école élémentaire êtes-vous allé(e)?
2. Faites-vous vos études secondaires dans un lycée mixte?
3. Pensez-vous aller à l'université? À quelle université?
4. Qu'en pensez-vous: les examens sont-ils nécessaires?
5. À quels examens réussissez-vous?
6. À quels examens échouez-vous?
7. À quel âge se termine la scolarité obligatoire aux États-Unis?

Structure

Les pronoms compléments à l'impératif affirmatif

You have learned that in a declarative sentence or a negative command, the object pronouns always precede the verb. Now look at the position of the object pronouns in affirmative commands.

Donne le livre à Jean.	**Donne-le-lui.**
Donne la photo à Marie.	**Donne-la-lui.**
Donne les disques à Paul.	**Donne-les-lui.**
Donne-nous le crayon.	**Donne-le-nous.**
Donne-moi les livres.	**Donne-les-moi.**

Note that in the affirmative command, the object pronouns follow the verb. The direct object pronouns **le, la,** and **les** precede the indirect object pronouns **nous, vous, lui** and **leur.** Remember that **me** becomes **moi** when used after the affirmative command.

Exercice 1 Dites d'après le modèle.

Tu veux le livre?
Oui, donne-le-moi, s'il te plaît.

1. Tu veux le livre?
2. Tu veux le cahier?
3. Tu veux le crayon?
4. Tu veux l'argent?
5. Tu veux le magazine?
6. Tu veux la photo?
7. Tu veux la carte?
8. Tu veux les papiers?
9. Tu veux les dollars?
10. Tu veux les livres?

Exercice 2 On veut les voir.
Suivez le modèle.

Ginette veut voir le manteau.
Eh bien, montre-le-lui.

1. Ginette veut voir la blouse.
2. Elle veut voir la jupe.
3. Elle veut voir le pull.
4. Elle veut voir les chaussures.
5. Paul veut voir la chemise.
6. Il veut voir la cravate.
7. Il veut voir le blouson.
8. Il veut voir les chaussettes.
9. Les garçons veulent voir les bottes.
10. Ils veulent voir le blue-jean.
11. Les filles veulent voir les bottes.
12. Elles veulent voir le blue-jean.

Le conditionnel

Study the conditional forms of regular verbs.

parler	finir	vendre	ENDINGS
je parlerais	je finirais	je vendrais	-ais
tu parlerais	tu finirais	tu vendrais	-ais
il/elle parlerait	il/elle finirait	il/elle vendrait	-ait
nous parlerions	nous finirions	nous vendrions	-ions
vous parleriez	vous finiriez	vous vendriez	-iez
ils/elles parleraient	ils/elles finiraient	ils/elles vendraient	-aient

Note that the root for the conditional is the same as the root for the future: the entire infinitive of **-er** and **-ir** verbs, and the infinitive minus the final **-e** of **-re** verbs. The endings for the conditional are the same as those for the imperfect.

The uses of the conditional are the same in French and in English.

1. The conditional is used to express what *would* happen under certain circumstances.

> **Dans ce cas-là, je prendrais le métro.**
> **Ils laisseraient un pourboire, mais ils n'ont pas d'argent.**
> **Si j'étais riche, j'achèterais une voiture.**

2. The conditional is used to express future time in the past. Look at the tenses of the verbs in the following sentences.

> *(present)*   *(future)*
> **Elle dit qu'elle parlera au prof.**   *She says she will speak to the teacher.*
>
> *(past)*   *(conditional)*
> **Elle a dit qu'elle parlerait au prof.**   *She said she would speak to the teacher.*

Remember that the following verbs have an irregular future and conditional stem.

être	je serais	savoir	je saurais
aller	j'irais	pouvoir	je pourrais
avoir	j'aurais	envoyer	j'enverrais
faire	je ferais	venir	je viendrais
vouloir	je voudrais	devoir	je devrais
voir	je verrais	recevoir	je recevrais

The conditional can be used to soften a request. You are already familiar with the expression **je voudrais** as a polite request.

> **Je voudrais du pain, s'il vous plaît.**

Pouvoir in the conditional means *could*.

> **Tu pourrais parler au prof si tu avais des difficultés.**

Devoir in the conditional means *should*.

> **Tu devrais étudier plus souvent.**

Exercice 3   Si on était riche...

Si tu avais beaucoup d'argent...
1. Tu travaillerais?
2. Tu dînerais tous les soirs au restaurant?
3. Tu habiterais un grand appartement en ville?
4. Tu sortirais beaucoup?
5. Tu achèterais une voiture de sport?
6. Tu voyagerais souvent?

Exercice 4   Je connais très bien Jean.
Complétez au conditionnel.

1. Jean _____ voyager.   **aimer**
2. Il _____ beaucoup de voyages.   **faire**
3. Il _____ en France.   **aller**
4. Ses amis et lui, ils _____ beaucoup de villes.   **visiter**
5. Ils _____ le français.   **apprendre**
6. Ils _____ beaucoup d'amis.   **faire**
7. Nous _____ voyager aussi.   **vouloir**
8. Je _____ bien aller à la Martinique.   **vouloir**
9. J'y _____ .   **nager**
10. Je _____ .   **bronzer**
11. Où _____-tu?   **aller**
12. Tu _____ aller en France ou à la Martinique?   **préférer**

Exercice 5   Qu'est-ce que tu voudrais faire?

1.

2.

3.

4.

5.

Exercice 6 Qu'est-ce que tes amis pourraient faire?

1.

4.

2.

5.

3.

Exercice 7 Marc a dit qu'il aurait...
Lisez la sélection. Ensuite, répétez la sélection avec «Marc a dit que...»

Marc dit que l'année prochaine il aura beaucoup de temps. Il dit qu'il lira beaucoup de livres, révisera ses leçons soigneusement, fera ses devoirs attentivement et recevra de bonnes notes. Il dit qu'il sera un étudiant modèle!

ℚecture culturelle

Le système scolaire

Le Français À quel âge commencez-vous à aller à l'école aux États-Unis?

L'Américain La plupart d'entre nous commençons notre vie scolaire à cinq ans quand nous entrons au «kindergarten».

Le Français À cinq ans? C'est très tard ça! En France nous commençons beaucoup plus tôt. Les petits vont à l'école à partir de trois ans. Ils vont au jardin d'enfants. Ensuite, à l'âge de quatre ans, ils entrent à l'école maternelle.

L'Américain Quel âge avez-vous alors quand vous entrez en première?

Le Français En première? Oh là là! Nous avons dix-sept ans quand nous sommes en première!

L'Américain C'est impossible ça! Tu m'as certainement mal compris! Je voulais dire quand entrez-vous à l'école élémentaire?

Le Français Ah, ça c'est la onzième! Nous commençons la onzième à six ans.

L'Américain Aux États-Unis c'est complètement le contraire. Nous commençons avec la première et nous terminons avec la douzième. Si vous commencez avec la onzième, ça veut dire que vous n'avez que onze années d'études.

Le Français Non, non! C'est un peu plus compliqué!

L'Américain Compliqué? Explique-moi un peu!

Le Français Bon! À six ans nous entrons en onzième, la première classe de l'école élémentaire. La scolarité obligatoire est de six ans jusqu'à seize ans. Mais, attends un moment! On va imaginer que tu es un élève français et que tu veux aller à l'université.

L'Américain D'accord! Après la maternelle, j'irais d'abord à l'école élémentaire, n'est-ce pas?

Le Français Tu ferais la onzième à six ans et tu finirais l'école élémentaire en septième à dix ans. Ensuite tu commencerais tes études secondaires. Tu entrerais dans le premier cycle qui est réparti sur quatre ans— les classes de sixième, cinquième, quatrième et troisième. De onze à quatorze ans, tu irais au collège d'enseignement général (C.E.G.).

L'Américain Ah, je comprends! C'est pareil à notre «junior high» mais vous appelez cela un collège et vous y allez pendant quatre ans.

Le Français Voilà! Ensuite, vers quinze ans, tu entrerais dans le deuxième cycle long dans un lycée. Ce cycle est réparti sur trois ans, les classes de deuxième, de première et de terminale. Dans le deuxième cycle tu choisirais ton programme—littéraire, scientifique ou technique. À la fin de la terminale tu passerais le «grand» examen, le baccalauréat. Le bac nous permet d'entrer à l'université.

L'Américain Et le bac est difficile?

Le Français Difficile? Ne m'en parle pas!* Il y a des candidats qui ne sont pas

---

* **Ne m'en parle pas!** *You're telling me!*

Une école maternelle

Une école élémentaire

Un collège

	reçus* la première fois et qui doivent le repasser!
L'Américain	Et si un élève ne voulait pas aller à l'université?
Le Français	Dans ce cas-là il choisirait le deuxième cycle court. Après le collège, il irait dans un lycée d'enseignement professionnel. Il pourrait y rester deux ans ou seulement un an. Après un an, à l'âge de seize ans, il pourrait finir la scolarité obligatoire avec un brevet de technicien. Ou il pourrait continuer un an de plus et il recevrait le brevet d'études professionnelles.

Un lycée agricole

Exercice 1 Décidez-vous!

Dites si on parle du système scolaire français ou américain.

1. On entre en première à six ans.
2. La dernière année s'appelle la terminale.
3. On entre au «Kindergarten» à cinq ans.
4. La dernière année s'appelle la douzième.
5. On va au jardin d'enfants à trois ans.
6. On entre en première à dix-sept ans.
7. La première année s'appelle la onzième.

Exercice 2 Complétez.

Après la maternelle j'irais à l'école _____ . Je _____ (faire) la onzième à six ans. Je _____ (finir) l'école élémentaire à dix ans. Ensuite je commencerais mes études _____ . J'_____ (entrer) dans le premier cycle, dans un collège de quatre ans. À quinze ans j'entrerais dans le deuxième cycle long dans un _____ . Je choisirais entre trois programmes: _____ , _____ ou _____ . La _____ est la dernière classe de ce cycle.

---

*__ne sont pas reçus__ *ne réussissent pas*

Activités

1 What in the French system corresponds to the following schools?

- nursery school
- middle school or junior high school
- elementary school
- college
- high school

2 Marc est américain. Brigitte est française. Ils ont reçu à peu près les mêmes notes. Voici les notes de Marc. Quelles notes est-ce que Brigitte a reçues?

Latin   B+
Biology   C
English   A
Math   D
History   B−

French grading system

18–20	Excellent
16–17	Very good
13–15	Good
12	Passing grade for *bac**
10–11	Fair
9 and below	Poor

* One must have an average grade of 12 in order to be able to take the *bac*.

3 Nous ne passons pas le bac pour recevoir notre diplôme d'études secondaires. Mais nous aussi, nous devons passer un examen avant d'être reçus dans beaucoup d'universités. Est-ce que notre examen est difficile aussi?

4 Écrivez une lettre à un(e) ami(e). Décrivez le système scolaire de votre ville ou village.

galerie vivante

Voici une carte d'identité scolaire. Qu'est-ce qu'il faut mettre à droite? Qui remplit cette carte, l'élève ou le proviseur du lycée?

Lycée Henri IV
23, rue Clovis
75231 PARIS
Cedex 05

PHOTOGRAPHIE

CARTE D'IDENTITÉ SCOLAIRE

Je, soussigné, _____

certifie que M _____

né (e) le _____ 19 , à _____ Prénom : _____

Nationalité _____ Dép^t _____

demeurant _____

est élève dans mon établissement en qualité d _____

Signature du Titulaire   Paris, le _____ 198

Signature du Proviseur : _____

LYCÉE HENRI IV
23, Rue Clovis
75231 PARIS Cedex 05

———

Carte de repas
(interne et 1/2 pensionnaire)

———

NOM _____
Prénom _____
Classe _____

———

TRIMESTRE
19   - 19

Cette carte est strictement personnelle

Voici une carte de repas. Expliquez la différence entre un interne et un demi-pensionnaire. Pourquoi est-ce que cette carte est *strictement* personnelle?

Antoine et Michel ont l'air très sérieux. Les deux garçons cherchent un emploi. Auront-ils de la chance?

274

Si l'on ne va pas à l'université, il y a des métiers
qu'on peut apprendre par l'apprentissage.
Identifiez les trois métiers que vous voyez ici:
photographe? coiffeuse? électricien? pâtissière?
mécanicien? boucher?

16 À la banque

la caisse d'épargne

le caissier

la caisse

la calculatrice

le chèque

le chèque de voyage

un compte
d'épargne

le billet de cent francs

la monnaie de cent francs

la pièce de
cinq francs

276

la semaine

le taux d'intérêt

endosser le chèque

**signer le chèque
de voyage**

toucher un chèque

faire un dépôt

Arlette **retire** de l'argent de son compte.
Le caissier va lui donner de l'argent.

Exercice 1 Choisissez.

Choisissez la bonne définition.

a. la caisse
b. la calculatrice
c. la semaine
d. épargner
e. la caissière
f. la banque
g. argent de poche

1. l'argent que les parents donnent aux jeunes
2. l'établissement pour le commerce de l'argent
3. mettre de l'argent à la banque (ou de côté) au lieu de le dépenser
4. l'argent que les jeunes dépensent pour des choses personnelles
5. guichet où l'on donne et reçoit de l'argent
6. machine qu'on utilise pour calculer
7. la personne qui s'occupe de l'argent dans un établissement

Exercice 2 Répondez.

1. Où Arlette va-t-elle? **à la caisse d'épargne**
2. Avec qui parle-t-elle? **avec le caissier**
3. Qu'est-ce qu'elle fait à la banque? **faire un dépôt**
4. Où met-elle son argent? **dans son compte d'épargne**
5. Quel est le taux d'intérêt? **dix pour cent**

Exercice 3 Identifiez.

1.

2.

3.

4.

Exercice 4 Complétez.

1. Je n'ai pas de monnaie. Je n'ai que ce _____ de cent francs.
2. Voilà dix _____ de dix francs.
3. Madame _____ le chèque avant de le toucher.
4. Avant de changer un chèque de voyage on doit le _____ .
5. Elle ne fait pas de dépôt. Elle _____ de l'argent de son compte d'épargne.

Exercice 5 Personnellement

Répondez.

1. Combien d'argent recevez-vous pour votre semaine?
2. Quel jour est-ce que vous recevez cet argent?
3. Qu'est-ce que vous achetez avec votre semaine?
4. Dépensez-vous toute votre semaine ou en mettez-vous une partie de côté?
5. Vous gardez votre argent chez vous ou le déposez-vous à la banque?
6. Pour quelle raison mettez-vous de l'argent de côté?
7. Dans quelles classes avez-vous besoin d'une calculatrice?

Structure

Les pronoms avec l'infinitif

You have already seen that an object pronoun precedes the infinitive.

> **Je vais donner l'argent au caissier.**
> **Je vais lui donner l'argent.**
> **Je vais le donner au caissier.**

When there are two object pronouns, both precede the infinitive and follow the usual order.

> **Je le lui donne.**
> **Je vais le lui donner.**

The pronouns **en** and **y,** whether used alone or with another pronoun, also come before the infinitive.

> **Il vient de parler de cette banque.**   **Il vient d'en parler.**
> **Elle veut aller à la banque.**   **Elle veut y aller.**
> **Mon père va me donner de l'argent.**   **Mon père va m'en donner.**

Note that the word order does not change in negative sentences.

> **Elle ne veut pas y aller.**
> **Mon père ne va pas m'en donner.**

Exercice 1   La semaine
Répondez d'après le modèle avec *oui* ou *non.*

Tu vas recevoir ta semaine?
Oui, je vais la recevoir.

1. Tu vas recevoir ta semaine?
2. Tu vas dépenser ta semaine?
3. Tu vas épargner ta semaine?
4. Tu vas perdre ton argent?
5. Tu vas oublier ton argent?

Exercice 2 Pas de semaine

Répondez que *non*. Suivez le modèle.

Ses parents vont lui donner sa semaine?
Non, ils ne vont pas la lui donner.

1. Ses parents vont lui donner sa semaine?
2. Ils vont lui donner de l'argent?
3. Ils vont lui montrer la banque?

4. Ils vont lui montrer la caisse?
5. Ils vont lui donner les chèques?

Les propositions avec *si*

When **si** meaning *if* is followed by a verb in the present tense, the verb in the second part of the sentence may be in the present tense, the future tense, or in the command form.

> **S'il a l'argent, il achète un disque.**
> **S'il a l'argent, il achètera un disque.**
> **Si tu as l'argent, achète un disque.**

Si followed by the imperfect expresses a condition that is contrary to fact or that has not been established. The verb in the result clause must be in the conditional.

> **S'il avait l'argent, il achèterait**   *If he had the money, he would buy*
> **un disque.**   *a record.*
> **Si je recevais de l'argent,**   *If I received some money, I would*
> **j'ouvrirais un compte**   *open a savings account.*
> **d'épargne.**

Exercice 3 Si Paul a l'argent...

Formez des phrases.

Paul

Si Paul a l'argent, il achètera des disques.

1. Marie

2. Victor

3. Julie

4. Virginie

Exercice 4 Si Paul avait l'argent...
Répondez.

1. Si Paul avait l'argent, qu'est-ce qu'il achèterait?

2. Si Marie avait l'argent, qu'est-ce qu'elle achèterait?

3. Si Victor avait l'argent, qu'est-ce qu'il achèterait?

4. Si Julie avait l'argent, qu'est-ce qu'elle achèterait?

5. Si Virginie avait l'argent, qu'est-ce qu'elle achèterait?

Exercice 5 Si je travaillais...
Suivez le modèle.

Si j'étudie, je réussirai aux examens.
Si j'étudiais, je réussirais aux examens.

1. Si je travaille beaucoup, je gagnerai beaucoup d'argent.
2. Si je gagne beaucoup d'argent, je serai riche.
3. Si je suis riche, je ferai de longs voyages.
4. Si je fais de longs voyages, j'apprendrai beaucoup.
5. Si j'apprends beaucoup, je serai intelligent.

Exercice 6 Si j'étais riche...
Complétez les phrases comme vous voudrez.

1. Si j'étais riche...
2. Si j'avais le temps...

3. Si j'étais en France...
4. Si j'étais le président...

Y et *en* à l'impératif

The pronouns **y** and **en** are placed before a negative command, but they follow an affirmative command.

N'y allez pas!	**Allez-y!**
N'en prenez pas!	**Prenez-en!**

En occupies the same position when used with another pronoun. Note that **y** is rarely used with other pronouns.

Ne m'en donnez pas!	**Donnez-m'en!**

Note that in the order of placement of the object pronouns, **en** always goes at the very end.

Exercice 7   Oui, donne-m'en!
Répondez que *oui* ou que *non*. Utilisez deux pronoms.

Tu veux des légumes?
Oui, donne-m'en.
Non, ne m'en donne pas.

1. Tu veux du potage?
2. Tu veux de l'eau?
3. Tu veux du vin?
4. Tu veux des escargots?
5. Tu veux du rosbif?
6. Tu veux de la salade?

Exercice 8   Non, ne lui en écris pas.
Répondez que *oui* ou que *non*. Utilisez deux pronoms.

J'offre des légumes à Anne?
Oui, offre-lui-en.
Non, ne lui en offre pas.

1. J'écris des lettres à Georges?
2. J'envoie des fruits à Mathilde?
3. Je donne des livres à vos cousins?
4. Je présente des cadeaux à vos parents?

Exercice 9   Oui, allez-y.
Suivez le modèle.

Je vais à la banque?
Oui, allez-y.

1. Je vais à l'école?
2. Je vais au magasin?
3. Je vais chez le pâtissier?
4. Je vais au marché?

Conversation

À la banque

Mme Rocheteau	Je voudrais changer deux cents dollars, s'il vous plaît.
L'employée	Oui, madame.
Mme Rocheteau	Quel est le cours du dollar?
L'employée	Vous avez des chèques de voyage?
Mme Rocheteau	Oui, madame.
L'employée	Huit francs pour un dollar.
Mme Rocheteau	Très bien.
	(*L'employée lui donne un papier.*)
L'employée	Voilà, madame. Vous pouvez passer à la caisse pour prendre votre argent.
Mme Rocheteau	Merci, madame.
	(*À la caisse*)
Mme Rocheteau	Excusez-moi, madame. Pourriez-vous me donner la monnaie de cinquante francs?
La caissière	Bien sûr, madame. Voilà trois billets de dix francs et quatre pièces de cinq francs.

Exercice Répondez.

1. Combien d'argent est-ce que Mme Rocheteau voudrait changer?
2. Quel est le cours du dollar aujourd'hui?
3. Qu'est-ce que l'employée lui donne?
4. Où est-ce que Mme Rocheteau doit passer avec le papier?
5. Où est-ce qu'elle prendra son argent?
6. Est-ce que Mme Rocheteau veut de la monnaie?
7. Quels billets reçoit-elle?
8. Quelles pièces reçoit-elle?

ꝗecture culturelle

Les dépenses des jeunes

C'est aujourd'hui vendredi. Claude Duclos, qui habite Saint-Ouen, vient de rentrer du lycée. Aujourd'hui il va recevoir sa semaine. On va la lui donner ce soir.

Qu'est-ce que c'est que la semaine? C'est l'argent que reçoivent les jeunes Français de leurs parents. Combien en reçoivent-ils? Il est difficile de généraliser parce que cela dépend complètement des moyens* et de la générosité des parents. On va dire qu'ils reçoivent en général entre cinquante et deux cents francs par semaine. Deux cents francs est un maximum.

Que feront Claude et ses copains de leur argent de poche? Ils achèteront probablement des vêtements ou des cadeaux. Leurs parents n'interviennent pas dans leurs dépenses; ils ne disent pas: «Si j'étais toi, je ferais telle ou telle chose.»*

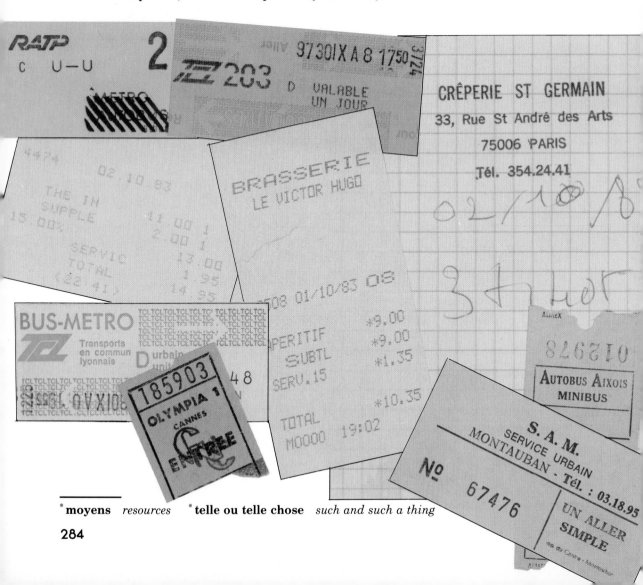

*__moyens__ *resources*   *__telle ou telle chose__ *such and such a thing*

Si un jeune était très fana de cinéma, que ferait-il? Il dépenserait une grande partie de son argent pour acheter ses tickets. S'il était fana de musique moderne, il achèterait des disques ou des cassettes. S'il était fana de science-fiction, il achèterait des bouquins.° Mais il faut faire attention! Si un jeune dépensait trop vite la totalité de l'argent de sa semaine, tant pis;° il n'en aurait pas d'autre! Il ne pourrait pas dire: «Donnez-m'en davantage!»°

Beaucoup de jeunes Français disent qu'ils mettent de l'argent de côté pour s'acheter quelque chose d'important. Louis Lavalle, un copain de Claude, par exemple, a très envie de s'acheter une motocyclette. Il vient de recevoir un cadeau très généreux de ses grands-parents. Ils lui ont donné un chèque de mille francs. Ils le lui ont donné pour son anniversaire. Louis a décidé de mettre les mille francs à la banque.

Louis est allé tout de suite à la caisse d'épargne où il a ouvert° un compte d'épargne. Il a endossé le chèque et il a fait son premier dépôt. Au taux d'intérêt de huit pour cent, Louis va gagner beaucoup d'argent. Il s'est promis qu'il ne ferait que des dépôts, qu'il y mettrait régulièrement une partie de sa semaine et qu'il ne retirerait rien de son compte avant d'avoir assez d'argent pour s'acheter sa moto! Quelle détermination!

°**bouquins** *familier pour «livres»*   °**tant pis** *too bad!*   °**davantage** *more*
°**ouvert** *opened*

Exercice 1 Complétez.

1. Claude Duclos habite _____ .
2. Il vient de _____.
3. Il reçoit sa _____ le vendredi soir.
4. La somme de la semaine dépend des _____ et de la _____ des parents.
5. En général les jeunes reçoivent entre _____ et _____ francs.

Exercice 2 Comment dépenseraient-ils leurs semaines?
Répondez.

1. si un(e) jeune était fana de cinéma?
2. si un(e) jeune était fana de science-fiction?
3. si un(e) jeune était fana de musique moderne?
4. si un(e) jeune aimait s'habiller?
5. si un(e) jeune était très généreux(-euse)?

Exercice 3 Répondez.

1. Pourquoi faut-il faire attention aux dépenses?
2. Pourquoi est-ce que beaucoup de jeunes Français mettent de l'argent de côté?
3. De quoi est-ce que Louis Lavalle a envie?
4. Qui lui a donné un chèque de mille francs?
5. Pourquoi est-ce que Louis est allé à la banque?
6. Qu'est-ce qu'il a fait à la banque?
7. Qu'est-ce que Louis s'est promis?

𝓐ctivités

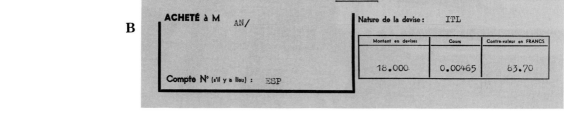

Regardez les fiches et répondez.

A	B
• La cliente a changé des dollars américains ou des dollars canadiens?	• Le client a changé des lires italiennes ou des francs belges?
• Quel était le cours du dollar canadien?	• Quel était le cours de la lire?
• Combien de dollars canadiens est-ce que la cliente a changés?	• Combien de lires est-ce que le client a changées?
• Combien de francs est-ce qu'elle a reçus?	• Combien de francs est-ce qu'il a reçus?

2 Votre semaine

Préparez une liste détaillée de toutes vos dépenses pendant une semaine. Avez-vous fait beaucoup de folles (*extravagant, foolish*) dépenses?

galerie vivante

Où est le jeune homme? Pourquoi est-il heureux?

En France, comme aux États-Unis, il existe aujourd'hui des guichets automatiques. Qu'est-ce que Jean-Michel va acheter avec l'argent qu'il va retirer?

Voici M. Rocher à la «minibanque». À quelle heure peut-on se servir de ce guichet automatique?

M. Dupont va faire un voyage avec sa famille. Où ça? On ne s'est pas encore décidé. Quel argent va-t-il acheter si on va en Italie? En Suisse? En Espagne?

CHANGE
BILLETS DE BANQUE   ACHAT

Dollar		6.80
Livre		11.60
F.Suisse		3.20
Lire	1000	4.85
D.Mark		2.71
Peseta	100	6.05
F.Belge		0.1295
Florin		2.45

SOCIETE GENERALE   relevé de compte

relevé d'identité bancaire ·
cadre réservé au destinataire du R.I.B.

	du	au	n° de feuillet
1603410N0028161 1	28 10 80	28 11 80	01

La direction de votre agence est à votre disposition pour tout renseignement que vous souhaiteriez demander sur le présent relevé.

titulaire du compte

HAVIN FALLFITE

---- 8161 ----

domiciliation

AS EUROPE

HAVIN FALLFITE
C/MME AIHI

6 RUE DE PO

code banque	code guichet	numéro de compte	clé R.I.B.
3 0 0 0 3	0 3 4 1 0	0 0 0 5 0 0 3 8 9 5 8	5 0

5008 PARIS

dates	nature de l'opération	débit	crédit	valeur
	SOLDE PRECEDENT		6.000,00	
3010	RETRAIT DIVERS	800,00		
0411	RETRAIT DIVERS	800,00		
1311	TRANSFERT DE L'ETRANGER		2.245,17	
1711	RETRAIT DIVERS	400,00		
2111	RETRAIT DIVERS	1.000,00		
	NOUVEAU SOLDE		5.245,17	

Voici le relevé de compte d'une jeune Américaine qui fait ses études à la Sorbonne. Quelle somme est-ce qu'elle a fait transférer des États-Unis? C'était combien en dollars? Employez le change dans la photo précédente pour calculer la somme en dollars.

Révision

Un séjour à la Martinique

Philippe vient de réussir au bac et l'année prochaine il entrera à l'Université. Il a décidé il y a longtemps qu'il ferait ses études à la Fac de Médecine. Pour le récompenser* de sa réussite, ses parents lui ont offert un séjour à la Martinique.

Philippe aimait bien cette belle île tropicale; il en était déjà enchanté. Comme il allait y rester deux semaines, il avait besoin de changer des chèques de voyage. Il est entré dans la Banque des Antilles Françaises à Fort-de-France et il est allé au guichet numéro 4.

Quand le caissier lui a demandé son passeport, Philippe le lui a donné. Le caissier l'a regardé et il le lui a rendu. Ensuite Philippe a contresigné les chèques et il y a écrit la date. Le caissier les a vérifiés et il lui a donné des francs français.

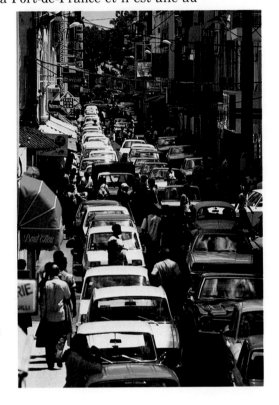

Joseph, le caissier, était un jeune Martiniquais aimable qui avait bien envie de visiter la France. Il a avoué à Philippe que s'il avait l'argent, il irait tout de suite à Paris.

Philippe lui a demandé: «Qu'est-ce qu'il faut voir à la Martinique?» Joseph lui a répondu: «Venez dîner chez nous; nous vous donnerons tous les renseignements nécessaires et en plus un bon dîner créole».

Quelle chance pour Philippe!

Exercice 1 Un nouvel ami martiniquais
Répondez d'après la lecture. Utilisez des pronoms quand c'est possible.

1. Qui vient de réussir au bac?
2. Qu'est-ce qu'il a décidé il y a longtemps?
3. Qui lui a offert un séjour à la Martinique?
4. De quoi est-ce que Philippe était enchanté?
5. De quoi est-ce qu'il avait besoin?
6. Quand il est entré dans la banque, où est-ce qu'il est allé?
7. Qui lui a demandé son passeport?
8. Qui a contresigné les chèques?
9. Qui a vérifié les chèques?
10. Qu'est-ce que Joseph a avoué à Philippe?
11. Qu'est-ce que la famille de Joseph va donner à Philippe?

---

*__récompenser__ *to reward*

Deux pronoms compléments d'objet

It is possible to have both a direct and an indirect object pronoun in the same sentence.

Le prof montre l'examen à l'étudiante.	**Le prof le lui montre.**
Le caissier donne les chèques aux voyageurs.	**Le caissier les leur donne.**
Il m'a donné la carte.	**Il me l'a donnée.**

When there are two object pronouns, they follow this order:

me te nous vous	*before*	le la les	*before*	lui leur	*before*	en

This order of pronouns holds true in negative commands and in the **passé composé.**

Ne donne pas l'argent à Régine.	**Ne le lui donne pas.**
Il nous a montré la statue.	**Il nous l'a montrée.**

Exercice 2 Ils me l'ont donnée.
Répondez. Employez des pronoms.

1. Vos parents vous ont donné la semaine?
2. Ils vous l'ont donnée vendredi?
3. Ils vous l'ont donnée le matin ou le soir?
4. Ils vous l'ont donnée en francs ou en dollars?
5. Ils vous l'ont donnée dans une enveloppe?
6. Ils vous l'ont donnée en chèques de voyage?

Exercice 3 Qui la lui donne?
Complétez avec les pronoms convenables.

Ce sont les parents de Colette qui _____ donnent sa semaine. Ils _____
_____ donnent le vendredi soir. Ils donnent aussi leur semaine aux frères de
Colette. Ils _____ _____ donnent aussi le vendredi. Colette remercie ses parents.
Ses frères _____ remercient aussi.

Les pronoms compléments à l'impératif affirmatif

In affirmative commands, pronoun objects follow the verb and are attached to it by a hyphen. Review the position of the pronouns in affirmative commands.

le la les	*before*	lui leur nous moi

Donne les disques à Marie.	**Donne-les-lui.**
Montrez l'examen aux élèves.	**Montrez-le-leur.**
Donne-moi le chèque.	**Donne-le-moi.**

Exercice 4 Écrivez-la-lui.
Changez à l'impératif affirmatif.

1. N'écrivez pas la lettre à Paul.
2. Ne la lui écrivez pas maintenant.
3. Ne lui envoyez pas la carte postale.
4. Ne lui téléphonez pas la nouvelle.
5. Ne la lui téléphonez pas ce soir.
6. Mais ne me la dites pas d'abord.

Les pronoms *y* et *en*

The pronouns **y** and **en** function like the direct and indirect object pronouns.

Vous retirez de l'argent.	**Vous en retirez.**
	Vous n'en retirez pas.
	N'en retirez pas.
	Retirez-en.
Vous mettez les chèques sur le comptoir.	**Vous y mettez les chèques.**
	Vous n'y mettez pas les chèques.
	N'y mettez pas les chèques.
	Mettez-y les chèques.

Review the order of pronouns in an affirmative command.

le la les	*before*	moi (m') nous lui leur	*before*	y en

Exercice 5 Y et en.
Suivez le modèle.

Je vais au marché?
Oui, vas-y.

1. Je vais à la banque?
2. Je vais dans la cuisine?
3. Je vais chez Jacqueline?
4. Je parle du voyage à Jacques?
5. Je parle du match à Marie?
6. Je parle de la fête aux enfants?

Exercice 6 Y et en.
Suivez le modèle.

Nous allons au parc?
Oui, allez-y.

1. Nous allons chez le boulanger?
2. Nous allons au bord du lac?
3. Nous restons dans le parc jusqu'à midi?
4. Nous donnons des sandwiches aux enfants?
5. Nous leur donnons du lait?
6. Nous leur racontons des histoires?

Le conditionnel

The conditional (*would* in English) is formed by adding the imperfect endings to the future stem.

Infinitive	parler	finir	vendre
Conditional	je parlerais	je finirais	je vendrais
	tu parlerais	tu finirais	tu vendrais
	il/elle parlerait	il/elle finirait	il/elle vendrait
	nous parlerions	nous finirions	nous vendrions
	vous parleriez	vous finiriez	vous vendriez
	ils/elles parleraient	ils/elles finiraient	ils/elles vendraient

Verbs that are irregular in the future are also irregular in the conditional.

être	**je serais**	**voir**	**je verrais**
aller	**j'irais**	**envoyer**	**j'enverrais**
faire	**je ferais**	**venir**	**je viendrais**
vouloir	**je voudrais**	**devenir**	**je deviendrais**
avoir	**j'aurais**	**pouvoir**	**je pourrais**
savoir	**je saurais**	**devoir**	**je devrais**

The conditional is often used with **dans ce cas-là.**

Dans ce cas-là, je ne lui donnerais pas l'argent.

When **si** (*if*) is followed by the imperfect, the verb in the result clause is in the conditional.

Si j'avais le temps, je lirais ce roman.

Exercice 7 On irait à la banque.
Suivez le modèle.

Je devrais partir maintenant?
Moi, je partirais maintenant.

1. Je devrais aller à la banque?
2. Je devrais attendre devant le guichet?
3. Je devrais saluer le caissier?
4. Je devrais ouvrir un compte d'épargne?
5. Je devrais remplir la fiche?
6. Je devrais demander un carnet de chèques?

Exercice 8 Si j'avais l'argent...
Répétez les phrases avec l'imparfait et le conditionnel.

1. Si j'ai l'argent, je ferai un voyage.
2. Si je fais un voyage, j'irai à la Martinique.
3. Si je vais à la Martinique, je visiterai Saint-Pierre.
4. Si je visite Saint-Pierre, je ne manquerai pas d'aller au musée volcanologique.
5. Si je vais au musée, je verrai les photos de l'éruption de la montagne Pelée.
6. Si tu vois les photos, tu comprendras l'horreur d'une éruption volcanique.

ℒecture culturelle

L'enseignement supérieur

La plupart des universités françaises se trouvent dans les grandes villes. Il n'y a pas de petites universités (ce que nous appelons «colleges») avec de très jolis «campus» dans la campagne.

S'il n'y a pas de «campus», où les étudiants habitent-ils? À Paris, par exemple, il y a un quartier appelé la cité universitaire. Elle est composée de plusieurs pavillons, construits par différents pays, où les étudiants peuvent loger et prendre leurs repas. En dehors de cela les étudiants sont répartis en ville où ils habitent chez des familles qui acceptent de louer des chambres. Les étudiants aisés louent des logements plus confortables comme, par exemple, un petit studio.

Pour les repas un étudiant a le choix entre le «resto U» très bon marché ou les petits bistros situés autour des facultés. Précision importante—les études sont gratuites˙ en France! Par ailleurs˙ il est souvent donné des bourses˙ aux étudiants dont la famille a de très petits moyens.˙ Il y a très peu d'étudiants en France qui empruntent˙ de l'argent pour aller à l'université.

˙**gratuites** *free*   ˙**Par ailleurs** *Besides*   ˙**bourses** *scholarships*   ˙**moyens** *means*
˙**empruntent** *borrow*

L'université en France se divise en facultés—lettres, sciences, droit,° médecine, pharmacie, etc. Avant d'entrer à l'université les étudiants doivent choisir la faculté où ils vont s'inscrire.° Il est nécessaire de choisir une spécialisation au départ.

En France il y a aussi ce que l'on appelle les grandes Écoles. Qu'est-ce que c'est qu'une grande École? C'est une école spécialisée—École polytechnique, École des mines, École normale supérieure, etc. Les étudiants dans ces écoles sont les plus brillants. Il faut en effet passer un concours° très difficile pour y être admis. De tous les candidats, seul un sur dix réussit. Les élèves de quelques-unes des grandes Écoles reçoivent du gouvernement le salaire d'un fonctionnaire° débutant. En contrepartie,° les élèves promettent de servir l'État pendant dix ans au moins.

° **droit** *law* ° **s'inscrire** *enroll* ° **concours** *competitive exam*
° **fonctionnaire** *civil servant* ° **En contrepartie** *In return*

Exercice 1   Répondez.

1. Où se trouvent la plupart des universités françaises?
2. À Paris, où habitent les étudiants? Nommez trois sortes de logement.
3. Où prennent-ils leurs repas?
4. Combien coûtent les études universitaires?
5. Combien d'étudiants empruntent de l'argent pour aller à l'université?
6. Nommez trois facultés.
7. Quand est-ce que les étudiants choisissent une spécialisation?

Exercice 2   Complétez.

1. L'École polytechnique est une des _____.
2. Les étudiants les plus _____ sont admis aux grandes Écoles.
3. Il faut passer _____ pour être admis aux grandes Écoles.
4. Seul un candidat sur _____ réussit au concours.
5. Les élèves de quelques-unes des grandes Écoles reçoivent _____.

ℒecture culturelle

supplémentaire

La Martinique et la Guadeloupe

La Martinique, une île de la mer des Caraïbes, a été colonisée par les Français à partir de 1635. La Martinique et l'île voisine de la Guadeloupe sont devenues des colonies françaises.

Victor Schœlcher, un homme politique français né à Paris, a servi comme député de la Martinique et de la Guadeloupe au dix-neuvième siècle. C'est Schœlcher qui a préparé le décret d'abolition de l'esclavage* dans les colonies françaises en 1848.

La Martinique et la Guadeloupe sont restées des colonies françaises jusqu'en 1946, année où elles sont devenues départements d'outre-mer. Chaque île est représentée par trois députés et deux sénateurs à l'Assemblée Nationale à Paris.

Beaucoup de Martiniquais et de Guadeloupéens vivent des cultures* de la canne à sucre, des bananes et des ananas. Malheureusement, les deux îles souffrent de la surpopulation. Plus de cinquante pour cent de la population martiniquaise et guadeloupéenne a moins de vingt ans. Par conséquent il y a une importante émigration vers la France métropolitaine. Les jeunes gens quittent leurs îles et vont chercher du travail en France.

_____

*esclavage   *slavery*   *cultures   (*here*) *cultivation*

Exercice Répondez.

1. Où se trouvent la Martinique et la Guadeloupe?
2. Quand est-ce que la France a aboli l'esclavage dans ses colonies?
3. Qui a préparé le décret d'abolition?
4. Quand est-ce que la Martinique et la Guadeloupe sont devenues des départements français?
5. De quoi vivent beaucoup de Martiniquais et de Guadeloupéens?
6. De quoi souffrent les deux îles?
7. Pourquoi est-ce que beaucoup de jeunes gens vont en France?

17 Haïti

un panier

La femme porte un panier sur la tête.
Elle habite un choucoune, une petite ma
avec un toit en **chaume.**
Les murs sont en **plâtre; le sol** est en te
battue.

le toit

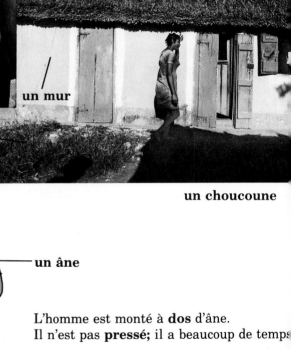

un mur

la terre

un choucoune

un âne

L'homme est monté à **dos** d'âne.
Il n'est pas **pressé;** il a beaucoup de temps

298

la camionnette

La camionnette est **peinte** en vives
  couleurs.

un étal

Devant un étal **en bois** une enfant est
  assise.
Il est important que la femme vende
  tous les fruits.

Exercice 1   Choisissez.

1. La femme porte un panier _____.
   a. sur la tête
   b. sur le dos

2. Elle habite _____.
   a. une tente
   b. un choucoune

3. Le toit de la maison est _____.
   a. en terre
   b. en chaume

4. L'homme est monté _____.
   a. à dos d'éléphant
   b. à dos d'âne

5. Il a _____.
   a. beaucoup de temps
   b. beaucoup d'argent

6. L'étal est _____.
   a. en bois
   b. en ciment

7. L'enfant est assise _____.
   a. sur l'étal
   b. par terre

8. Il est important que la femme _____.
   a. vende les fruits
   b. se lève

Exercice 2 Décrivez les personnes ou les choses.

3. la femme

1. la femme

4. la camionnette

2. le choucoune

5. l'enfant

Structure

Le subjonctif
Indicative vs. subjunctive

So far all the forms of the verbs you have learned have been in the indicative mood. The indicative is used to express objective, factual, real information. In other words, the indicative is used to indicate or express actions that definitely are taking place now, did take place, or will take place.

You are now going to learn the subjunctive mood. The subjunctive is used a great deal in French although much less frequently in English. The subjunctive mood is the exact opposite of the indicative. The indicative indicates what definitely is. The subjunctive expresses what possibly may be. It is therefore used in clauses introduced by expressions such as those of obligation, necessity, possibility, doubt, or emotion.

Let's analyze some examples.

Indicative	*Subjunctive*
Vous étudiez.	**Il est nécessaire que <u>vous étudiiez</u>.**
Elle finit son travail.	**Il est possible qu'<u>elle finisse son travail</u>.**
Jean nous attend.	**Il vaut mieux que <u>Jean nous attende</u>.**
Nous lui parlons.	**Il est important que <u>nous lui parlons</u>.**

Note that all the sentences in the left column express factual information. The underlined dependent clauses in the sentences in the right column contain "may or may not be" information. Although it is necessary, possible, better, or important for someone to do something, one cannot be sure it will be done. For this reason the subjunctive must be used in French.

The subjunctive is formed by using the **ils/elles** form of the present. To this base are added the following endings:

-e	-ions
-es	-iez
-e	-ent

Infinitive	**finir**
Stem	finiss~~ent~~
Subjunctive	que je finisse
	que tu finisses
	qu'il/elle finisse
	que nous finissions
	que vous finissiez
	qu'ils/elles finissent

Tu finis maintenant?
Il est nécessaire que tu finisses tout de suite!

Infinitive	attendre
Stem	attend~~ent~~
Subjunctive	que j'attende
	que tu attendes
	qu'il/elle attende
	que nous attendions
	que vous attendiez
	qu'ils/elles attendent

Tu m'attends?
Il est important que tu m'attendes.

Infinitive	parler
Stem	parl~~ent~~
Subjunctive	que je parle
	que tu parles
	qu'il/elle parle
	que nous parlions
	que vous parliez
	qu'ils/elles parlent

Nous te parlons.
Il faut que nous te parlions.

Here are certain impersonal expressions that take the subjunctive.

il est nécessaire que   **il est impossible que**
il faut que   **il vaut mieux que** (*it is better*)
il est possible que   **il est important que**

Il est nécessaire que vous étudiiez.
Il faut que nous l'attendions.
Il est possible que Ginette finisse ce soir.
Il est impossible que nos amis partent.

Remember that these expressions take the subjunctive because the dependent clauses that follow contain information that is not necessarily true. What is stated may or may not happen.

Note that the subjunctive must be used after these impersonal expressions when the subject of the clause is a specific person or thing. If, however, one is speaking in general terms, the infinitive can be used.

Il est nécessaire d'étudier.	*It is necessary (for people in general) to study.*
Il est nécessaire que vous étudiiez.	*It is necessary for you (specifically) to study.*

Exercice 1 On va finir.
Suivez le modèle.

Je dois finir?
Il faut que tu finisses!

1. Ils doivent finir?
2. Elles doivent finir?
3. Il doit finir?
4. Elle doit finir?
5. Nous devons finir?
6. Tu dois finir?   (Je)

Exercice 2 Il est possible qu'ils la vendent.
Répondez avec *il est possible.*

1. Ils la vendent?
2. Elles la vendent?
3. Il la vend?
4. Elle la vend?
5. Vous la vendez?
6. Tu la vends?

Port-au-Prince

Exercice 3 Il est nécessaire qu'elle travaille.
Répondez avec *il est nécessaire.*

1. Elle travaille?
2. Il travaille?
3. Nous travaillons?
4. Les amis travaillent?
5. Jean-Paul travaille?
6. Tu travailles?

Verbes irréguliers au subjonctif

Many verbs that are irregular in the present indicative are regular in the subjunctive. Remember that the root for the formation of the subjunctive is the third person plural (**ils/elles**) form of the present indicative.

dire	**disent**	que je dise
dormir	**dorment**	que je dorme
écrire	**écrivent**	que j'écrive
lire	**lisent**	que je lise
partir	**partent**	que je parte
servir	**servent**	que je serve
sortir	**sortent**	que je sorte

Exercice 4 Il faut qu'elle l'écrive.
Répondez.

1. Il faut qu'elle écrive la lettre?
2. Il faut que nous la lisions?
3. Il faut que vous sortiez?
4. Il faut qu'elles disent au revoir?
5. Il faut que tu choisisses la route?
6. Il faut que vous partiez?

Exercice 5 Il vaut mieux que nous dormions.
Répondez en utilisant une de ces expressions: *il vaut mieux que nous, il est important que nous, il faut que nous, il est nécessaire que nous.*

1. Pourquoi dormez-vous au moins huit heures?
2. Pourquoi ne mangez-vous pas trop de viande?
3. Pourquoi révisez-vous vos leçons tous les soirs?
4. Pourquoi étudiez-vous sérieusement?

Exercice 6 À l'école il est important...
Répondez personnellement avec *il est important que je...*

1. Tu pars pour l'école à l'heure?
2. Tu lis beaucoup de livres?
3. Tu écris beaucoup de rédactions?
4. Tu ne dors pas en classe?
5. Tu dis la vérité?

Exercice 7 Faut-il que tu lises?
Pratiquez la conversation.

Édouard Qu'est-ce que tu fais là?
Jacques Je lis un conte créole.
Édouard Il faut que tu le lises maintenant?
Jacques Oui! Je dois écrire une rédaction dessus. Il faut que je le finisse avant demain matin.

Exercice 8 Il faut que vous répondiez.
Répondez d'après la conversation de l'exercice 7.

1. Qu'est-ce qu'Édouard lit maintenant?
2. Il faut qu'il le lise maintenant?
3. Il faut qu'il le finisse avant demain?
4. Qu'est-ce qu'il faut qu'il écrive?

ꟼecture culturelle

Je suis en Haïti!

En ce moment notre avion survole une très jolie baie. Je vois des montagnes qui semblent surgir de la mer. Au bord de la mer je vois une jolie ville avec de petits édifices° aux couleurs vives. En quelques minutes notre avion atterrit sur une petite piste entourée de palmiers. Nous voici à l'aéroport Duvalier à Port-au-Prince, la capitale d'Haïti.

Je prends mes valises et je passe à la douane.° Ensuite, il faut que je cherche un taxi pour aller en ville. Je suis étonné par les contrastes! Il y a une foule de gens qui marchent dans les rues parmi les voitures. Beaucoup d'autres sont montés à dos d'âne. Presque toutes les femmes portent de grands paniers pleins de provisions sur la tête.

Je vois une boutique neuve. À côté de cette boutique moderne il y a un petit étal en bois où l'on vend des bonbons et du tabac. Devant l'étal il y a une femme assise par terre; elle vend des pommes de terre et des bananes. Suis-je en ville ou à la campagne?

Je suis en Haïti! Haïti, la perle des Antilles, partage° une île de la mer des Caraïbes avec la république Dominicaine. C'est la seule république noire de

---

° **édifices** *buildings* ° **passe à la douane** *go through customs* ° **partage** *shares*

l'hémisphère occidental. Pourquoi «la perle des Antilles»? À cause de sa beauté? Partout il y a des fleurs magnifiques. À cause du peuple? La gentillesse et l'amabilité des Haïtiens sont renommées. Même la personne la plus pressée a le temps de me faire un accueil chaleureux.[*]

Port-au-Prince est une ville animée. Il y a toujours énormément de gens dans la rue. Quand ils ne marchent pas, ils prennent le tap tap, une petite camionnette, peinte en couleurs vives, qui sert de bus.

Dans les villes de Port-au-Prince, Cap-Haïtien et Jacmel, la plupart des maisons sont en bois. Les maisons, comme les tap taps, sont peintes en couleurs vives. Dans les petits villages les gens habitent des choucounes. Un choucoune est une très petite maison avec un toit en chaume, des murs en plâtre et un sol en terre battue.

La langue officielle d'Haïti est le français; on enseigne le français dans les écoles. Mais les Haïtiens parlent aussi créole, une langue dérivée du français avec beaucoup d'influences africaines. Haïti, une ancienne colonie française, est devenue indépendante en 1804. C'est Toussaint Louverture, le grand héros haïtien, qui a mené la révolte contre les colons français.

[*]**faire un accueil chaleureux** *welcome warmly*

Il est impossible de parler d'Haïti sans toucher le problème de la pauvreté.
Haïti est le pays le plus pauvre de l'hémisphère. Comme il y a très peu d'industrie,
l'économie du pays est fondée sur l'agriculture. Mais quatre-vingts pour cent du
pays est montagneux; il y a donc trop peu de terres cultivables; trop peu de travail.
Le chômage* est un problème très grave.

Les Haïtiens veulent travailler pour gagner leur vie. Beaucoup d'entre eux
possèdent un grand talent artistique. Les statues en acajou* et les peintures
haïtiennes se vendent dans les meilleures galeries d'art du monde. Le grand rêve*
de la plupart des Haïtiens est de pouvoir utiliser leur talent pour gagner un peu
d'argent et vivre heureux dans leur «Perle des Antilles».

Exercice 1   Complétez.

1. L'avion _____ la _____ .
2. Des _____ semblent surgir de la _____ .
3. L'avion _____ sur une petite _____ qui est entourée de _____ .
4. La capitale d'Haïti s'appelle _____ .

---

* **chômage** *unemployment*   * **acajou** *mahogany*   * **rêve** *dream*

Exercice 2 Les contrastes

Quels contrastes frappent l'auteur? Décrivez-les.

1. la foule des gens
2. les ânes
3. les paniers
4. la boutique moderne
5. la femme assise

Exercice 3 Répondez.

1. Où est situé Haïti?
2. Comment est-ce qu'on l'appelle?
3. En quoi Haïti est-il unique?
4. En quoi consiste sa beauté?
5. Pour quoi est-ce que les Haïtiens sont renommés?

Exercice 4 Identifiez.

Identifiez brièvement.

1. un tap tap
2. un choucoune

3. le créole
4. Toussaint Louverture

Exercice 5 Choisissez.

1. Le grand problème à Haïti est _____ .
   a. l'indépendance
   b. la pauvreté

2. L'économie du pays est basée sur _____ .
   a. l'industrie
   b. l'agriculture

3. La plus grande partie du pays est couverte de _____ .
   a. montagnes
   b. plaines

4. Il n'y a pas assez _____ .
   a. de terres cultivables
   b. de fleurs

5. Le «chômage» signifie _____ .
   a. pas d'argent
   b. pas de travail

Exercice 6 Corrigez.

1. Les Haïtiens ne veulent pas travailler.
2. Ils ne possèdent aucun (*not any*) talent artistique.
3. Les œuvres d'art haïtiennes ne sont pas populaires.

Activités

1 Si l'indépendance des colonies vous intéresse, cherchez des renseignements détaillés sur la vie de Toussaint Louverture.

2 Préparez une conversation qui a lieu à la douane entre un douanier et un voyageur ou une voyageuse. Voici des suggestions.

- quels pays avez-vous visités
- combien de valises
- ouvrez-les
- qu'est-ce que vous avez à déclarer
- du tabac, de l'alcool
- votre passeport
- des fruits, des légumes

3 Décrivez tout ce que vous voyez sur les photos.

galerie vivante

Les Haïtiens adorent les couleurs
vives. Cette maison, entourée de
bananiers, est un exemple du talent
artistique qu'on voit partout en Haïti.
Si on a faim, si le dîner n'est pas prêt,
qu'est-ce qu'on peut manger?

Chaque tap-tap a un nom;
chaque tap-tap a sa
personnalité. Des quatre
tap-taps que vous voyez,
lequel préférez-vous?
Pourquoi?

Les jeunes gens en Haïti sont comme les jeunes gens dans le monde entier. Ils veulent être à la mode. Ils adorent les blue-jeans et la musique américaine. Comment savez-vous qu'ils aiment aussi les films américains?

Vous voyez ici un célèbre sculpteur haïtien, Serge Jolimot. Est-ce que ses sculptures sont en bois ou en métal?

On revient du marché. Apparemment on a tout vendu. Qui est sur le cheval?

18 <u>Le téléphone</u>

On va donner un coup de fil (téléphone).

la cabine téléphonique

le récepteur

la fente

le téléphone   **le cadran**

RENSEIGNEMENTS
RÉSERVATION
93 83 91 00

le numéro de téléphone

l'annuaire

la standardiste

le standard

l'opératrice

Exercice 1 Personnellement
Répondez.

1. Vous avez un téléphone?
2. Quel est votre numéro de téléphone?
3. Quel est l'indicatif (*area code*) de votre ville?
4. Est-ce que votre appareil a un cadran ou des touches?

Henri va téléphoner à un copain.

Il décroche l'appareil.

Il met une pièce dans la fente.

Il attend la tonalité.

Il compose le numéro.

Il entend la sonnerie.

Il parle avec son interlocuteur.

Exercice 2 Complétez.

Dans une cabine téléphonique

Henri entre dans la _____ téléphonique. Il va _____ à un copain. Il _____ l'appareil et met une pièce dans la _____ . Il faut qu'il attende la _____ avant de composer le _____ . Il entend la _____ et commence à _____ le numéro. Après deux sonneries son copain répond au téléphone.

Exercice 3 Oui ou non?

Lisez la conversation et puis dites si les phrases sont vraies ou fausses.

Charles Arlette, il faut que je donne un coup de téléphone et je ne peux pas.
Arlette Pourquoi pas?
Charles Je suis en retard et il faut que j'aille en classe.
Arlette Tu veux que je téléphone pour toi?
Charles S'il te plaît. Il est important que tu aies le bon numéro. Attends! Je vais te le donner.
Arlette Tu n'as pas le numéro?
Charles Zut! Qu'est-ce que j'en ai fait? Je ne le trouve pas.
Arlette Donne-moi le nom. Je vais le chercher dans l'annuaire. Mais qu'est-ce que tu veux que je dise?

1. Il faut que Charles donne un coup de téléphone.
2. Il téléphone dans une cabine téléphonique.
3. Il ne peut pas téléphoner parce qu'il faut qu'il aille en classe.
4. Il veut qu'Arlette téléphone pour lui.
5. Il faut qu'Arlette ait le numéro.
6. Charles le lui donne.

Structure

Le subjonctif des verbes *avoir, être, faire, aller*

The verbs **avoir, être, faire,** and **aller** are irregular in the subjunctive.

faire	aller	avoir	être
que je fasse	que j'aille	que j'aie	que je sois
que tu fasses	que tu ailles	que tu aies	que tu sois
qu'il/elle fasse	qu'il/elle aille	qu'il/elle ait	qu'il/elle soit
que nous fassions	que nous allions	que nous ayons	que nous soyons
que vous fassiez	que vous alliez	que vous ayez	que vous soyez
qu'ils/elles fassent	qu'ils/elles aillent	qu'ils/elles aient	qu'ils/elles soient

Il est nécessaire qu'ils aient un annuaire.
Il faut que je fasse la queue pour téléphoner.
Il vaut mieux que nous y allions ensemble.

Exercice 1 Répondez.

1. Est-ce qu'il est important que ton amie téléphone à ses parents?
2. Il faut qu'elle ait le bon numéro?
3. Est-il possible qu'elle ait un annuaire?
4. Est-ce qu'il est nécessaire qu'elle fasse la queue pour téléphoner?

Exercice 2 Répondez avec *il faut que.*

1. Tu vas à la cabine téléphonique
   pour téléphoner?
2. Tu fais la queue pour téléphoner?
3. Tu as le bon numéro?
4. Ton interlocutrice est là?

Exercice 3 Il faut qu'ils gagnent
le match.
Répétez avec *il faut que.*

1. Il y a de bons joueurs.
2. Ils font des efforts pour gagner le match.
3. Georges est le capitaine de l'équipe.
4. La foule applaudit les efforts de l'équipe.
5. Les vainqueurs sont honorés à la fête.

Le subjonctif avec des expressions de volonté

The following verbs of desiring, willing, wishing, and preferring require the subjunctive because the information they introduce may or may not happen.

désirer	**préférer**	**aimer** (in the conditional)
souhaiter	**aimer mieux** (*prefer*)	**avoir envie**
vouloir		

Nous aimerions que vous soyez présents. — *We would like you to be present (but perhaps you won't be).*

Il veut que je fasse du ski. — *He wants me to ski (but I might not).*

Exercice 4   Je veux qu'il fasse du ski.
Formez des phrases.

1. Robert fait du ski. **Je veux que**
2. Il sort tous les matins. **J'aime mieux que**
3. Il choisit les pistes difficiles. **J'aimerais que**
4. Il a beaucoup d'énergie. **Je souhaite que**
5. Robert est le gagnant. **Je préfère que**

Exercice 5   Je téléphone pour toi.
Répondez.

1. Tu préfères que je lui téléphone?
2. Tu veux que je lui dise quelque chose?
3. Tu aimerais qu'il aille au café?
4. Tu désires qu'il soit là à six heures?
5. Tu préfères que je sois avec lui?

Exercice 6   Il veut que...
Répétez avec *il veut que*.

1. Nous finissons notre travail à l'heure.
2. Nous sortons ce soir.
3. Nous dînons dans son restaurant favori.
4. Ensuite nous allons au cinéma.
5. Nous aimons le film.

Exercice 7   Je préfère que...
Répétez avec *je préfère que*.

1. Vous invitez vos amis.
2. Vous êtes là à six heures.
3. Vous téléphonez avant de partir.
4. Vous n'apportez rien.
5. Vous êtes content.
6. Vous vous amusez.

Le subjonctif avec des expressions de jugement

The following expressions of judgment and approval also require the subjunctive.

il est préférable	**il est juste**	**il est indispensable**
il est bon (bien)	**il est temps**	**il est essentiel**

Il est essentiel que cette équipe ait beaucoup de succès.
Il est bon que Jean ne fasse rien.

Exercice 8 Un bon joueur de tennis
Répondez.

1. Est-il important qu'un bon tennisman joue souvent?
2. Est-il essentiel qu'il soit en forme?
3. Est-il indispensable qu'il ait une bonne raquette?
4. Est-il essentiel qu'il soit rapide?
5. Est-il essentiel qu'il ait de bons yeux?
6. Est-il préférable qu'il marque beaucoup de points?

Exercice 9 Il est temps qu'on soit en forme.
Répétez avec les expressions suivantes.

il est temps	**il est essentiel**
il est bon	**il est important**
il est indispensable	**il vaut mieux**

1. Julie est en forme.
2. Elle fait assez d'exercices.
3. Elle fait de la gymnastique.
4. Elle fait de la natation.
5. Elle choisit du poisson, des légumes et des fruits.
6. Elle dort au moins huit heures chaque nuit.

Conversation

Un appel téléphonique

La standardiste	Henri Leclerc et Fils. Bonjour.
Mme Dumas	Bonjour, madame. Je voudrais parler à Mme Sorel, s'il vous plaît.
La standardiste	Oui, madame. De la part de qui, s'il vous plaît?
Mme Dumas	De la part de Mme Dumas.
La standardiste	Un moment, madame. Ne quittez pas!
Mme Sorel	Allô.
Mme Dumas	Allô, Sylvie. C'est Claire Dumas...

Exercice Répondez.

1. Qui parle au téléphone?
2. Parle-t-elle à la standardiste?
3. À qui veut-elle parler?
4. Est-ce que Mme Sorel est là?
5. Est-ce que Mme Dumas quitte la ligne?

qecture culturelle

L'emploi du téléphone

Si vous voyagez en France, il faudra [*] sans doute que vous utilisiez le téléphone. Si un ami veut que vous lui passiez un coup de téléphone, il n'y a pas de problème. Il est très facile d'utiliser le téléphone en France. Vous pouvez même faire des appels internationaux dans les cabines téléphoniques. La plupart des téléphones publics marchent avec des pièces; les autres, marchent avec des cartes. On achète ces cartes dans les bureaux de poste [*] ou les bureaux de tabac. [*]

Même si vos parents veulent que vous leur téléphoniez aux États-Unis, ce n'est pas difficile. D'un téléphone privé il n'est pas nécessaire de passer par l'Inter. [*] C'est automatique. Vous composez le dix-neuf. Vous attendez la tonalité et ensuite vous continuez à former le numéro que vous désirez. Si la ligne n'est pas occupée, vous entendrez la sonnerie et, un instant plus tard, vous entendrez votre interlocuteur.

Mais n'oubliez pas qu'il est important que vous ayez le bon numéro. Il est toujours embêtant [*] d'avoir un mauvais numéro. Ainsi [*] si vous n'êtes pas certain(e) du numéro, il vaut mieux que vous le vérifiiez dans l'annuaire ou que vous le demandiez aux renseignements. [*]

Exercice 1 Répondez.

1. Vous voulez voyager en France?
2. Peut-être que vous faudra-t-il utilisiez le téléphone?
3. Si un ami veut que vous lui passiez un coup de fil, est-ce qu'il y aura un problème?
4. Est-il facile d'utiliser le téléphone en France?
5. Peut-on même téléphoner aux États-Unis?
6. Avec quoi marchent les téléphones publics?
7. Où peut-on acheter les cartes de téléphone?

---

[*]**il faudra** *it will be necessary*	[*]**bureaux de poste** *post offices*
[*]**bureaux de tabac** *tobacconists*	[*]**passer par l'Inter** *go through the operator*
[*]**embêtant** *annoying* [*]**Ainsi** *Therefore*	[*]**renseignements** *information*

318

Exercice 2 Vrai ou faux?

Vous êtes en France. Vos parents sont chez eux et veulent que vous leur téléphoniez.

1. Il faut que vous passiez par l'Inter.
2. Il faut que vous composiez le dix-neuf.
3. Il faut que vous attendiez la tonalité trois fois.
4. Si la ligne est occupée, il faut que vous téléphoniez de nouveau.

Exercice 3 Quoi faire?

Vous n'êtes pas sûr(e) d'avoir le bon numéro. Qu'est-ce qu'il faut que vous fassiez?

Activités

 Voici la partie d'une page de l'annuaire de Nice. Choisissez cinq noms et donnez le numéro de téléphone de chacun.

2 Vous venez de rencontrer un Français ici aux États-Unis. Le Français est dans une cabine téléphonique et il veut que vous l'aidiez à faire un appel téléphonique. Il ne sait pas parler anglais. Vous allez l'aider.

- Tell him to put two ten-cent coins in the slot.
- Tell him to wait for the dial tone.
- Tell him to dial the number.

3 Une interview

- Est-ce que vous parlez beaucoup au téléphone?
- Vous avez un téléphone à cadran ou à touches?
- Vous avez l'automatique?
- Pour faire un appel international, est-il nécessaire que vous passiez par l'Inter?
- Quel est votre numéro de téléphone?
- Quel est l'indicatif (*area code*) de votre ville?

galerie vivante

Regardez bien le cadran de ce téléphone. Vous croyez qu'il y a un incendie *(fire)* et vous allez appeler les pompiers. Quel numéro composez-vous?

Aujourd'hui on trouve partout des ordinateurs. Voici un annuaire téléphonique automatique. De qui veut-on savoir le numéro? Où est-ce qu'il habite?

Vous êtes belge et vous êtes à Paris. Vous voulez téléphoner chez vous. Vous décrochez et vous attendez la tonalité. Et ensuite?

Est-il possible d'expédier un télégramme par téléphone? Qu'est-ce qu'il faut faire?

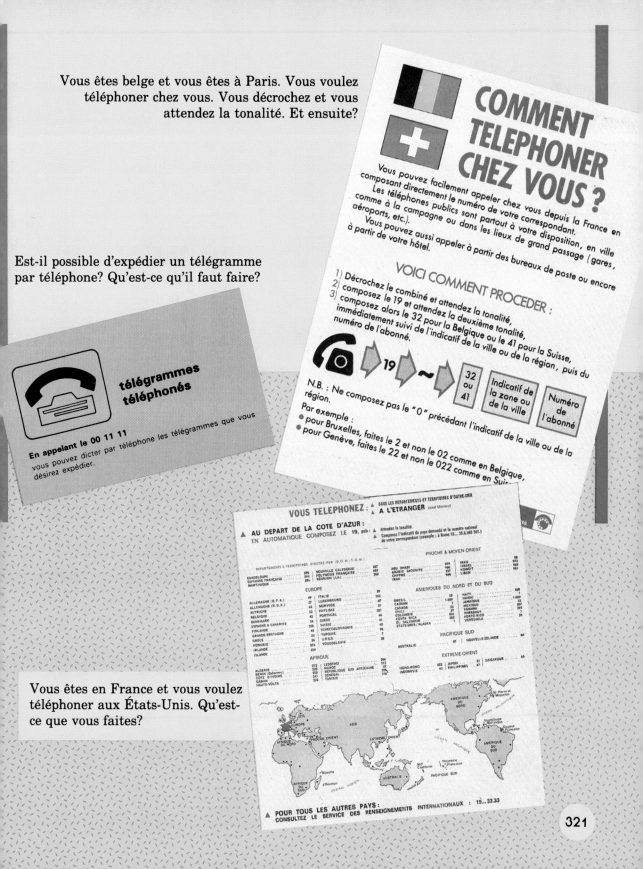

COMMENT TELEPHONER CHEZ VOUS ?

Vous pouvez facilement appeler chez vous depuis la France en composant directement le numéro de votre correspondant.

Les téléphones publics sont partout à votre disposition, en ville comme à la campagne ou dans les lieux de grand passage (gares, aéroports, etc.).

Vous pouvez aussi appeler à partir des bureaux de poste ou encore à partir de votre hôtel.

VOICI COMMENT PROCEDER :

1) Décrochez le combiné et attendez la tonalité,
2) composez le 19 et attendez la deuxième tonalité,
3) composez alors le 32 pour la Belgique ou le 41 pour la Suisse, immédiatement suivi de l'indicatif de la ville ou de la région, puis du numéro de l'abonné.

N.B. : Ne composez pas le "0" précédant l'indicatif de la ville ou de la région.

Par exemple :
• pour Bruxelles, faites le 2 et non le 02 comme en Belgique,
• pour Genève, faites le 22 et non le 022 comme en Suis

télégrammes téléphonés

En appelant le 00 11 11 vous pouvez dicter par téléphone les télégrammes que vous désirez expédier.

Vous êtes en France et vous voulez téléphoner aux États-Unis. Qu'est-ce que vous faites?

321

19 Les immeubles d'autrefois

Vocabulaire

la poubelle

le balai

le fichu

La concierge est **derrière** la porte.

La concierge est **devant** la porte.

dedans

dehors

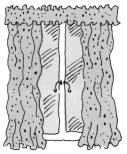

le rideau

le locataire

— Que fait la concierge?
— Elle met la poubelle dehors, à côté du balai.
— Qu'est-ce qu'elle porte sur la tête?
— Ça c'est un fichu.

— Qui la surveille?
— Où ça?
— Là, derrière le rideau.
— C'est le locataire de l'appartement numéro trois.
— Est-ce qu'il a peur de la concierge?
— Oui, il a peur qu'elle dise tous ses secrets à tout le monde.

— Qui est ce monsieur qui arrive?
— C'est un bon ami, le meilleur ami du locataire. Il est **auteur.** Il est **romancier;** il écrit des **romans.**

Exercice 1 Choisissez.

1. La dame est concierge ou locataire?
2. Elle met la poubelle dehors ou dedans?
3. Sur la tête elle porte un chapeau ou un fichu?
4. Un homme la surveille d'une porte ou d'une fenêtre?
5. Il est caché derrière un rideau ou un arbre?
6. C'est un locataire de l'immeuble ou de l'hôtel?
7. Il a peur que la concierge dise tout ou fasse tout?
8. Le monsieur qui arrive est le meilleur ami de la concierge ou du locataire?
9. Il écrit des poèmes ou des romans?

Exercice 2 Qui le fait? Qui le dit?

Décidez qui le fait ou le dit. C'est la concierge, le locataire ou le visiteur?

1. Qui porte un fichu?
2. Qui est caché derrière le rideau?
3. Qui arrive à l'immeuble?
4. Qui habite l'appartement numéro trois?
5. Qui met la poubelle à côté du balai?
6. Qui a peur de la concierge?
7. Qui sait tout?
8. Qui vient rendre visite à son meilleur ami?
9. Qui surveille la concierge?
10. Qui est romancier?
11. Qui parle beaucoup?
12. Qui écrit des romans?
13. Qui a des secrets?

Exercice 3 Personnellement

Répondez.

1. Qui met la poubelle dehors chez vous?
2. Qui se sert d'un balai chez vous?
3. Mademoiselle, quand portez-vous un fichu sur la tête?
4. De quelle couleur sont les rideaux dans votre chambre?
5. Vous habitez une maison ou un immeuble?
6. Vous avez beaucoup de secrets?
7. Comment s'appelle votre meilleur(e) ami(e)?
8. Quels romans préférez-vous—les romans d'aventure, les romans historiques, les romans d'amour, les romans policiers ou les romans de science-fiction?

324

Structure

Révision du comparatif et du superlatif de *bon*

The comparative and the superlative of **bon** with **aussi** and **moins** are regular.

Ce roman-ci est aussi bon que ce roman-là.
Ce balai est moins bon que cet aspirateur (*vacuum cleaner*).
Cette chanteuse est la moins bonne du groupe.

The form with **plus,** however, is irregular.

Ce romancier français est meilleur que ce romancier anglais.
C'est la meilleure musique du continent.

Exercice 1   Angèle a une meilleure note que Paul.

Faites des comparaisons. N'oubliez pas que 20 est la meilleure note!

> aussi bon(ne) que
> moins bon(ne) que
> meilleur(e) que

Angèle 18	Raoul 15
Paul 16	Guillaume 10
Marie 15	Jeanine 10

Exercice 2   Le meilleur acteur c'est...
Utilisez une phrase complète. Dites qui vous considérez comme

1. le meilleur acteur
2. la meilleure actrice
3. la meilleure chanteuse de musique folk
4. le meilleur chanteur de musique rock
5. le meilleur groupe de musique pop

Le comparatif et le superlatif de *bien*

In comparing the adverb **bien, moins** and **aussi** may be used regularly.

Elle écrit moins bien que lui.
Vous chantez aussi bien que votre frère.
Votre sœur chante le moins bien.

Instead of **plus,** the special form **mieux** is used for *better* or *best.*

Vous chantez mieux que nous.
C'est Paul qui chante le mieux.

Exercice 3 Simone court mieux que Suzanne.

Comparez-les. Simone est très sportive; Suzanne aime les sports; Jacqueline déteste les sports. Utilisez les expressions: *moins bien que, aussi bien que, mieux que.*

1. court
2. nage
3. plonge
4. saute
5. skie

Exercice 4 Qui chante le mieux?

a. Complétez avec les noms de chanteurs ou de chanteuses.
   _____ chante aussi bien que _____ , mais _____ chante moins bien que _____ . C'est _____ qui chante le mieux.
b. Complétez avec les noms d'acteurs.
   _____ est un bon acteur, mais il est moins bon que _____ . _____ est aussi bon que _____ , mais c'est _____ qui est le meilleur.
c. Répétez le paragraphe b. avec *actrice.* Faites tous les changements nécessaires.

Le subjonctif avec des expressions d'émotion

Verbs and expressions of emotion such as joy, surprise, anger, and fear require the subjunctive.

Je regrette qu'il soit malade.
Elle s'étonne que vous le fassiez.

Here are some of the more common expressions.

avoir peur	**il est étonnant**
c'est dommage	**s'étonner**
être heureux	**être désolé** (*to be sorry*)
être content	**être surpris**
être mécontent	**regretter** (*to be sorry*)

326

Exercice 5 Je suis heureux qu'il fasse froid!

Dites si vous êtes heureux(-euse) ou désolé(e):
1. Il fait froid.
2. Il fait beau.
3. Il fait mauvais.
4. Il y a une nouvelle piscine.
5. Notre équipe perd le match.
6. Nous sommes les vainqueurs.

Le subjonctif de *pouvoir, savoir, vouloir* et *venir*

Pouvoir and **savoir** are irregular in the subjunctive. Study the following forms.

pouvoir	**que je puisse, que nous puissions**
savoir	**que je sache, que nous sachions**

Vouloir and **venir** have two subjunctive stems.

vouloir	venir
que je veuille	que je vienne
que tu veuilles	que tu viennes
qu'il/elle veuille	qu'il/elle vienne
que nous voulions	que nous venions
que vous vouliez	que vous veniez
qu'ils/elles veuillent	qu'ils/elles viennent

Note that the **nous** and **vous** forms are exactly like the imperfect.

Exercice 6 Laurent vient.
Pratiquez la conversation.

Denise Laurent vient pour Noël?

Josette Oui. Je suis désolée que Richard ne vienne pas avec lui, mais je suis contente que Laurent puisse faire le voyage.

Denise Il est étonnant que Laurent veuille venir sans son frère. Je sais qu'il n'aime pas voyager seul.

Répondez.
1. Est-ce que Josette est heureuse que Laurent vienne pour Noël?
2. Est-elle désolée que Richard ne puisse pas venir?
3. Est-ce que Denise est surprise que Laurent veuille venir seul?
4. Est-ce que Laurent veut que son frère vienne avec lui?

Exercice 7 **Diane ne vient pas à la fête. Elle va faire un voyage.**
Répondez.

1. Tu as peur que Diane ne vienne pas?
2. Tu es triste qu'elle ne soit pas à la fête?
3. Mais tu es content(e) qu'elle puisse faire le voyage?
4. Tu es surpris(e) qu'elle fasse le voyage?
5. Tu es triste qu'elle ne t'écrive pas?
6. Tu es content(e) qu'elle rentre la semaine prochaine?

Exercice 8 Répétez.
Répétez avec *je suis content(e) que.*

1. Vous y allez.
2. Vous faites le voyage.
3. Vous pouvez leur rendre visite.
4. Ginette vous accompagne.
5. Elle veut faire le voyage aussi.
6. Vous n'êtes pas seul(e).

Conversation

La musique des voisins

Eugène Qui habite l'appartement à côté de chez toi?

Sylvie Qu'est-ce que j'en sais?[*]

Eugène Tu n'as jamais vu personne y entrer ou en sortir?

Sylvie Personne! Jamais!

Eugène Je m'étonne que tu ne connaisses pas tes voisins!

Sylvie Il vaut mieux que je ne les connaisse pas!

Eugène Mais pourquoi?

Sylvie Pourquoi? Parce que j'entends leur musique nuit et jour—j'en ai marre![*]

---

[*] **Qu'est-ce que j'en sais?** *How should I know?*
[*] **j'en ai marre!** *I'm fed up with it!*

Exercice 1 Complétez.

1. Sylvie habite un _____ .
2. Elle ne connaît pas ses _____ .
3. Elle n'a jamais vu _____ entrer dans l'appartement.
4. Eugène s'étonne que Sylvie ne _____ pas ses voisins.
5. Elle dit qu'il _____ qu'elle ne les connaisse pas.
6. Nuit et jour elle entend _____ .
7. Elle en a _____ .

Exercice 2 Répondez.

**Comment expliquez-vous les réactions de Sylvie?
Elle est peu sociable? Elle déteste la musique? Trouvez-vous que Sylvie
ait raison?**

ℚecture culturelle

Hôtels? Concierges?

De nos jours deux traditions parisiennes commencent à disparaître.
Auparavant˙ il y avait à Paris beaucoup d'hôtels qui se trouvaient surtout dans les
quartiers élégants. Aujourd'hui il n'en reste que très peu.

Cela veut dire qu'il n'y a plus d'hôtels pour les touristes à Paris? Incroyable,
dites-vous? Mais non! Il y a, au contraire, beaucoup d'hôtels pour les touristes—de
toutes les catégories! Le mot «hôtel» en français signifie aussi une grande maison
privée. Beaucoup de riches familles parisiennes avaient autrefois un hôtel au centre
même˙ de la ville. Ces hôtels étaient très grands avec douze grandes pièces ou plus.
Ils étaient presque toujours entourés d'un beau jardin.

˙**Auparavant** *Before*   ˙**au centre même** *in the very center*

Malheureusement il est devenu très difficile d'entretenir* une grande maison, surtout dans une grande ville où la vie est très chère. Par conséquent on a divisé* beaucoup de ces hôtels élégants en appartements. D'autres, qui n'ont pas été divisés, sont maintenant des ambassades, des consulats ou des musées. Aujourd'hui ces édifices sont protégés comme monuments historiques.

Il y a une autre institution parisienne qui disparaît peu à peu. C'est la concierge. Autrefois tous les immeubles avaient une concierge. C'était presque toujours une femme âgée avec un chat. Elle habitait un tout petit appartement situé près de l'entrée principale. C'était elle la gardienne de l'immeuble.

Le matin elle se levait de bonne heure pour mettre les poubelles dehors. Avec son fichu sur la tête et son balai à la main elle était à la porte pour dire «au revoir» aux locataires qui sortaient. À leur retour elle était là pour leur dire «bonsoir». Si elle ne se trouvait pas à la porte même, elle était souvent à l'affût,* derrière un rideau pour mieux surveiller.

Tout le monde la craignait un peu car elle connaissait tout sur tout le monde. Les Parisiens avaient beaucoup de sobriquets* pour la concierge: tire-cordon,* pipelette.* Aujourd'hui beaucoup de Parisiens regrettent que la «pipelette» ne soit plus là. Heureusement, la concierge reste immortalisée dans les romans des grands écrivains comme Balzac, Proust et Zola.

---

*__entretenir__ *maintain*   *__divisé__ *divided*   *__à l'affût__ *in a hiding place*
*__sobriquets__ *nicknames*   *__tire-cordon__ *cord puller (cord to unlatch the door)*
*__pipelette__ *from the name of a porter in a nineteenth-century novel*

Exercice 1 Complétez.

1. Auparavant beaucoup d'hôtels se trouvaient dans les _____ de Paris.
2. Aujourd'hui il n'en reste que _____ .
3. Il y a des hôtels de toutes les catégories pour les _____ à Paris.
4. Le mot «hôtel» signifie aussi _____ .

Exercice 2 Décrivez.
Décrivez les vieux hôtels.

Dites:
1. qui les possédaient
2. où ils se trouvaient
3. combien de pièces ils avaient
4. de quoi ils étaient entourés

Exercice 3 Répondez.

1. Pourquoi était-il difficile d'entretenir ces grandes maisons?
2. En quoi est-ce qu'on les a divisées?
3. Que sont devenus certains de ces hôtels?
4. Comme quoi sont-ils considérés?

Exercice 4 Complétez.
Faites le portrait de la gardienne d'un immeuble.

1. On l'appelait une _____ .
2. C'était une _____ qui avait un _____ .
3. Elle habitait _____ situé _____ .
4. Elle se levait _____ .
5. Sur la tête elle portait _____ .
6. Elle disait _____ aux locataires qui sortaient.
7. Le soir elle leur disait _____ .
8. Elle se cachait derrière _____ pour mieux _____ les locataires.

Exercice 5 Répondez.

1. Pourquoi est-ce que tout le monde craignait la concierge?
2. Quels sobriquets est-ce qu'on avait pour elle?
3. Où la concierge reste-t-elle immortalisée?

Activités

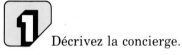 Décrivez la concierge.

- Où est-elle?
- Est-ce qu'elle porte un fichu?
- Est-ce qu'elle porte un tablier (*apron*)?
- De quelle couleur a-t-elle les cheveux?
- De quelle couleur est sa robe?
- Qu'est-ce qu'elle a à la main?
- Où est son chat?

 Expliquez.

- Expliquez pourquoi on dit d'une personne qui bavarde beaucoup: «C'est une vraie concierge!»
- Connaissez-vous une personne de qui on pourrait dire que «c'est une vraie concierge»?

3 Préparez quatre ou cinq questions sur ces photos. Vous pourriez demandez:

- combien d'étages il y a
- où il est situé
- s'il y a un jardin
- s'il est élégant

4 Une conversation

Avec un(e) camarade préparez une conversation entre la concierge et un(e) locataire. Des suggestions:

- un paquet arrive pour le (la) locataire
- la concierge sait ce qu'il y a dans le paquet
- le (la) locataire se fâche.
- un(e) locataire reçoit un visiteur
- la concierge lui pose beaucoup de questions

5 Cherchez des renseignements sur un des trois écrivains nommés dans la lecture: Honoré de Balzac (1799–1850), Marcel Proust (1871–1922), Émile Zola (1840–1902).

galerie vivante

Ah, le vieux Paris! Qu'il était charmant avec ses hôtels élégants et ses arbres verts! Au lieu d'autos, motos et autobus, qu'est-ce qu'on utilisait?

Quel contraste frappant entre le vieux et le moderne! Où choisiriez-vous votre appartement?

Comment savez-vous qu'on a divisé
ce vieil hôtel en appartements?

Il existe encore aujourd'hui quelques
concierges. Comme vous voyez, Mme Santrot
n'est pas vieille et elle ne porte pas de fichu.
Elle a son balai, mais qu'est-ce qu'elle n'a pas?

Ce n'est pas la concierge qui ouvre
la porte de cet hôtel et qui dit
bonjour et bonsoir aux locataires.
C'est le portier. Est-ce qu'il aime
son travail?

20 La voiture

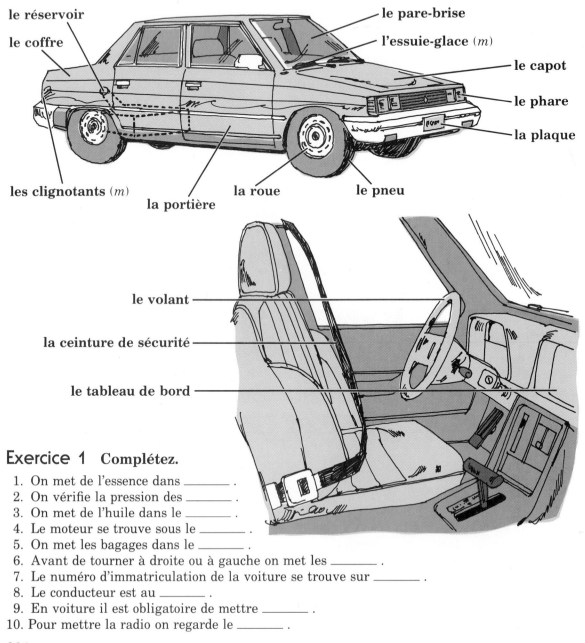

le réservoir

le coffre

le pare-brise

l'essuie-glace (*m*)

le capot

le phare

la plaque

les clignotants (*m*)

la portière

la roue

le pneu

le volant

la ceinture de sécurité

le tableau de bord

Exercice 1   Complétez.

1. On met de l'essence dans _____ .
2. On vérifie la pression des _____ .
3. On met de l'huile dans le _____ .
4. Le moteur se trouve sous le _____ .
5. On met les bagages dans le _____ .
6. Avant de tourner à droite ou à gauche on met les _____ .
7. Le numéro d'immatriculation de la voiture se trouve sur _____ .
8. Le conducteur est au _____ .
9. En voiture il est obligatoire de mettre _____ .
10. Pour mettre la radio on regarde le _____ .

Exercice 2 Personnellement

Donnez une réponse personnelle aux questions suivantes.

1. Combien de voitures est-ce qu'il y a dans votre famille?
2. Votre mère (sœur) est une bonne conductrice?
3. Le coffre de votre voiture est petit ou grand?
4. Mettez-vous toujours la ceinture de sécurité?
5. On fait le plein d'essence en super ou en ordinaire?
6. Est-ce que votre père s'arrête toujours au feu rouge? Est-ce qu'il brûle un feu rouge (*runs a red light*) quelquefois?
7. Avez-vous une bicyclette (un vélo)? Avez-vous une mobylette (*moped*)? Avez-vous une motocyclette (une moto)?
8. Voudriez-vous avoir une voiture de sport? De quelle couleur? De quelle marque?

Comme la plupart des Français, la famille Dubois a une voiture. Elle n'est pas très vieille mais elle coûte cher à entretenir parce que **l'essence** et **l'assurance** sont chères. Mais presque tous les week-ends les Dubois sortent de la ville. Bien qu'il y ait des embouteillages affreux à cause de la grande **circulation,** les Dubois cherchent la tranquillité et le vert de **la campagne.**

Exercice 3 Corrigez.

Corrigez les erreurs.

1. La plupart des Français n'ont pas de voiture.
2. La voiture des Dubois est nouvelle.
3. L'essence en France est bon marché!
4. L'assurance en France est bon marché!
5. Les Dubois ne sortent jamais de la ville.
6. Il n'y a jamais d'embouteillages sur les routes.
7. On aime l'agitation et l'activité de la campagne.

Structure

Le subjonctif des verbes *appeler, compléter, lever, prendre, boire, recevoir*

The subjunctive of the verbs **appeler, compléter, lever, prendre, boire,** and **recevoir** is irregular. The **ils/elles** form of the present is the base for all forms except the **nous** and **vous** forms, which are like the imperfect.

appeler	ils appellent	que j'appelle
		que nous appelions
		que vous appeliez
compléter	ils complètent	que je complète
		que nous complétions
		que vous complétiez
lever	ils lèvent	que je lève
		que nous levions
		que vous leviez
prendre	ils prennent	que je prenne
		que nous prenions
		que vous preniez
boire	ils boivent	que je boive
		que nous buvions
		que vous buviez
recevoir	ils reçoivent	que je reçoive
		que nous recevions
		que vous receviez

Exercice 1   Il insiste pour que je prenne...

Changez *je* en *nous*.

a. Il insiste pour que je prenne du vin, mais il vaut mieux que je ne boive que de l'eau.

Changez *ils* en *vous*.

b. Est-il vrai qu'ils se lèvent à sept heures et qu'ils reçoivent des visites à sept heures et demie?

Changez *nous* en *je*.

c. Elle demande que nous venions demain, mais il est impossible que nous appelions les enfants avant mardi.

338

Exercice 2 Tu crois que le motard va me donner une contravention?

Complétez avec la forme convenable du verbe.

— Tu crois que le motard va me donner une contravention?
— Ah, oui, mon vieux! Tu viens de brûler un stop!
— Tu crois qu'il faut qu'on _____ (appeler) papa?
— Non! Ça m'étonnerait que tu _____ (recevoir) une contravention. Tu as de la chance!

Le subjonctif avec des conjonctions subordonnées

Certain conjunctions that introduce a clause require the subjunctive.

On quitte la ville <u>bien qu'il y ait</u> <u>des problèmes.</u>	*They leave the city although there are (may be) problems.*
Il sort la voiture <u>sans que son</u> <u>père le sache.</u>	*He is taking out the car without his father's knowing it.*

The following conjunctions also require the subjunctive.

avant que	*before*	**pour que (afin que)**	*in order that*
à moins que	*unless*	**bien que**	*although*
jusqu'à ce que	*until*	**sans que**	*without*

Exercice 3
Répondez.

1. Irez-vous à la campagne bien qu'il fasse mauvais?
2. Irez-vous en voiture bien qu'il y ait beaucoup de circulation?
3. Attendrez-vous jusqu'à ce qu'il y ait moins d'embouteillages?
4. Prendrez-vous l'autoroute pour que votre amie puisse arriver plus vite?
5. Conduirez-vous pendant la nuit à moins que votre père soit très fatigué?

Exercice 4 Pourquoi le professeur enseigne-t-il?
Complétez.

Il enseigne pour que ses élèves...
1. apprendre beaucoup
2. être intelligents
3. pouvoir discuter intelligemment
4. parler bien le français
5. être cultivés
6. réussir dans la vie
7. avoir une bonne préparation pour l'université

Exercice 5 Le pauvre Thomas!
Complétez.

— On ira à la plage samedi?
— Oui, on ira à moins qu'il _____ (faire) froid.
— On y va sans que Thomas le _____ (savoir), n'est-ce pas?
— Ah, oui! Nous irons sans Thomas afin que nous _____ (pouvoir) rester dans le bungalow.
— Pauvre Thomas! Il faut que je te le _____ (dire), bien qu'il _____ (être) ton frère. Il... euh...
— Moi aussi! Il me tape sur les nerfs! (*He's a pain in the neck!*)

Exercice 6 Personnellement
Complétez ces phrases comme vous voudrez.

1. Mes parents me donnent de l'argent pour que je _____ .
2. Nous irons à la plage à moins qu'il _____ .
3. J'apprendrai bien les verbes avant que le professeur _____ .
4. J'aime bien mes profs bien qu'ils _____ .
5. Je vais acheter ce disque sans que _____ .

Le subjonctif avec des expressions de doute

Expressions such as **il est certain, il est vrai, je pense,** and **je crois** express what the speaker believes to be a fact. Therefore they are followed by the indicative. In the negative or interrogative, however, these expressions require the subjunctive because the speaker is in doubt about the information in the clause.

Indicative	*Subjunctive*
Il est certain qu'elle va à la fête.	**Il n'est pas certain qu'elle aille à la fête.**
	Est-il certain qu'elle aille à la fête?
Il est sûr que le prof dira oui.	**Il n'est pas sûr que le prof dise oui.**
	Est-il sûr que le prof dise oui?
Il est vrai que le climat est agréable.	**Il n'est pas vrai que le climat soit agréable.**
	Est-il vrai que le climat soit agréable?
Je crois que Madeleine sort avec Henri.	**Je ne crois pas que Madeleine sorte avec Henri.**
	Crois-tu que Madeleine sorte avec Henri?
Je pense que Noëlle va à Cannes.	**Je ne pense pas que Noëlle aille à Cannes.**
	Pensez-vous que Noëlle aille à Cannes?

Note that the expression **douter que** requires the subjunctive because it indicates doubt.

Je doute que Liliane sache son adresse.

Exercice 7 Au négatif
Récrivez au négatif (*Il n'est pas...*).

1. Il est certain que la concierge sait son adresse.
2. Il est sûr qu'elle peut vous donner des indications.
3. Il est vrai qu'elle sait l'adresse de tous ses anciens locataires.
4. Il est certain qu'elle vient avec vous.
5. Je pense qu'elle connaît bien le quartier.

Exercice 8 Il n'est pas vrai qu'il fasse...
Complétez.

Il n'est pas vrai qu'il _____ (faire) toujours froid sur ces montagnes. Il n'est pas certain qu'il y _____ (avoir) assez de neige. Je doute que nous _____ (être) bien installés dans ce chalet. Il faut que nous _____ (être) plus positifs, n'est-ce pas?

Exercice 9 Je crois que...
Répétez au négatif.

Je crois que cette route-là est meilleure. Gaston pense qu'elle est trop longue. Il est sûr que la N 15 va directement au village. Moi, je suis certain qu'elle va près du lac. Je suis sûr que nous trouverons le village sans difficulté.

Exercice 10 La voiture de Monique
Suivez le modèle.

Je pense que la voiture de Monique est
    trop vieille.
*Penses-tu que la voiture de Monique soit
    trop vieille?*

1. Je pense que Monique conduit bien.
2. Je pense qu'elle sait conduire une motocyclette.
3. Je pense qu'elle a assez d'assurance.
4. Je crois qu'elle va à la campagne en voiture.
5. Je crois qu'elle invite Richard et sa sœur.

Conversation

Sans me vanter! [*]

Chantal   Tu as terminé tes leçons de conduite?

Denise   Oui, mercredi. Demain je vais passer l'examen.

Chantal   Tu as peur?

Denise   Et comment! [*] Bien que je sache toutes les règles, et bien que je comprenne tous les panneaux, je suis très anxieuse.

Chantal   Ne t'en fais pas! Ce n'est pas demain ta dernière chance!

Denise   Oh, je le sais, bien, mais...

Chantal   Il n'y a pas de quoi avoir honte, [*] tu sais. Moi qui suis super intelligente, je l'ai repassé trois fois!

Exercice 1   Répondez.

1. Qui a terminé les leçons de conduite?
2. Quand est-ce qu'elle les a terminées?
3. Est-il certain que Denise reçoive son permis de conduire?
4. De quoi est-ce qu'elle a peur?
5. Comment est-ce que Chantal essaie de la calmer?
6. Qui se croit super intelligente?

Exercice 2   Il faut savoir...

Qu'est-ce qu'il faut savoir pour obtenir son permis? Continuez la liste.

Il faut savoir:
1. conduire
2. tourner à gauche
3. garer la voiture

---

[*] **Sans me vanter**   *With all due modesty!*   [*] **Et comment!**   *And how!*   [*] **Il n'y a pas de quoi avoir honte**   *There's nothing to be ashamed of*

ℚecture culturelle

En route!

La France est un pays de voitures! Au total il y a plus de quatorze millions de voitures privées et commerciales en France. Tous les Français souhaitent posséder une voiture. Bien que la plupart des ménages* en aient une, il est assez rare qu'une famille française en ait deux!

Les Français utilisent leurs voitures surtout pour les loisirs. Les gens qui habitent les villes aiment partir à la campagne pour le week-end. Le dimanche soir il y a des embouteillages sur les autoroutes françaises. Comme tout le monde rentre de la campagne à la même heure, il y a souvent des bouchons* à l'entrée des villes.

Bien que presque tous les Français aient une voiture, elle coûte très cher à entretenir. L'essence en France coûte deux fois plus cher qu'aux États-Unis. Les péages sur les autoroutes et les assurances sont aussi plus chers. Comme aux États-Unis les assurances pour les jeunes conducteurs coûtent plus cher que pour les adultes.

---

* **ménages** *households*   * **bouchons** *bottlenecks*

344

    À quel âge les jeunes Français peuvent-ils obtenir leur permis de conduire? Il faut qu'ils atteignent* l'âge de la majorité—dix-huit ans. C'est pareil dans toute la France. La loi* ne change pas d'une province à l'autre.

    Avant de recevoir le permis de conduire il faut passer un examen qui dure deux heures. Il y a un examen écrit sur le code de la route et un autre examen pratique d'une heure de conduite. C'est un examen assez difficile. Il faut avoir beaucoup de chance pour obtenir le permis de conduire la première fois. En effet beaucoup de personnes repassent cet examen deux fois avant de recevoir leur permis. Il y en a même quelques-uns qui doivent le repasser plusieurs fois.

    En France il est défendu d'apprendre à conduire dans une voiture privée. Il est obligatoire de suivre des cours de conduite dans une auto-école pour avoir son permis. Bien qu'ils reçoivent cet entraînement intensif, les conducteurs français sont un peu plus agressifs que les conducteurs de beaucoup d'autres pays.

    S'il faut que les jeunes Français atteignent l'âge de dix-huit ans pour conduire une voiture, vont-ils à pied ou à bicyclette avant cet âge? Non, pas exactement. La loi leur permet de conduire une mobylette à l'âge de quinze ans. À partir de dix-sept ans ils peuvent conduire une motocyclette.

***atteignent** *reach*   ***loi** *law*

Exercice 1 Complétez.

1. Il y a plus de _____ de voitures en France.
2. La plupart des ménages français ont une _____ .
3. Il est rare qu'on en _____ deux.
4. Les Français utilisent leurs voitures pour les _____ .
5. Le week-end les gens qui habitent les villes partent à la _____ .
6. Le dimanche soir il y a des _____ sur les autoroutes.
7. Les _____ , les _____ et l'_____ sont plus chers en France qu'aux États-Unis.

Exercice 2 Le permis de conduire
Préparez quatre ou cinq phrases où vous discutez de:

1. l'âge
2. l'examen (combien d'heures, combien de parties, la difficulté)
3. les cours de conduite

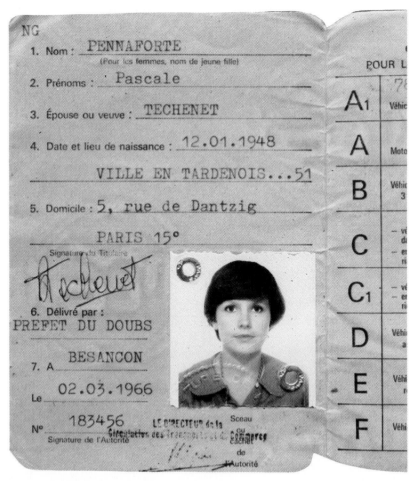

Exercice 3 Les jeunes ne vont pas à pied!
Que font les jeunes Français pour ne pas aller à pied?

Activités

1 Dessinez une voiture. Nommez toutes les parties de la voiture, à l'intérieur et à l'extérieur.

2 Comparez la façon d'obtenir un permis de conduire en France et chez vous.

- l'âge
- où et comment on apprend
- l'examen qu'il faut passer
- la difficulté de l'examen
- combien de fois on le repasse

3 Expliquez la signification de chaque panneau. Choisissez:

a. Virage à droite dangereux
b. Circulation dans les deux sens
c. Interdiction de tourner à droite
d. Passage pour piétons

e. Interdiction de tourner à gauche
f. Vitesse limitée à 50 km/h
g. Annonce de feux tricolores
h. Descente dangereuse

4 Comment est-ce que la France se compare avec d'autres pays européens dans le domaine de la sécurité routière?

Nombre de victimes (pour 100 000 conducteurs)	
Espagne	13.6
Suisse	19.3
Allemagne	23.0
France	23.5
Italie	25.9
Belgique	28.5

- Quels sont les pays qui ont moins de victimes de la route que la France? Quels sont les pays qui en ont plus?

1.

2.

3.

4.

5.

6.

7.

8.

galerie vivante

Si vous voyez une lumière bleue, si vous entendez des sirènes, arrêtez-vous et cédez le passage à ce véhicule. Quel véhicule? Il y a en quatre. Le rouge s'appelle une pompe à incendie. Nommez les trois autres.

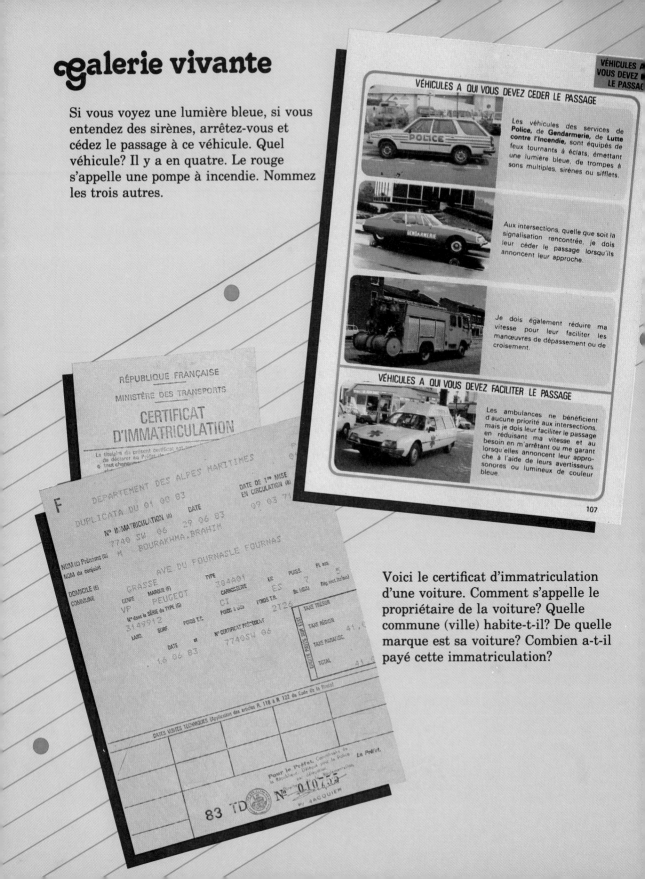

VÉHICULES A QUI VOUS DEVEZ CÉDER LE PASSAGE

Les véhicules des services de **Police**, de **Gendarmerie**, de **Lutte contre l'Incendie**, sont équipés de feux tournants à éclats, émettant une lumière bleue, de trompes à sons multiples, sirènes ou sifflets.

Aux intersections, quelle que soit la signalisation rencontrée, je dois leur céder le passage lorsqu'ils annoncent leur approche.

Je dois également réduire ma vitesse pour leur faciliter les manœuvres de dépassement ou de croisement.

VÉHICULES A QUI VOUS DEVEZ FACILITER LE PASSAGE

Les ambulances ne bénéficient d'aucune priorité aux intersections, mais je dois leur faciliter le passage en réduisant ma vitesse et au besoin en m'arrêtant ou me garant lorsqu'elles annoncent leur approche à l'aide de leurs avertisseurs sonores ou lumineux de couleur bleue.

107

RÉPUBLIQUE FRANÇAISE

MINISTÈRE DES TRANSPORTS

CERTIFICAT D'IMMATRICULATION

Voici le certificat d'immatriculation d'une voiture. Comment s'appelle le propriétaire de la voiture? Quelle commune (ville) habite-t-il? De quelle marque est sa voiture? Combien a-t-il payé cette immatriculation?

Inscription ....

Leçon de conduite

Test audio-visuel à 13h et 18h tous les jours

166 F
103 F
42 F

```
Auto-École LAURISTON
     G. SILVAIN
69, Rue  Lauriston,  69
75116 PARIS - Tél. 553-35-51
```

à fournir :

1 photocopie carte
       d'identité

3 photos

1 timbre fiscal à 50 f + 5 f

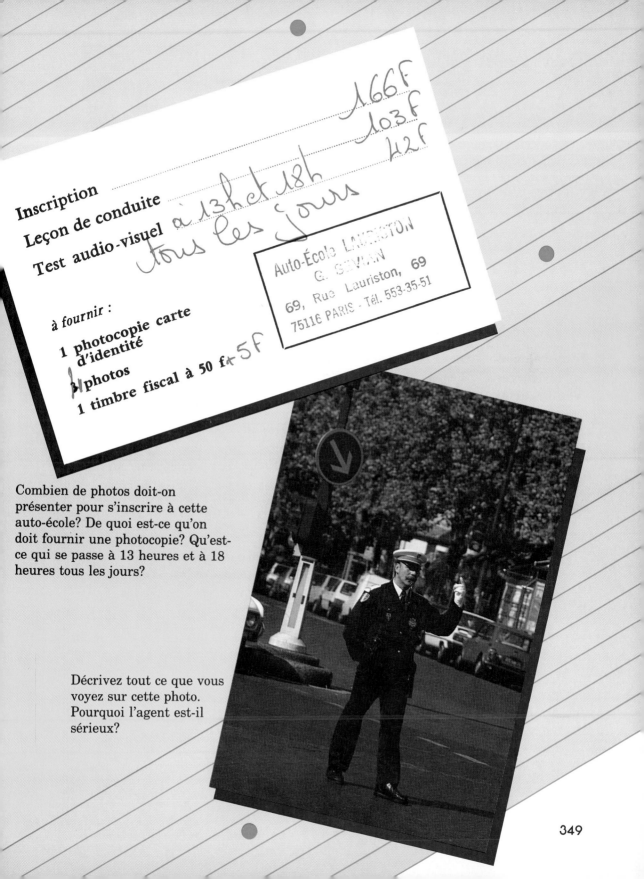

Combien de photos doit-on présenter pour s'inscrire à cette auto-école? De quoi est-ce qu'on doit fournir une photocopie? Qu'est-ce qui se passe à 13 heures et à 18 heures tous les jours?

Décrivez tout ce que vous voyez sur cette photo. Pourquoi l'agent est-il sérieux?

Révision

Tours contre Nantes

Jean-François	On va au match de foot demain?
Georges	Bien sûr! À moins qu'il fasse mauvais.
Jean-François	Quelles équipes vont jouer?
Georges	Tu ne le sais pas? C'est Tours contre Nantes—les deux meilleures—pour la Coupe de France.
Jean-François	Ah, c'est vrai! Tu as invité Lucille?
Georges	Oui, je l'ai invitée hier soir. Gisèle va nous accompagner aussi?
Jean-François	Je doute qu'elle y aille. Elle a quelque chose à faire. Je crois que c'est l'anniversaire de sa mère.
Georges	Dommage! Je la trouve mignonne.˚
Jean-François	On aura la voiture de ton père?
Georges	Bien sûr! Il me l'a promise il y a deux semaines. Mais il a hésité avant de dire oui—elle est toute neuve,˚ tu sais!

Exercice 1 Complétez.

1. Jean-François et Georges vont au match de foot à moins qu'il fasse _____ .
2. Georges est surpris que Jean-François ne sache pas quelles _____ vont jouer.
3. Tours et Nantes ont les _____ équipes.
4. On va jouer pour la _____ de France.
5. Jean-François doute que Gisèle y aille parce que c'est _____ de sa mère.
6. Georges trouve que Gisèle est _____ .
7. Georges est sûr qu'il aura la voiture de son père parce qu'il la lui a _____ il y a deux semaines.
8. Le père de Georges a hésité un peu parce que la voiture est _____ .

˚**mignonne** *cute*   ˚**toute neuve** *brand-new*

Le subjonctif

The subjunctive mood of verbs is used in a dependent clause and expresses obligation, doubt, necessity, emotion, or opinion. The subjunctive indicates that the information may or may not be true. It may or may not happen.

The subjunctive is formed on the base of the **ils/elles** form of the present tense. The endings are as follows: **-e, -es, -e, -ions, -iez, -ent.**

Infinitive	**finir**	
Stem	finiss~~ent~~	
Subjunctive	que je finisse	que nous finissions
	que tu finisses	que vous finissiez
	qu'il/elle finisse	qu'ils/elles finissent

Infinitive	**attendre**	
Stem	attend~~ent~~	
Subjunctive	que j'attende	que nous attendions
	que tu attendes	que vous attendiez
	qu'il/elle attende	qu'ils/elles attendent

Infinitive	**parler**	
Stem	parl~~ent~~	
Subjunctive	que je parle	que nous parlions
	que tu parles	que vous parliez
	qu'il/elle parle	qu'ils/elles parlent

Certain expressions of obligation, necessity, or possibility require the use of the subjunctive.

il faut	**il vaut mieux**
il est nécessaire	**il est possible**
il est important	**il est impossible**

Il faut que Mme Benoît choisisse un vol.
Il vaut mieux que tu vendes ce tacot.

Exercice 2 À l'école

Suivez le modèle.

Elle finit ses devoirs. **Il faut**
Il faut qu'elle finisse ses devoirs.

1. Elle étudie les mathématiques. **Il faut**
2. Elle parle au professeur. **Il est nécessaire**
3. Elle choisit un cours d'histoire. **Il est possible**
4. Elle réussit aux examens. **Il est important**
5. Elle attend le professeur de musique. **Il est possible**
6. Elle prépare ses devoirs ce soir. **Il vaut mieux**

Verbes irréguliers au subjonctif

Review the following irregular subjunctive forms.

dire	**que je dise**	dormir	**que je dorme**
écrire	**que j'écrive**	partir	**que je parte**
lire	**que je lise**	servir	**que je serve**
avoir	**que j'aie, que nous ayons**	sortir	**que je sorte**
être	**que je sois, que nous soyons**		
faire	**que je fasse, que nous fassions**		
pouvoir	**que je puisse, que nous puissions**		
savoir	**que je sache, que nous sachions**		

Exercice 3 Est-il possible?

Répondez.

1. Est-il possible qu'il n'y ait plus de concierges?
2. Est-il impossible que cette dame soit une concierge?
3. Est-il possible qu'elle ait un chat?
4. Faut-il qu'elle sorte la poubelle?
5. Est-il possible qu'elle soit la gardienne de l'immeuble?
6. Vaut-il mieux que nous partions sans lui parler?

Le subjonctif avec des expressions de volonté et de jugement

Review the following expressions of judgment that require the subjunctive.

il convient	il est essentiel
il est bon (bien)	il est juste
il est convenable	il est temps

Il est bon que tu lises en français.
Il est temps que Martine parte en vacances.

Verbs of wishing, wanting, and preferring also require the subjunctive.

désirer	aimer
souhaiter	aimer mieux
vouloir	préférer
avoir envie	

Exercice 4 Martine part en vacances.
Suivez le modèle.

Martine part en vacances. **Il est temps**
Il est temps que Martine parte en vacances.

1. Elle a le temps de faire un voyage. **Il est bon**
2. Elle a quinze jours de vacances en hiver. **Il est juste**
3. Elle fait du ski. **Il est bon**
4. Elle écrit des cartes postales. **Il convient**
5. Elle descend dans cet hôtel. **Il est convenable**
6. Elle s'amuse un peu. **Il est juste**

Exercice 5 Un conducteur débutant
Suivez le modèle.

Je dois étudier le code de la route?
Oui, je veux que tu étudies le code de la route.

1. Je dois téléphoner à l'école de conduite?
2. Je dois sortir tôt le matin?
3. Je dois connaître le code de la route?
4. Je dois faire attention aux panneaux?
5. Je dois passer l'examen de conduite?
6. Je dois être un bon conducteur?

Le subjonctif des verbes irréguliers

Review the following verbs in the subjunctive.

aller	que j'aille, que nous allions
vouloir	que je veuille, que nous voulions
venir	que je vienne, que nous venions
appeler	que j'appelle, que nous appelions
compléter	que je complète, que nous complétions
lever	que je lève, que nous levions
prendre	que je prenne, que nous prenions
boire	que je boive, que nous buvions
recevoir	que je reçoive, que nous recevions

Il faut que tu saches toutes les règles.
Il est important que Thomas vienne immédiatement.

Exercice 6 Je ne veux pas!
Répétez le monologue. Substituez *vous* à *tu*.

— Non, je ne veux pas que tu prennes le volant. Mais je préfère que tu lèves un peu le siège. J'aime mieux que tu ne sois pas fatigué parce que je souhaite que tu puisses m'accompagner au concert plus tard. J'aimerais que tu connaisses ce nouveau groupe de musique rock.

Le subjonctif avec des expressions d'émotion et de doute

Expressions of emotion such as surprise, sorrow, and regret require the subjunctive.

s'étonner	être content	être triste
il est étonnant	être mécontent	c'est dommage
être surpris	regretter	avoir peur
être heureux	être désolé	

Thomas regrette que tu ne viennes pas.
Il est étonnant que Marcelle ne réussisse pas.

Expressions of doubt require the subjunctive also. Note that expressions such as **penser que** and **croire que** require the subjunctive in the negative and the interrogative only.

il n'est pas sûr	est-il sûr?
il n'est pas certain	est-il certain?
il n'est pas vrai	est-il vrai?
ne pas penser	penses-tu? (pense-t-il, etc.)
ne pas croire	crois-tu? (croit-il, etc.)
douter	

Je doute que mon père soit là.
Penses-tu que le prof nous comprenne?

Exercice 7 J'ai peur que...
Complétez.

a. — De quoi as-tu peur?
— J'ai peur que la voiture _____ (être) trop vieille.
— Vraiment? Je regrette que tu ne _____ (pouvoir) pas prendre la voiture neuve. Mais je suis contente que tu _____ (vouloir) m'accompagner.

b. — Je suis surprise qu'elle _____ (aller) à Haïti maintenant.
— Pourquoi?
— Il est étonnant qu'elle ne _____ (savoir) pas qu'il y fait très chaud en juillet.

Le subjonctif avec des conjonctions subordonnées

Review the following conjunctions that require the subjunctive.

bien que   **jusqu'à ce que**
avant que   **pour que**
à moins que   **sans que**

Elle lit la lettre de Pierre sans qu'il le sache.
Nous allons à la plage bien qu'il fasse mauvais.

Exercice 8 Complétez.

a. — Allons à la plage, veux-tu?
— On y va bien qu'il _____ (faire) mauvais?
— Oui, à moins que la voiture _____ (tomber) en panne.
— Les autres viennent aussi?
— Je crois que oui. Jouons aux cartes jusqu'à ce qu'ils _____ (venir).

b. — On sort ce week-end?
— Bien entendu, à moins qu'il _____ (faire) froid.
— À quelle heure faut-il que nous _____ (partir)?
— Avant que Marie _____ (venir) et sans que les enfants nous _____ (entendre).

Le comparatif et le superlatif de *bon* et de *bien*

Review the comparative and the superlative forms of the adjective **bon** and the adverb **bien.**

	Comparative	*Superlative*
bon	**meilleur(e)**	**le (la) meilleur(e)**
bien	**mieux**	**le mieux**

Il danse mieux que moi.
Christine est la meilleure élève de la classe.

Exercice 9 Un beau voyage

Lisez le paragraphe.

— Tu as visité plusieurs îles des Caraïbes, Hélène?
— Bien sûr! J'ai choisi le meilleur itinéraire.
— On dit qu'Haïti est le pays le plus pauvre de l'hémisphère. C'est vrai?
— Oui, mais les Haïtiens sont les meilleurs hôtes—les plus charmants des îles.
— Ils font de belles sculptures en acajou, n'est-ce pas?
— Ah, oui! Ce sont les Haïtiens et les Africains qui sculptent sur bois le mieux du monde.

Répondez d'après le paragraphe.

1. Quelles îles est-ce qu'Hélène a visitées?
2. Elle a choisi quel itinéraire?
3. Quel pays est le plus pauvre de l'hémisphère?
4. Qui sont les meilleurs hôtes?
5. Qui sont les plus charmants des îles?
6. Qui sculpte sur bois le mieux du monde?

ꟼecture culturelle

supplémentaire

La mode parmi les jeunes

Autrefois on pouvait penser que les jeunes Français s'habillaient d'une façon beaucoup plus formelle que nous. Aujourd'hui ce n'est plus vrai. Autrefois les garçons portaient une chemise, une cravate, un pantalon et aussi une veste quand ils allaient à l'école. Les filles portaient une jupe, une blouse et une veste. Mais que portent-ils aujourd'hui?

Si vous voulez savoir comment les jeunes Français s'habillent aujourd'hui, pourquoi ne parlons-nous pas avec Eugénie et Didier? Eugénie a seize ans et elle habite rue la Fontaine à Paris. Didier a dix-sept ans et il habite rue du Chien-qui-fume à Lyon.

La mode d'autrefois...

et d'aujourd'hui

Eugénie	Vous me demandez comment nous nous habillons en France. J'ai très envie de vous répondre. Mais franchement, j'ai peur de le faire parce que la mode en France change très vite.
Didier	Tu as raison, Eugénie. Mais je crois qu'on peut généraliser un peu. Le blue-jean est très à la mode—pour les filles et pour les garçons.
Eugénie	Ah, oui, oui. Bien sûr. Tu as raison. Aujourd'hui tout est unisex.
Didier	Si nous ne portons pas de blue-jean, nous portons un pantalon en toile˚ ou en coton délavé.˚
Eugénie	C'est ça. Un pantalon avec un tee-shirt, une chemise ou une blouse. Quand il fait plus froid nous mettons un pull en laine˚ ou un sweat-shirt en molleton.˚
Didier	Et si j'ai encore froid, je mets un blouson en cuir˚ ou une «doudoune».˚
Eugénie	Voilà! Comme le déclare la publicité dans nos magazines: C'est la mode sympa au quotidien.˚

Comme le disent bien Eugénie et Didier, la mode change très vite. Mais quand la mode change en France, elle change aussi aux États-Unis. De nos jours il y a très peu de différence entre les goûts des jeunes Français et les goûts des jeunes Américains ou des jeunes Japonais.

Exercice 1 Répondez.

1. Autrefois que portaient les garçons quand ils allaient à l'école?
2. Que portaient les filles?
3. Où habite Eugénie?
4. Où habite Didier?
5. Pourquoi est-ce qu'Eugénie hésite à décrire la mode parmi les jeunes?

Exercice 2 La mode
Faites deux listes des éléments suivants: ceux qui sont à la mode et ceux qui ne sont pas à la mode.

1. les blue-jeans
2. les robes
3. les vêtements unisex
4. les vestes
5. les tee-shirts
6. les pulls
7. les cravates
8. les blousons
9. les sweat-shirts
10. les jupes élégantes
11. le coton délavé

˚**toile** *(linen or cotton) fabric*   ˚**délavé** *faded*   ˚**laine** *wool*
˚**molleton** *soft cotton, like the lining of a sweatshirt*   ˚**cuir** *leather*
˚**«doudoune»** *(colloq.) down jacket*   ˚**quotidien** *everyday*

ℚecture culturelle

supplémentaire

À la teinturerie

Le client	Je voudrais faire nettoyer* mon costume, s'il vous plaît.
L'employée	D'accord, monsieur.
Le client	J'ai une tache* sur mon pantalon. Pouvez-vous l'enlever?*
L'employée	Avec quoi l'avez-vous taché?
Le client	Avec de la graisse.
L'employée	Oui, je peux essayer de vous l'enlever.
Le client	Et je voudrais faire laver et repasser* ce pull et ces deux chemises, sans amidon.*
L'employée	Je ne peux pas laver ce pull, monsieur. Il va rétrécir.*
Le client	Ah, oui! Alors un nettoyage à sec.*
L'employée	D'accord, monsieur.
Le client	Quand dois-je venir reprendre mes vêtements?
L'employée	Dans trois jours, monsieur.

Exercice   Répondez.

1. Qu'est-ce que le client veut faire nettoyer?
2. Qu'est-ce qu'il y a sur le pantalon?
3. Avec quoi l'a-t-il taché?
4. Qu'est-ce que le client veut faire laver et repasser?
5. Veut-il qu'on lave les chemises avec ou sans amidon?
6. Pourquoi l'employée ne peut-elle pas laver le pull?
7. Quand le client peut-il reprendre ses vêtements?

***faire nettoyer** *to have cleaned*   ***tache** *stain*   ***enlever** *remove*   ***faire... repasser** *to have pressed*   ***amidon** *starch*   ***rétrécir** *shrink*   ***nettoyage à sec** *dry cleaning*

21 Chez le médecin

Vocabulaire

la malade   l'ordonnance   le médecin

l'infirmier   l'infirmière   la fièvre

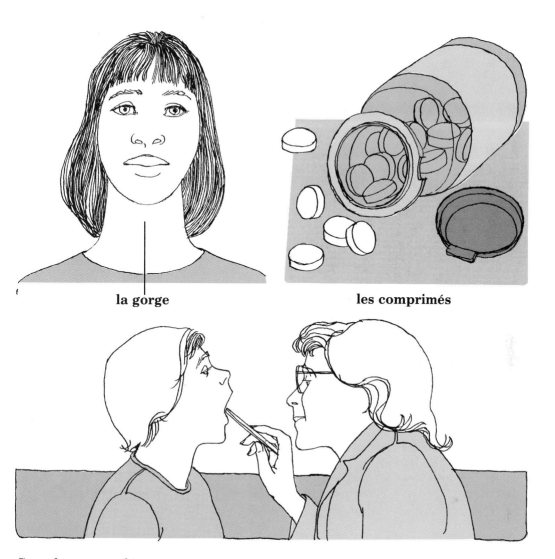

la gorge　　　**les comprimés**

Gérard ne va pas bien.
Il est malade.
Il a de la fièvre.
Il a mal à la gorge.
Il **ouvre** la bouche.

Exercice 1　Dans le cabinet du médecin
Répondez d'après l'illustration.

1. Qui ne va pas bien?
2. Comment est-il?
3. Qu'est-ce qu'il ouvre?
4. Est-ce que le médecin examine sa gorge?
5. Est-ce que le médecin lui donne une ordonnance?
6. Est-ce qu'elle veut que Gérard prenne des comprimés?

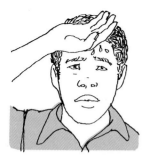

transpirer

tousser

respirer

remonter la manche

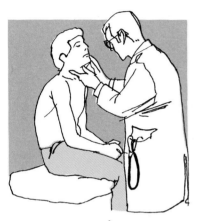

examiner

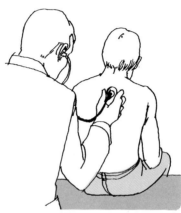

ausculter les poumons

prendre la tension

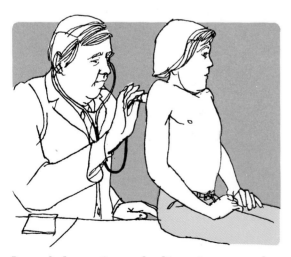

Le malade respire profondément pour que le médecin puisse lui asculter les poumons.

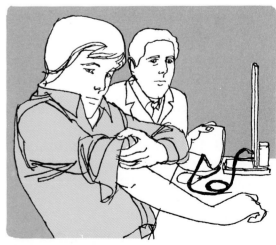

Il remonte la manche avant que le médecin lui prenne la tension.

Exercice 2 Le pauvre Gérard!
Complétez d'après l'illustration.

1. Il a de la _____ .

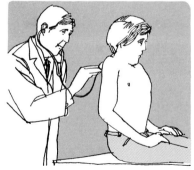

5. Il a _____ profondément.
6. Le médecin lui a ausculté les _____ .

2. Il a mal à _____ .

7. Gérard a _____ la manche.

3. Il a ouvert la _____ .
4. Le médecin lui a examiné la _____ .

8. Le médecin lui a pris la _____ .

Exercice 3 Complétez.

1. Gérard ouvre la bouche pour que le médecin puisse...
2. Il respire profondément pour que le médecin puisse...
3. Il remonte la manche pour que le médecin puisse...

Structure

L'infinitif après les prépositions

You have been using the infinitive form of the verb in several constructions. Review the following.

Elle va s'amuser ce week-end.
Je veux faire un pique-nique.
Ils peuvent sortir maintenant.
Nous aimons danser avec eux.
Elle vient d'ouvrir la lettre.

The form of the verb after a preposition in French must be the infinitive. Study the following.

Elle étudie sans parler.   *She studies without speaking.*
Il nous a téléphoné avant de   *He phoned us before leaving.*
partir.
Nous étudions beaucoup pour   *We study a lot in order to receive*
recevoir de bonnes notes.   *good marks.*

Exercice 1 Elle est sérieuse.
Suivez le modèle.

Elle fait ses devoirs. Ensuite elle regarde la télé.
Elle fait ses devoirs avant de regarder la télé.

1. Elle fait ses devoirs. Ensuite elle écoute des disques.
2. Elle fait ses devoirs. Ensuite elle téléphone à ses amis.
3. Elle fait ses devoirs. Ensuite elle sort.
4. Elle fait ses devoirs. Ensuite elle s'amuse.
5. Elle fait ses devoirs. Ensuite elle lit un bouquin intéressant.

Exercice 2   Nous étudions pour...
Suivez le modèle.

Nous étudions parce que nous voulons apprendre.
Nous étudions pour apprendre.

1. Nous étudions parce que nous voulons réussir.
2. Nous étudions parce que nous voulons recevoir de bonnes notes.
3. Nous étudions parce que nous voulons être intelligents.
4. Nous étudions parce que nous voulons être admis à l'université.
5. Nous étudions parce que nous voulons gagner de l'argent.

Exercice 3   Mais avant...
Complétez avec la forme convenable du verbe.

— On va au concert demain, n'est-ce pas?
— Ah, oui. Mais avant d'y _____
    (aller), il faut que j' _____ (aller) chez Jeanne.
— Tu ne peux rien faire sans lui en _____ (parler)?
— Oh, ce n'est pas pour ça! C'est pour lui _____ (rendre) les
    disques qu'elle m'a prêtés.

Infinitif ou subjonctif

All of the expressions that you have learned that take the subjunctive can also
be followed by an infinitive. They are followed by an infinitive when there is no
change of subject in the sentence. When there is a change of subject, however, the
subjunctive must be used.

One subject	*Change of subject*
Elle préfère aller chez le médecin.	**Elle préfère que tu ailles chez le médecin.**
Le médecin veut te prendre la tension.	**Le médecin veut que l'infirmière te prenne la tension.**
Il faut aller chez le médecin.	**Il faut que Janine aille chez le médecin.**

Exercice 4   Répondez que *Oui.*

1. Est-ce que maman veut dormir?
2. Est-ce qu'elle veut que tu dormes?
3. Est-ce que ton frère préfère sortir?
4. Est-ce qu'il préfère que tu sortes avec lui?
5. Est-ce que Thomas veut faire un appel téléphonique?
6. Est-ce que Thomas veut que tu fasses un appel téléphonique pour lui?
7. Est-ce que tu as envie de venir avec nous?
8. Est-ce que Suzanne a envie que tu viennes avec nous?

Exercice 5 Qu'est-ce qu'ils veulent?
Suivez le modèle.

Ils veulent que tu y ailles.
Justement, je veux y aller.

1. Ils veulent que tu fasses le voyage.
2. Ils veulent que tu ailles avec eux.
3. Ils veulent que tu conduises la Renault.
4. Ils veulent que tu prennes le train avec eux.

Exercice 6 Complétez.

Qu'est-ce que tu préfères?
Je préfère...

1. aller à la librairie
2. m'acheter un bouquin
3. prendre quelque chose au café
4. rentrer chez moi
5. lire mon nouveau bouquin

Exercice 7 Complétez.

Qu'est-ce que tu veux qu'ils fassent?
Je veux qu'ils...

1. sortir
2. prendre un taxi
3. aller au cinéma
4. dîner au restaurant
5. venir chez moi

Exercice 8 Il faut rentrer.
Complétez avec la forme convenable du verbe.

— Il faut _____ (rentrer) tout de suite?
— Ah, oui! Il faut que nous _____ (rentrer) avant cinq heures.
  Georges veut _____ (aller) en ville.
— Il veut que nous y _____ (aller) avec lui?
— Oui. Il préfère que nous _____ (choisir) le cadeau pour Monique.

Les verbes irréguliers *offrir* et *ouvrir*

The verbs **offrir** (*to offer*) and **ouvrir** (*to open*) are irregular. Although their infinitives end in **-ir,** they are conjugated like regular **-er** verbs in the present tense.

Infinitive	offrir	ouvrir
Present	j'offre tu offres il/elle offre nous offrons vous offrez ils/elles offrent	j'ouvre tu ouvres il/elle ouvre nous ouvrons vous ouvrez ils/elles ouvrent
Passé composé	j'ai offert	j'ai ouvert

The other tenses of **offrir** and **ouvrir** are regular. Verbs like **offrir** and **ouvrir** are the following:

> **couvrir** (*to cover*)
> **découvrir** (*to discover*)
> **souffrir** (*to suffer*)
> **je couvre, j'ai couvert**
> **je découvre, j'ai découvert**
> **je souffre, j'ai souffert**

Exercice 9 Est-elle ouverte?

Complétez avec la forme convenable du verbe donné.

a. *ouvrir*
   — Veux-tu _____ un peu la fenêtre, s'il te plaît?
   — Mais elle est déjà _____ !
   — _____-la encore un peu, veux-tu?

b. *découvrir*
   — Qu'est-ce que Christophe Colomb a fait?
   — C'est lui qui a _____ l'Amérique.
   — Alors, c'est lui qui a _____ le Nouveau Monde.

c. *offrir*
   — Qu'est-ce que tu vas _____ à Gisèle pour son anniversaire?
   — Je ne sais pas encore. Mais je refuse de lui _____ un disque ou un bouquin.
      C'est ce que je lui ai _____ l'an dernier!

d. *souffrir*
   — Ah, le pauvre! Il a beaucoup _____ ! Il va toujours mal?
   — Oui, il _____ terriblement hier quand je l'ai vu.

Conversation

Dans le cabinet du médecin

M. Colasse	Bonjour, docteur.
Le docteur	Bonjour, M. Colasse. Où avez-vous mal?
M. Colasse	Oh, j'ai mal à la gorge. J'ai mal à la tête. Hier soir je n'ai pas pu dormir. J'ai toussé toute la nuit.
Le docteur	Avez-vous de la température?
M. Colasse	Je crois que oui. J'ai beaucoup transpiré.
Le docteur	Ouvrez la bouche, s'il vous plaît, pour que je puisse examiner votre gorge. Ah, oui! Elle est très rouge. Maintenant je vais vous ausculter les poumons. Respirez profondément.
M. Colasse	Oh, là, là! Comme je suis malade!
Le docteur	Oui, mais ce n'est pas grave. Vous avez une bonne grippe,˚ et une angine.˚ Vous êtes allergique à la pénicilline?
M. Colasse	Non, je ne le crois pas.
Le docteur	Alors, je vais vous donner une ordonnance. Vous pouvez la faire exécuter˚ chez le pharmacien. Je veux que vous preniez trois comprimés par jour—matin, midi et soir.
M. Colasse	Je ne vais pas mourir?
Le docteur	Non, non. Ne vous inquiétez pas. Remontez votre manche, s'il vous plaît. Avant que vous partiez, je veux vous prendre la tension. Quatorze/huit. C'est normal!

Exercice Répondez.

1. Qui est malade?
2. Où a-t-il mal?
3. Pourquoi n'a-t-il pas pu dormir?
4. Pourquoi pense-t-il qu'il a de la fièvre?
5. Pourquoi ouvre-t-il la bouche?
6. Pourquoi respire-t-il profondément?
7. Qu'est-ce qu'il a?
8. Où peut-il faire exécuter l'ordonnance?
9. Pourquoi remonte-t-il sa manche?

˚**grippe** *flu*   ˚**angine** *throat infection*   ˚**la faire exécuter** *have it filled*

ꝙecture culturelle

Le système médical en France

Il y a quelques différences entre le système médical en France et celui des États-Unis. Je me souviens* que la dernière fois que j'étais en France j'ai attrapé* une bonne grippe. J'avais mal à la gorge et j'avais de la fièvre. J'ai demandé à un ami de téléphoner à son médecin pour me fixer rendez-vous.*

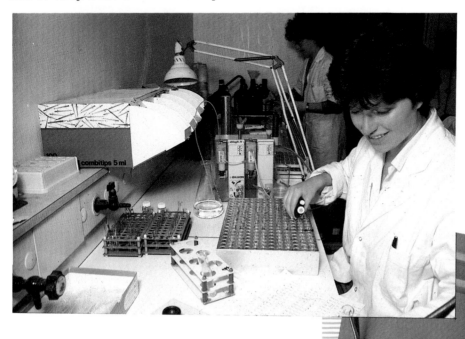

Il lui a téléphoné et il m'a dit que le médecin pourrait me voir à quinze heures.

Tout de suite j'ai commencé à me préparer pour aller au cabinet du médecin.

— Qu'est-ce que tu fais? m'a demandé mon ami.

— Je me lave et je m'habille pour aller chez le médecin. Je ne peux pas y aller sans m'habiller.

— Est-ce que tu es fou? Tu as de la fièvre. Tu ne vas pas à son cabinet. Il va venir ici.

— Il va venir ici? Incroyable!

Incroyable mais vrai. En France les médecins de médecine générale ont bien

---

je me souviens *I remember*   *attrapé* *caught*   *fixer rendez-vous* *make an appointment*

sûr un cabinet où ils reçoivent les malades. Mais de plus, les médecins visitent volontiers leur clientèle.

En France, comme aux États-Unis, il y a de grands hôpitaux avec l'équipement le plus moderne. Mais beaucoup de chirurgiens en France ont des cliniques privées. Certains malades choisissent d'aller dans une clinique. Ils pensent que la clinique est plus confortable. Toutes les chambres sont individuelles et les heures de visite ne sont pas très rigides. Et les malades peuvent choisir leur menu! La clinique ressemble plus à un hôtel qu'à un hôpital.

La Sécurité sociale paie quatre-vingts pour cent des frais° d'hôpital. Mais qu'est-ce qui se passe si le malade décide d'aller dans une clinique privée? La Sécurité sociale le remboursera aussi. Mais le malade ne recevra pas plus que ce qu'il paierait s'il était dans un hôpital.

Exercice 1 Répondez.

1. Quelle maladie est-ce que l'auteur a attrapée?
2. Où avait-il mal?
3. Avait-il de la température?
4. Qui a téléphoné au médecin?
5. Qu'est-ce que l'auteur a commencé à faire?
6. Pourquoi son ami était-il surpris?

°**frais** *expenses*

Exercice 2 Décidez.

**Est-ce qu'on parle d'une clinique française ou d'un hôpital américain?
Répondez d'après la lecture.**

1. Les malades choisissent leur menu.
2. Les heures de visite sont assez rigides.
3. Toutes les chambres sont individuelles.
4. Le menu est très limité.
5. Il y a peu de chambres individuelles.
6. Cela ressemble plus à un hôtel.

Exercice 3 Répondez.

1. Qu'est-ce qui paie la plupart des frais d'hôpital?
2. Est-ce que la Sécurité sociale rembourse les frais d'une clinique privée?
3. Est-ce que le malade recevrait autant que ce qu'il paierait dans un hôpital?

Activités

1 Est-ce qu'un membre de votre famille souffre ou a souffert d'une des maladies suivantes? Remplissez le schéma.

	OUI	NON	QUI
allergies	☐	☐	____
arthrite	☐	☐	____
asthme	☐	☐	____
une maladie cardiaque	☐	☐	____
bronchite	☐	☐	____
pneumonie	☐	☐	____
appendicite	☐	☐	____

2 Vous avez un ami qui a la grippe. Quels sont ses symptômes?

3 Décrivez tout ce que vous voyez dans le dessin.

galerie vivante

Nous savons que Mme Girard est docteur parce qu'elle porte un stéthoscope. Que voyez-vous dans cette photo qui pourrait vous indiquer sa spécialité?

Voici une ordonnance, sans aucun doute! Évidemment les médecins français, comme tous les médecins du monde, adoptent une écriture complètement illisible! Où habite le docteur Vial? Quelles maladies est-ce qu'il traite?

DOCTEUR ROBERT VIAL
DERMATOLOGUE

LAUREAT DE LA FACULTE DE MEDECINE DE PARIS
DIPLÔME DU C.E.S. NATIONAL DE DERMATOLOGIE
ANCIEN INTERNE DES HÔPITAUX DE NÎMES
MEMBRE DE LA SOCIETE FRANÇAISE DE DERMATOLOGIE

MALADIES DE LA PEAU ET DU CUIR CHEVELU
GREFFE DE CHEVEUX
VEINES - VARICES

SUR RENDEZ-VOUS
TEL. : 38-13-63

RÉSIDENCE « LUTÈCE »
ROND-POINT DUBOYS-D'ANGERS

CANNES, LE 8|6|85

Le médicament qu'on voit ici est en forme de gélule. Une aspirine est un comprimé. Un nourrisson est un tout petit bébé. Est-il nécessaire de savoir lire le français pour comprendre le mode d'administration de ce médicament?

Pour l'adulte et l'enfant :
● soit avaler la gélule avec une gorgée de liquide (une gélule s'avale plus facilement qu'un comprimé), soit la croquer.

Pour le nourrisson :
● Prendre la précaution d'ouvrir la gélule au-dessus des aliments ou du biberon : le mélange ne doit pas être effectué à une température trop élevée.

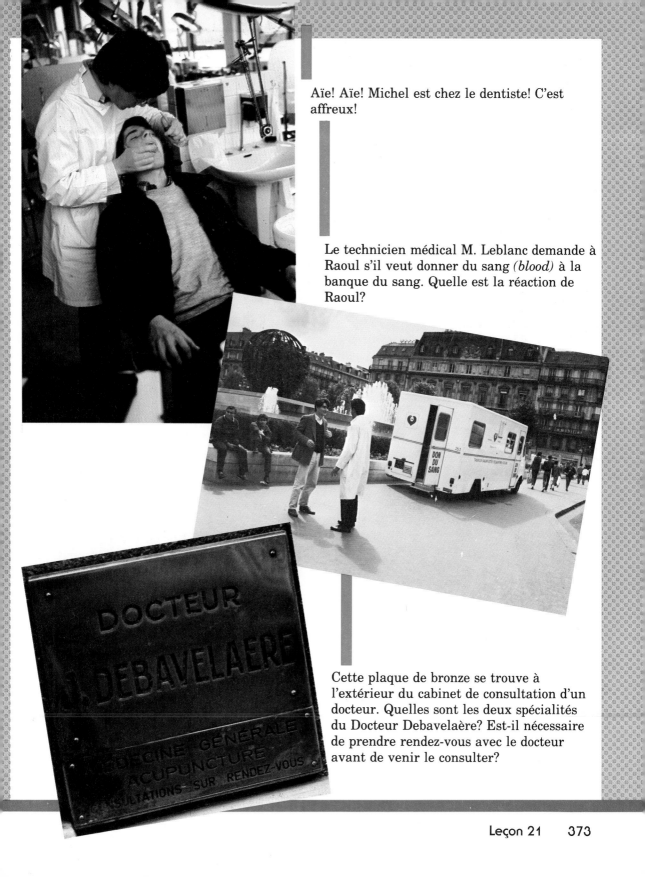

Aïe! Aïe! Michel est chez le dentiste! C'est affreux!

Le technicien médical M. Leblanc demande à Raoul s'il veut donner du sang *(blood)* à la banque du sang. Quelle est la réaction de Raoul?

Cette plaque de bronze se trouve à l'extérieur du cabinet de consultation d'un docteur. Quelles sont les deux spécialités du Docteur Debavelaère? Est-il nécessaire de prendre rendez-vous avec le docteur avant de venir le consulter?

22 Le savoir-vivre

vocabulaire

Ce garçon est mal **élevé.**
Il est **impoli.**

Ce garçon est bien élévé.
Il est **poli.**

Les amis ont **rendez-vous.**

Les garçons **se serrent** la main.

Les filles **s'embrassent.**
Elles s'embrassent sur les **joues.**

374

Prénom: _____Claudine_____

Nom de famille: _____Chevalier_____

tutoyer dire **tu** à quelqu'un
vouvoyer dire **vous** à quelqu'un

Exercice 1 Les amis
Répondez.

1. Est-ce que les amis ont rendez-vous?
2. Qui se serre la main?
3. Qui s'embrasse?
4. Comment s'embrassent-elles?
5. Quel est le prénom de Madame Chevalier?

Exercice 2 Complétez.

1. Ce type n'est jamais poli. Il est très _____ .
2. Mais son frère, au contraire, n'est jamais impoli. Il est très _____ .
3. Quand il a _____ , il arrive toujours à l'heure exacte.
4. Il serre la _____ à ses amis.
5. Il _____ ses amies sur les joues.

Note

Many expressions dealing with courtesy and politeness are cognates.

la formalité	le signe d'intimité
la société	la sociabilité
les manières	respecter
la politesse (poli, impoli)	professionnel, -elle

Exercice 3 Give a related word.

1. le respect
2. intime
3. formal
4. social
5. la profession
6. poli
7. signaler

Structure

Les interrogatifs indirects *ce qui* et *ce que*

You have already learned the interrogative expressions for *What . . . ?* **Qu'est-ce qui** is used as the subject of the question, and **Qu'est-ce que** as the object of the question. Study the examples below.

	Question	*Indirect question*
Subject	**Qu'est-ce qui se passe?**	**Je ne sais pas ce qui se passe.**
Object	**Qu'est-ce que vous dites?**	**Je sais ce que vous dites.**

Note that the **ce qui** or **ce que** of the question is used to introduce the indirect question *what*. **Ce qui** is used as the subject of the indirect question and **ce que** is used as the object of the indirect question.

You will use **ce que** much more frequently than **ce qui,** just as you use **Qu'est-ce que** more frequently than **Qu'est-ce qui.** Remember, however, the two common expessions that use **ce qui.**

> **Je sais ce qui se passe.**
> **Dis-moi ce qui est arrivé.**

Exercice 1 Paul ne sait pas.
Complétez avec *ce qui* ou *ce que*.

— Qu'est-_____ se passe là-bas?
— Paul ne sait pas _____ se passe.
— Qu'est-_____ on chante?
— Paul ne sait pas _____ on chante.
— Pauvre Paul! Il ne sait pas grand-chose.

Exercice 2 Juliette ne comprend pas.
Complétez avec *ce qui* ou *ce que*.

— Juliette ne comprend pas _____ elle lit. Et toi? Tu comprends _____ tu lis?
— Non, moi non plus. Je ne comprends pas _____ je lis.
— Et les cousins de Juliette? Est-ce qu'ils comprennent _____ ils lisent?
— Non, eux non plus ne comprennent pas _____ ils lisent.
— Quels ignorants!

Exercice 3 Je ne sais pas, moi.
Répondez avec *je ne sais pas* et *ce qui* ou *ce que*.

1. Qu'est-ce qui est arrivé?
2. Qu'est-ce que Louise veut?
3. Qu'est-ce qu'elle a dit?
4. Qu'est-ce qu'elle a trouvé?
5. Qu'est-ce qui fait ce bruit?
6. Qu'est-ce qui est tombé?

Exercice 4 Dis-moi!
Suivez le modèle. Employez *ce qui* ou *ce que*.

Le docteur fait quelque chose.
Dis-moi ce que le docteur fait.

1. Quelque chose se passe là-bas.
2. Le docteur a dit quelque chose.
3. Mme Dupuy a écrit quelque chose.
4. Quelque chose est arrivé.
5. Tout le monde a crié quelque chose.

Le pronom interrogatif *lequel*

You have already studied the interrogative adjective **quel** (*which, what*). Like most adjectives, **quel** has four forms. Review the following.

> **À quel lycée va-t-elle?**
> **Quels garçons invites-tu?**
> **Quelle fille a répondu?**
> **Quelles maisons sont nouvelles?**

The forms of the interrogative pronoun **lequel** (*which one*) are very similar to the forms of the adjective **quel.**

Tu vois ce magasin?	**Lequel?**
Ces garçons sont mes amis.	**Lesquels?**
Une de ces filles est très jolie.	**Laquelle?**
J'aime bien ces filles.	**Lesquelles?**

A form of **lequel** may also be used with a preposition.

> **Il bavarde avec une étudiante.**
> **Avec laquelle est-ce qu'il bavarde?**
> **Dans quelles villes va-t-il séjourner?**
> **Dans lesquelles va-t-il séjourner?**

Exercice 5 Lequel est poli?
Posez une question avec la forme convenable de *lequel.*

Cet enfant est mal élevé.
Ah, oui? Lequel?

1. Ce garçon est bien élevé.
2. Ces filles sont charmantes.
3. Ces messieurs sont peu polis.
4. Cette dame a du savoir-vivre.
5. Cet homme est un professionnel.
6. Cette femme est mon amie.

Exercice 6   Laquelle a-t-il aimée?
Formez des questions avec la forme convenable de *lequel*.

1. Il a aimé une pièce.
2. Ils ont admiré ces danseuses.
3. Tu as salué un professeur.
4. Elle a embrassé une dame.
5. Vous avez appelé ces vieux.

Exercice 7   Dans laquelle...?
Complétez avec la forme convenable de *lequel*.

— Gabrièle et Annette sont au Mexique. Elles ont déjà visité deux villes.
— Dans _____ sont-elles maintenant?
— Elles sont à Cancún, mais ce n'est pas leur ville préférée.
— Ah, non! _____ ont-elle aimée?
— Elles ont beaucoup aimé Acapulco. Toi, _____ est-ce que tu aurais aimée?
— Je ne sais pas. Dans _____ se trouvent les meilleurs hôtels?
— Oh, il y en a partout!

onversation

Une présentation

Robert	Je voudrais connaître cette fille.
Étienne	Laquelle?
Robert	La rousse.
Étienne	C'est une de mes meilleures amies. Tu ne la connais pas?
Robert	Non, je n'ai jamais fait sa connaissance.
Étienne	Jacqueline, je voudrais te présenter mon ami, Robert. Robert, Jacqueline Duclos. Jacqueline, Robert Martin.
Robert	Enchanté, Jacqueline.
Jacqueline	Enchantée, Robert.

Exercice   Répondez.

1. Qui veut être présenté à une fille?
2. À quelle fille est-ce qu'il veut être présenté?
3. Est-ce qu'Étienne connaît bien cette fille?
4. Est-ce qu'Étienne fait la présentation?
5. Comment s'appelle la fille?

ʠecture culturelle

La politesse française

Dans toutes les sociétés du monde il existe des règles de politesse que l'on doit adopter si l'on veut avoir de bonnes manières. Voilà ce qu'on appelle le savoir-vivre! Quelles règles de politesse est-ce qu'il faut utiliser pour ne pas paraître° mal élevé en France?

Ce qui est intéressant, c'est qu'en général les Français sont plus cérémonieux que les Américains. Par exemple, quand un Français rencontre un ami, ils se serrent toujours la main, même s'ils sont de très bons amis. Ce ne sont pas seulement les adultes qui se serrent la main. Les jeunes le font également quand ils se rencontrent.

Les Français s'embrassent aussi. Une femme embrassera une autre femme ou un homme. Une personne embrasse l'autre sur les joues. Cependant les embrassades marquent un signe d'intimité ou de parenté.° Dans le nord du pays les hommes ne s'embrassent jamais, mais dans le sud les hommes s'embrassent très volontiers comme en Espagne, en Italie ou en Grèce.

Quand on dit «bonjour», «au revoir» ou «merci» à quelqu'un, on ajoute toujours «madame», «mademoiselle» ou «monsieur». Si on ne l'ajoutait pas, ce serait moins poli. Si la personne est docteur ou avocat, on emploie le titre: «Bonjour, docteur», «Au revoir, maître.»

L'emploi des noms est aussi différent en France. Aux États-Unis on a l'habitude d'employer tout de suite le prénom d'une personne qu'on vient de rencontrer. En France cela ne se fait pas. Les Français utilisent plutôt le nom de famille. Par exemple, les voisins qui se connaissent mais qui ne sont pas intimes, n'emploient jamais leurs prénoms quand ils se parlent. Les jeunes n'emploient jamais le prénom avec une personne plus âgée sauf en cas de parenté ou d'intimité.

°**paraître** *appear*　　°**parenté** *kinship*

Ce qui est aussi très important en France c'est l'emploi de «tu» et de «vous»—le tutoiement et le vouvoiement. On ne doit jamais tutoyer:

> un professeur
> un patron ou une patronne
> une personne plus âgée
> un(e) commerçant(e)
> une personne qu'on ne connaît pas très bien

Autrefois les enfants vouvoyaient même leurs parents. Mais actuellement les gens tutoient plus facilement. La plupart des enfants tutoient leurs parents. On tutoie aussi les bons amis. Les jeunes se tutoient toujours quand ils se parlent.

Il existe en France aussi des règles de ponctualité. Lesquelles de ces règles faut-il respecter? Si les Français ont un rendez-vous d'affaires,* ils arrivent toujours à l'heure exacte. S'ils sont invités chez des parents ou chez des amis, il est permis d'y arriver un quart d'heure en retard. En ce qui concerne les rendez-vous avec des amis ou des parents, les résultats d'un sondage récent en Europe indiquent que ce sont les Français qui reçoivent ou qui sont reçus chez des amis le plus souvent.

Exercice 1 Expliquez.

1. Qu'est-ce que c'est que le savoir-vivre?
2. Qu'est-ce qu'il faut savoir pour ne pas paraître mal élevé en France?

Exercice 2 Corrigez.

1. Les Américains sont plus cérémonieux que les Français.
2. Les Français ne se serrent jamais la main.
3. Seulement les adultes se serrent la main.
4. Les femmes embrassent seulement les femmes.
5. On s'embrasse sur les lèvres.
6. Les hommes dans le nord s'embrassent très volontiers.
7. Il est poli de dire «bonjour» et «au revoir» sans rien ajouter.

Exercice 3 L'emploi des noms

1. Comparez l'emploi des prénoms en France et aux États-Unis.
2. Qui est-ce que vous appelez par son prénom?
3. Qui est-ce que vous appelez toujours par son nom de famille?

Exercice 4 Complétez.

1. «Tutoyer» signifie _____.
2. «Vouvoyer» signifie _____.
3. Aujourd'hui les enfants _____ leur parents.
4. On tutoie _____.
5. Les Français arrivent à l'heure exacte à un _____.
6. Chez des parents et des amis il est permis d'arriver _____.

---

d'affaires *business*

Activités

1 On va décider si Gaby est bien élevée ou mal élevée.

	Bien	Mal
• Elle se lève quand une personne plus âgée entre.	☐	☐
• Elle ne regarde jamais la personne avec qui elle parle. Elle regarde toujours le plancher.	☐	☐
• Quand elle voit une personne âgée dans l'autobus, elle lui offre toujours sa place.	☐	☐
• Elle fait beaucoup de bruit quand elle mange.	☐	☐
• Elle ne parle pas avec des mots. Elle fait des bruits.	☐	☐
• Elle dit toujours «merci» quand quelqu'un lui donne quelque chose ou fait quelque chose pour elle.	☐	☐

2 In the United States if someone asks us if we would like something, we answer either "Yes, please" or "No, thank you."

In France, people also answer «s'il vous plaît» or «merci». But note that French people omit the «oui» or «non».

Offer things to your classmates and then answer in French.

3 Regardez les photos. D'après vous, est-ce que les amis sur chaque photo sont français ou américains?

galerie vivante

David et Henri sont étudiants à la Sorbonne. Après les cours ils se disent au revoir. Comment savez-vous qu'ils sont français?

Madame Clément et Madame Paquet sont voisines; ce sont de très bonnes amies. Quand elles se rencontrent devant la banque, que font-elles?

Le savoir-vivre est important dans toutes les relations humaines. Il faut savoir se comporter à la maison et dans les lieux publics. Le bon goût et le tact ne sont jamais démodés. Décrivez ce que vous voyez sur ces deux photos.

Les Français aiment bien les fleurs! Évidemment Janine va en acheter. C'est pour une fête chez elle? Ou va-t-elle en envoyer un bouquet pour remercier ses hôtes du week-end?

23 À la ferme

une ferme

un fermier

une étable

la grange

le tracteur

le matériel agricole

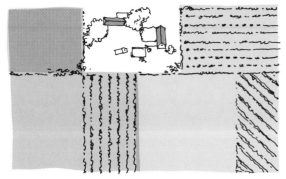

Les Beauchamp ont une ferme de 20 **hectares.**

Un **agriculteur** travaille la terre.

Le fermier **entrepose** son tracteur et son matériel agricole dans la grange.

Il se lève au **lever du soleil.**

Il se couche au **coucher du soleil.**

dur   rigoureux, difficile
La vie d'un agriculteur est dure.

Exercice 1 La ferme des Beauchamp
Répondez.

1. Combien d'hectares est-ce qu'il y a?
2. Quels bâtiments est-ce qu'il y a?
3. Qu'est-ce qu'il y a dans l'étable?
4. Où est-ce que le fermier entrepose son tracteur?
5. Qu'est-ce qu'il entrepose d'autre dans la grange?
6. La ferme a combien d'«acres» américains? (1 hectare = 2,47 «acres»)

Exercice 2 Complétez.

1. Un _____ travaille la terre.
2. Il se lève _____.
3. Il se couche _____.
4. Sa vie n'est pas facile. Elle est _____.

Exercice 3 Personnellement
Répondez.

1. Vous connaissez un fermier?
2. Avez-vous déjà visité une ferme? Où ça?
3. Quels bâtiments est-ce qu'il y a dans cette ferme?
4. Quels animaux est-ce qu'il y a—des vaches, des chevaux, des moutons, des poules, des cochons?
5. Avez-vous envie de conduire un tracteur? Pourquoi?

Si sa **récolte** est bonne, le fermier reçoit beaucoup d'argent. Il peut payer ses **frais.** Mais, si la récolte est mauvaise, au contraire, il ne gagne pas assez d'argent pour payer ses frais.

Voilà deux granges.
Celle-ci est nouvelle. **Celle-là** est vieille.

Dans la grange il y a deux tracteurs.
Celui-ci est nouveau. **Celui-là** est vieux.

Exercice 4 Répondez.

1. Qu'est-ce qui se passe si la récolte est bonne?
2. Qu'est-ce qui se passe si la récolte est mauvaise?
3. Est-ce qu'un fermier a beaucoup de frais?
4. Qu'est-ce qui influe sur (*influence*) la récolte:

le soleil	l'âge du fermier
l'âge du tracteur	la taille de la grange
la pluie	la culture (*cultivation*) fréquente

Structure

Les pronoms démonstratifs

Review the forms of the demonstrative adjectives (*this, that, these, those*) in French.

ce fermier	**ces fermiers**
cet agriculteur	**ces agriculteurs**
cette grange	**ces granges**

As you know, **-ci** or **-là** may be added for clarity.

Cette étable-ci est moderne.
Ces tracteurs-là sont vieux.

Study the forms of the demonstrative pronouns.

	Singular	*Plural*
Masculine	**celui**	**ceux**
Feminine	**celle**	**celles**

Voilà deux fermiers.
Celui-ci est M. Fauvet et celui-là est son voisin. — *This one is Mr. Fauvet and that one is his neighbor.*

Voilà deux fermes.
Celle-ci est à M. Fauvet et celle-là est à son voisin. — *This one is Mr. Fauvet's and that one is his neighbor's.*

Celle de M. Fauvet a une grange et celle de son voisin a deux granges. — *Mr. Fauvet's has one barn and his neighbor's has two barns.*

Note that **celui, celle(s)**, or **ceux** are not used alone. They are qualified by something else, such as **-ci** or **-là**.

Celui, celle(s), or **ceux** are often used with the preposition **de** to show possession or origin.

J'aime les fraises du Mexique mais je préfère celles d'Israël.

Exercice 1 Les préférences
Répondez avec une forme de *celui.*

1. Voici quelques cassettes. Laquelle voulez-vous?
2. Voici quelques livres. Lequel voulez-vous?
3. Voici quelques magazines. Lequel voulez-vous?
4. Voici quelques photos. Lesquelles préférez-vous?
5. Voici quelques garçons. Lesquels connaissez-vous?
6. Voici quelques filles. Lesquelles connaissez-vous?

Exercice 2 Deux fermes

Il n'y a pas de différence entre la ferme de M. Fauvet et celle de son voisin. Répondez.

1. La ferme de M. Fauvet a une grange. Et celle de son voisin?
2. Les étables de M. Fauvet sont propres. Et celles de son voisin?
3. Les champs de M. Fauvet produisent beaucoup. Et ceux de son voisin?
4. La grange de M. Fauvet est moderne. Et celle de son voisin?
5. Le tracteur de M. Fauvet marche bien. Et celui de son voisin?

Exercice 3 Ceux-ci, près du village

Répétez la conversation. Substituez *fermes* à *champs*.

— Quels champs va-t-on visiter?
— Ceux-ci près du village et aussi ceux-là sur la N 15.
— Lesquels sont les plus productifs?
— Moi, je dirais ceux-ci.
— Ah, oui? Je crois que le syndicat (*union*) agricole considère ceux-là comme les plus productifs. Ils sont beaucoup plus grands!

Expressions comme *demander à quelqu'un de*

The expression **demander à quelqu'un de faire quelque chose** (*to ask someone to do something*) requires **à** before the person and **de** before the verb.

> **Le fermier a demandé à sa femme de chercher la vache.**
> **Les agriculteurs demandent au gouvernement de les aider.**
> **Il lui a demandé de l'aider.**

Note that an indirect object pronoun is used to replace **à** and the name of the person.

The following verbs function in a similar way.

dire à quelqu'un de
défendre (*to forbid*) **à quelqu'un de**

permettre à quelqu'un de
promettre à quelqu'un de

Exercice 4 Elle m'a promis de...
Qu'est-ce que Brigitte t'a promis?

1. acheter un cadeau
2. envoyer une invitation
3. inviter Charles à la fête
4. servir quelque chose de très bon
5. jouer ses nouveaux disques

Exercice 5 Je lui ai dit de...
Suivez le modèle.

Lève-toi!
Qu'est-ce que tu as dit à Jean?
Je lui ai dit de se lever.

1. Assieds-toi!
2. Lis le livre!
3. Parle français!
4. Téléphone!
5. Appelle Suzanne!
6. Viens!

Exercice 6 On leur a permis de...
Dites si le ministre de l'Agriculture a permis ou a défendu aux fermiers de faire les choses suivantes. Utilisez des phrases complètes.

1. planter des arbres
2. construire une grange
3. élever des vaches
4. acheter des chevaux
5. vendre des cochons

Exercice 7 Personnellement
Répondez.

1. Qu'est-ce que vos parents vous défendent de faire en semaine?
2. Qu'est-ce qu'ils vous permettent de faire pendant le week-end?
3. Qu'est-ce que vos copains vous demandent de faire le samedi?
4. Qu'est-ce que vous demandez à vos copains de faire le samedi?
5. Qu'est-ce que votre mère vous demande de faire dans votre chambre?
6. Qu'est-ce que vous avez promis à votre mère/votre père de faire ce week-end?

La vie à la campagne

La vie des agriculteurs en France, comme dans le monde entier, suit le lever et le coucher du soleil. Ils se lèvent tôt et se couchent tôt pour profiter des heures de soleil pour travailler leur terre.

La plupart des agriculteurs français sont des propriétaires-exploitants. Ceux-ci sont des agriculteurs qui sont eux-mêmes° les propriétaires de la terre qu'ils cultivent. Il y a aussi des fermiers qui louent° la terre qu'ils cultivent. Généralement le propriétaire de cette terre habite en ville et il n'a rien à voir° avec la ferme. Le fermier qui loue la terre est le propriétaire de la récolte. Les ouvriers agricoles sont des gens qui sont employés par un propriétaire-exploitant ou un fermier. Ils reçoivent un salaire pour leur travail.

°**eux-mêmes** *themselves*   °**louent** *rent*   °**n'a rien à voir** *has nothing to do*

La famille Fauvet est une famille d'agriculteurs. Ils ont une ferme à quelques kilomètres de Soual dans le sud-ouest de la France. La ferme de M. Fauvet, un propriétaire-exploitant, n'est pas très grande. Il a quinze hectares, mais pas d'un seul tenant.* Il possède ici un petit champ et, à trois ou quatre kilomètres au nord, un autre champ. Ces petits champs isolés s'appellent des îlots.

La vie est assez dure pour la famille Fauvet. Ils habitent une petite maison qui est entourée d'une grange, d'une étable et d'un garage où M. Fauvet entrepose le matériel. M. Fauvet travaille la terre du matin au soir. Après le dîner, comme la plupart des familles rurales, les Fauvet regardent la télévision. En semaine seule Solange, la fille cadette,* reste à la maison. Gilbert, âgé de dix-sept ans, et Marie-Thérèse, âgée de quinze ans, font leurs études dans un lycée à Albi. Ils sont

---

***d'un seul tenant**   *in one piece*   ***cadette**   *youngest*

internes et ils ne rentrent chez eux qu'à la fin de chaque semaine. Gilbert et Marie-Thérèse, comme beaucoup d'enfants de fermiers, disent que la vie d'agriculteur ne les intéresse pas. Ils veulent aller en ville quand ils termineront leurs études.

Les agriculteurs d'une petite exploitation ont beaucoup de problèmes économiques. Le revenu n'est pas suffisant pour couvrir les frais nécessaires à la bonne exploitation de la terre. Beaucoup de petits exploitants doivent s'endetter° pour acheter des tracteurs et du matériel agricole moderne. Les agriculteurs vendent très bon marché leur récolte à des intermédiaires. Certaines années, quand la récolte n'est pas bonne, le gain est inférieur aux frais investis. Quelquefois il est nécessaire que les agriculteurs demandent au gouvernement de les aider. Ce sont les raisons pour lesquelles les enfants ne sont pas très tentés° par la vie à la campagne.

° **s'endetter** *to go into debt*   ° **tentés** *tempted*

Exercice 1 Le soleil

Discutez de l'importance du soleil dans la vie d'un agriculteur.

Exercice 2 Identifiez.

Il y a trois catégories d'agriculteurs français:

des propriétaires-exploitants

des fermiers

des ouvriers agricoles

Lesquels est-ce que la phrase décrit?

1. Il reçoit un salaire.
2. Les agriculteurs sont les propriétaires.
3. Ils sont employés par un fermier.
4. Ils louent la terre qu'ils cultivent.
5. Ils sont les propriétaires des terres qu'ils cultivent.
6. Le propriétaire de ces terres habite en ville.
7. C'est le propriétaire de la récolte.
8. Ils travaillent la terre pour un propriétaire-exploitant.

Exercice 3 Complétez.

1. M. Fauvet est un _____.
2. La ferme des Fauvet se trouve dans le _____.
3. Les quinze hectares sont divisés en deux petits _____.
4. La maison des Fauvet est entourée d'une _____, _____ et _____.
5. Les familles rurales _____ après le dîner.

Exercice 4 Un portrait

Décrivez Gilbert et Marie-Thérèse Fauvet.

1. Quel âge ont-ils?
2. Où font-ils leurs études?
3. Quand rentrent-ils à la ferme?
4. Quelles sont leurs ambitions?
5. Pourquoi est-ce qu'ils ne veulent pas devenir agriculteurs?

Exercice 5 Les problèmes des agriculteurs

Pourquoi les agriculteurs d'une petite exploitation ont des problèmes économiques? Répondez.

1. Qu'est-ce qui est insuffisant?
2. Pourquoi est-ce qu'ils s'endettent?
3. À qui est-ce qu'ils vendent leur récolte très bon marché?
4. Quand est-ce que le gain est inférieur aux frais investis?
5. À qui est-ce qu'ils demandent de les aider?

Activités

1 Le langage des animaux

la vache — Meuh!

le canard — Coin-coin!

le chat — Miaou!

l'âne — Hi-han!

le dindon — Glouglou!

le chien — Ouâ! Ouâ!

l'oiseau — Cui-cui!

le cochon — Groin! Groin!

le mouton — Bê!

le coq — Cocorico!

2 La vie à la ferme

- Voudriez-vous habiter une ferme? Donnez des raisons pour et contre.

- Préféreriez-vous une ferme française ou une ferme américaine? Pourquoi?

3 Décrivez la ferme dans le dessin.

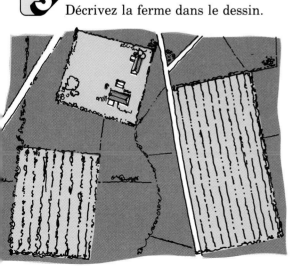

ᴄɢalerie vivante

M. Fauvet travaille la terre du matin au soir. Heureusement il a assez d'argent pour s'acheter un tracteur. Nous savons donc que ses récoltes ont été bonnes ou mauvaises?

La province de l'artichaut c'est la Bretagne. Quelle machine utilise ce fermier pour cueillir ces beaux artichauts?

Est-ce qu'on joue au basket? Pas du tout! Ces deux fermiers alsaciens cueillent des choux. Et qu'est-ce qu'on fait avec les choux en Alsace?

Le travail des agriculteurs est dur, sans aucun doute. Il est naturel qu'on aime s'amuser. Aux fêtes du village on mange, on danse, on chante. Faites une petite description de ces deux fêtes, l'une en Bretagne, l'autre en Provence.

Verbs

Regular Verbs

	parler *to speak*	**finir** *to finish*	**vendre** *to sell*
Past participle	parlé	fini	vendu
Present	je parle	je finis	je vends
	tu parles	tu finis	tu vends
	il parle	il finit	il vend
	nous parlons	nous finissons	nous vendons
	vous parlez	vous finissez	vous vendez
	ils parlent	ils finissent	ils vendent
Present subjunctive	je parle	je finisse	je vende
	tu parles	tu finisses	tu vendes
	il parle	il finisse	il vende
	nous parlions	nous finissions	nous vendions
	vous parliez	vous finissiez	vous vendiez
	ils parlent	ils finissent	ils vendent
Imperfect	je parlais	je finissais	je vendais
	tu parlais	tu finissais	tu vendais
	il parlait	il finissait	il vendait
	nous parlions	nous finissions	nous vendions
	vous parliez	vous finissiez	vous vendiez
	ils parlaient	ils finissaient	ils vendaient
Future	je parlerai	je finirai	je vendrai
	tu parleras	tu finiras	tu vendras
	il parlera	il finira	il vendra
	nous parlerons	nous finirons	nous vendrons
	vous parlerez	vous finirez	vous vendrez
	ils parleront	ils finiront	ils vendront
Conditional	je parlerais	je finirais	je vendrais
	tu parlerais	tu finirais	tu vendrais
	il parlerait	il finirait	il vendrait
	nous parlerions	nous finirions	nous vendrions
	vous parleriez	vous finiriez	vous vendriez
	ils parleraient	ils finiraient	ils vendraient
Imperative	parle	finis	vends
	parlons	finissons	vendons
	parlez	finissez	vendez
Passé composé	j'ai parlé	j'ai fini	j'ai vendu
	tu as parlé	tu as fini	tu as vendu
	il a parlé	il a fini	il a vendu
	nous avons parlé	nous avons fini	nous avons vendu
	vous avez parlé	vous avez fini	vous avez vendu
	ils ont parlé	ils ont fini	ils ont vendu

Verbs with Spelling Changes

acheter   *to buy*

Past participle acheté
Present j'achète, tu achètes, il achète, nous achetons, vous achetez, ils achètent
Subjunctive j'achète, tu achètes, il achète, nous achetions, vous achetiez, ils achètent

Imperfect	il achetait, nous achetions, ils achetaient
Future	il achètera, nous achèterons, ils achèteront
Conditional	il achèterait, nous achèterions, ils achèteraient

appeler *to call*

Past participle	appelé
Present	j'appelle, tu appelles, il appelle, nous appelons, vous appelez, ils appellent
Subjunctive	j'appelle, tu appelles, il appelle, nous appelions, vous appeliez, ils appellent
Imperfect	il appelait, nous appelions, ils appelaient
Future	il appellera, nous appellerons, ils appelleront
Conditional	il appellerait, nous appellerions, ils appelleraient

commencer *to begin*

Past participle	commencé
Present	je commence, tu commences, il commence, nous commençons, vous commencez, ils commencent
Subjunctive	je commence, tu commences, il commence, nous commencions, vous commenciez, ils commencent
Imperfect	il commençait, nous commencions, ils commençaient
Future	il commencera, nous commencerons, ils commenceront
Conditional	il commencerait, nous commencerions, ils commenceraient

compléter[1] *to complete*

Past participle	complété
Present	je complète, tu complètes, il complète, nous complétons, vous complétez, ils complètent
Subjunctive	je complète, tu complètes, il complète, nous complétions, vous complétiez, ils complètent
Imperfect	il complétait, nous complétions, ils complétaient
Future	il complétera, nous compléterons, ils compléteront
Conditional	il compléterait, nous compléterions, ils compléteraient

essayer *to try*

Past participle	essayé
Present	j'essaie, tu essaies, il essaie, nous essayons, vous essayez, ils essaient
Subjunctive	j'essaie, tu essaies, il essaie, nous essayions, vous essayiez, ils essaient
Imperfect	il essayait, nous essayions, ils essayaient
Future	il essaiera (il essayera), nous essaierons, ils essaieront
Conditional	il essaierait (il essayerait), nous essaierions, ils essaieraient

jeter *to throw*

Past participle	jeté
Present	je jette, tu jettes, il jette, nous jetons, vous jetez, ils jettent
Subjunctive	je jette, tu jettes, il jette, nous jetions, vous jetiez, ils jettent
Imperfect	il jetait, nous jetions, ils jetaient
Future	il jettera, nous jetterons, ils jetteront
Conditional	il jetterait, nous jetterions, ils jetteraient

lever[2] *to raise*

Past participle	levé
Present	je lève, tu lèves, il lève, nous levons, vous levez, ils lèvent
Subjunctive	je lève, tu lèves, il lève, nous levions, vous leviez, ils lèvent
Imperfect	il levait, nous levions, ils levaient
Future	il lèvera, nous lèverons, ils lèveront
Conditional	il lèverait, nous lèverions, ils lèveraient

[1] *Considérer, espérer, préférer,* and *protéger* are conjugated similarly.

[2] *Mener* and *emmener* are conjugated similarly.

manger   *to eat*

Past participle	mangé
Present	je mange, tu manges, il mange, nous mangeons, vous mangez, ils mangent
Subjunctive	je mange, tu manges, il mange, nous mangions, vous mangiez, ils mangent
Imperfect	il mangeait, nous mangions, ils mangeaient
Future	il mangera, nous mangerons, ils mangeront
Conditional	il mangerait, nous mangerions, ils mangeraient

Irregular Verbs

Conditional forms are not given for irregular verbs since the stem is always the same as the future stem and the endings are always regular.

aller*   *to go*

Past participle	allé
Present	je vais, tu vas, il va, nous allons, vous allez, ils vont
Subjunctive	j'aille, tu ailles, il aille, nous allions, vous alliez, ils aillent
Imperfect	il allait, nous allions, ils allaient
Future	il ira, nous irons, ils iront
Imperative	va, allons, allez

s'asseoir*   *to sit down*

Past participle	assis
Present	je m'assieds, tu t'assieds, il s'assied, nous nous asseyons, vous vous asseyez, ils s'asseyent
Subjunctive	je m'asseye, tu t'asseyes, il s'asseye, nous nous asseyions, vous vous asseyiez, ils s'asseyent
Imperfect	il s'asseyait, nous nous asseyions, ils s'asseyaient
Future	il s'assiéra, nous nous assiérons, ils s'assiéront

avoir   *to have*

Past participle	eu
Present	j'ai, tu as, il a, nous avons, vous avez, ils ont
Subjunctive	j'aie, tu aies, il ait, nous ayons, vous ayez, ils aient
Imperfect	il avait, nous avions, ils avaient
Future	il aura, nous aurons, ils auront
Imperative	aie, ayons, ayez

boire   *to drink*

Past participle	bu
Present	je bois, tu bois, il boit, nous buvons, vous buvez, ils boivent
Subjunctive	je boive, tu boives, il boive, nous buvions, vous buviez, ils boivent
Imperfect	il buvait, nous buvions, ils buvaient
Future	il boira, nous boirons, ils boiront

connaître[3]   *to know*

Past participle	connu
Present	je connais, tu connais, il connaît, nous connaissons, vous connaissez, ils connaissent
Subjunctive	je connaisse, tu connaisses, il connaisse, nous connaissions, vous connaissiez, ils connaissent
Imperfect	il connaissait, nous connaissions, ils connaissaient
Future	il connaîtra, nous connaîtrons, ils connaîtront

courir   *to run*

Past participle	couru
Present	je cours, tu cours, il court, nous courons, vous courez, ils courent
Subjunctive	je coure, tu coures, il coure, nous courions, vous couriez, ils courent

---

* Indicates verb conjugated with *être* in compound tenses.

[3] *Disparaître* and *reconnaître* are conjugated similarly.

	Imperfect	il courait, nous courions, ils couraient
	Future	il courra, nous courrons, ils courront

croire   *to believe*

Past participle	cru
Present	je crois, tu crois, il croit, nous croyons, vous croyez, ils croient
Subjunctive	je croie, tu croies, il croie, nous croyions, vous croyiez, ils croient
Imperfect	il croyait, nous croyions, ils croyaient
Future	il croira, nous croirons, ils croiront

devoir   *to have to, to owe*

Past participle	dû, due
Present	je dois, tu dois, il doit, nous devons, vous devez, ils doivent
Subjunctive	je doive, tu doives, il doive, nous devions, vous deviez, ils doivent
Imperfect	il devait, nous devions, ils devaient
Future	il devra, nous devrons, ils devront

dire   *to say*

Past participle	dit
Present	je dis, tu dis, il dit, nous disons, vous dites, ils disent
Subjunctive	je dise, tu dises, il dise, nous disions, vous disiez, ils disent
Imperfect	il disait, nous disions, ils disaient
Future	il dira, nous dirons, ils diront

dormir   *to sleep*

Past participle	dormi
Present	je dors, tu dors, il dort, nous dormons, vous dormez, ils dorment
Subjunctive	je dorme, tu dormes, il dorme, nous dormions, vous dormiez, ils dorment
Imperfect	il dormait, nous dormions, ils dormaient
Future	il dormira, nous dormirons, ils dormiront

écrire[4]   *to write*

Past participle	écrit
Present	j'écris, tu écris, il écrit, nous écrivons, vous écrivez, ils écrivent
Subjunctive	j'écrive, tu écrives, il écrive, nous écrivions, vous écriviez, ils écrivent
Imperfect	il écrivait, nous écrivions, ils écrivaient
Future	il écrira, nous écrirons, ils écriront

envoyer   *to send*

Past participle	envoyé
Present	j'envoie, tu envoies, il envoie, nous envoyons, vous envoyez, ils envoient
Subjunctive	j'envoie, tu envoies, il envoie, nous envoyions, vous envoyiez, ils envoient
Imperfect	il envoyait, nous envoyions, ils envoyaient
Future	il enverra, nous enverrons, ils enverront

être   *to be*

Past participle	été
Present	je suis, tu es, il est, nous sommes, vous êtes, ils sont
Subjunctive	je sois, tu sois, il soit, nous soyons, vous soyez, ils soient
Imperfect	il était, nous étions, ils étaient
Future	il sera, nous serons, ils seront
Imperative	sois, soyons, soyez

faire   *to do, to make*

Past participle	fait
Present	je fais, tu fais, il fait, nous faisons, vous faites, ils font

[4] *Décrire* is conjugated similarly.

Subjunctive	je fasse, tu fasses, il fasse, nous fassions, vous fassiez, ils fassent
Imperfect	il faisait, nous faisions, ils faisaient
Future	il fera, nous ferons, ils feront

lire *to read*

Past participle	lu
Present	je lis, tu lis, il lit, nous lisons, vous lisez, ils lisent
Subjunctive	je lise, tu lises, il lise, nous lisions, vous lisiez, ils lisent
Imperfect	il lisait, nous lisions, ils lisaient
Future	il lira, nous lirons, ils liront

mettre[5] *to put*

Past participle	mis
Present	je mets, tu mets, il met, nous mettons, vous mettez, ils mettent
Subjunctive	je mette, tu mettes, il mette, nous mettions, vous mettiez, ils mettent
Imperfect	il mettait, nous mettions, ils mettaient
Future	il mettra, nous mettrons, ils mettront

mourir* *to die*

Past participle	mort
Present	je meurs, tu meurs, il meurt, nous mourons, vous mourez, ils meurent
Subjunctive	je meure, tu meures, il meure, nous mourions, vous mouriez, ils meurent
Imperfect	il mourait, nous mourions, ils mouraient
Future	il mourra, nous mourrons, ils mourront

naître* *to be born*

Past participle	né
Present	je nais, tu nais, il naît, nous naissons, vous naissez, ils naissent
Subjunctive	je naisse, tu naisses, il naisse, nous naissions, vous naissiez, ils naissent
Imperfect	il naissait, nous naissions, ils naissaient
Future	il naîtra, nous naîtrons, ils naîtront

offrir[6] *to offer*

Past participle	offert
Present	j'offre, tu offres, il offre, nous offrons, vous offrez, ils offrent
Subjunctive	j'offre, tu offres, il offre, nous offrions, vous offriez, ils offrent
Imperfect	il offrait, nous offrions, ils offraient
Future	il offrira, nous offrirons, ils offriront

partir*[7] *to leave*

Past participle	parti
Present	je pars, tu pars, il part, nous partons, vous partez, ils partent
Subjunctive	je parte, tu partes, il parte, nous partions, vous partiez, ils partent
Imperfect	il partait, nous partions, ils partaient
Future	il partira, nous partirons, ils partiront

pleuvoir *to rain*

Past participle	plu
Present	il pleut
Subjunctive	il pleuve
Imperfect	il pleuvait
Future	il pleuvra

---

* Indicates verb conjugated with *être* in compound tenses.

[5] *Permettre* and *promettre* are conjugated similarly.

[6] *Couvrir, découvrir, ouvrir,* and *souffrir* are conjugated similarly.

[7] *Sentir* and *sortir* are conjugated similarly.

pouvoir *to be able*

Past participle	pu
Present	je peux, tu peux, il peut, nous pouvons, vous pouvez, ils peuvent
Subjunctive	je puisse, tu puisses, il puisse, nous puissions, vous puissiez, ils puissent
Imperfect	il pouvait, nous pouvions, ils pouvaient
Future	il pourra, nous pourrons, ils pourront

prendre[8] *to take*

Past participle	pris
Present	je prends, tu prends, il prend, nous prenons, vous prenez, ils prennent
Subjunctive	je prenne, tu prennes, il prenne, nous prenions, vous preniez, ils prennent
Imperfect	il prenait, nous prenions, ils prenaient
Future	il prendra, nous prendrons, ils prendront

recevoir *to receive*

Past participle	reçu
Present	je reçois, tu reçois, il reçoit, nous recevons, vous recevez, ils reçoivent
Subjunctive	je reçoive, tu reçoives, il reçoive, nous recevions, vous receviez, ils reçoivent
Imperfect	il recevait, nous recevions, ils recevaient
Future	il recevra, nous recevrons, ils recevront

savoir *to know*

Past participle	su
Present	je sais, tu sais, il sait, nous savons, vous savez, ils savent
Subjunctive	je sache, tu saches, il sache, nous sachions, vous sachiez, ils sachent
Imperfect	il savait, nous savions, ils savaient
Future	il saura, nous saurons, ils sauront
Imperative	sache, sachons, sachez

servir *to serve*

Past participle	servi
Present	je sers, tu sers, il sert, nous servons, vous servez, ils servent
Subjunctive	je serve, tu serves, il serve, nous servions, vous serviez, ils servent
Imperfect	il servait, nous servions, ils servaient
Future	il servira, nous servirons, ils serviront

suivre *to follow*

Past participle	suivi
Present	je suis, tu suis, il suit, nous suivons, vous suivez, ils suivent
Subjunctive	je suive, tu suives, il suive, nous suivions, vous suiviez, ils suivent
Imperfect	il suivait, nous suivions, ils suivaient
Future	il suivra, nous suivrons, ils suivront

tenir[9] *to hold*

Past participle	tenu
Present	je tiens, tu tiens, il tient, nous tenons, vous tenez, ils tiennent
Subjunctive	je tienne, tu tiennes, il tienne, nous tenions, vous teniez, ils tiennent
Imperfect	il tenait, nous tenions, ils tenaient
Future	il tiendra, nous tiendrons, ils tiendront

traduire[10] *to translate*

Past participle	traduit
Present	je traduis, tu traduis, il traduit, nous traduisons, vous traduisez, ils traduisent
Subjunctive	je traduise, tu traduises, il traduise, nous traduisions, vous traduisiez, ils traduisent

---

[8] *Apprendre* and *comprendre* are conjugated similarly.

[9] *Retenir* and *contenir* are conjugated similarly.

[10] *Conduire, construire, détruire, produire,* and *reconstruire* are conjugated similarly.

Imperfect   il traduisait, nous traduisions, ils traduisaient
Future   il traduira, nous traduirons, ils traduiront

venir*[11]   *to come*

Past participle   venu
Present   je viens, tu viens, il vient, nous venons, vous venez, ils viennent
Subjunctive   je vienne, tu viennes, il vienne, nous venions, vous veniez, ils viennent
Imperfect   il venait, nous venions, ils venaient
Future   il viendra, nous viendrons, ils viendront

vivre   *to live*

Past participle   vécu
Present   je vis, tu vis, il vit, nous vivons, vous vivez, ils vivent
Subjunctive   je vive, tu vives, il vive, nous vivions, vous viviez, ils vivent
Imperfect   il vivait, nous vivions, ils vivaient
Future   il vivra, nous vivrons, ils vivront

voir   *to see*

Past participle   vu
Present   je vois, tu vois, il voit, nous voyons, vous voyez, ils voient
Subjunctive   je voie, tu voies, il voie, nous voyions, vous voyiez, ils voient
Imperfect   il voyait, nous voyions, ils voyaient
Future   il verra, nous verrons, ils verront

vouloir   *to want*

Past participle   voulu
Present   je veux, tu veux, il veut, nous voulons, vous voulez, ils veulent
Subjunctive   je veuille, tu veuilles, il veuille, nous voulions, vous vouliez, ils veuillent
Imperfect   il voulait, nous voulions, ils voulaient
Future   il voudra, nous voudrons, ils voudront
Imperative   veuille, veuillons, veuillez

* Indicates verb conjugated with *être* in compound tenses.
[11] *Devenir** and *revenir** are conjugated similarly.

French-English Vocabulary

The French-English vocabulary contains all the words and expressions that appear in this text. Words and expressions that were presented in the *Vocabulaire* or *Expressions utiles* sections are followed by the number of the lesson in which they were presented. Words and expressions presented in the preliminary lessons are followed by the letter of the preliminary lesson. Words and expressions that are not followed by a number or a letter appear in readings, optional readings, or activities where they were glossed, or are obvious cognates. Words that were presented in *McGraw-Hill French: Rencontres* are marked by an asterisk.

A

à in, to *C*; at, on *G*
  à bientôt see you soon *
  à la prochaine until the next time
  à pied on foot *
  à quelle heure at what time? *
  à tout à l'heure see you later *
abolition (*f*) abolition
absolument absolutely
acajou (*m*) mahogany
accepter to accept
accompagner to accompany
accueil (*m*) welcome
accueillir to welcome
acheter to buy *
activité (*f*) activity *
actualités (*f, pl*) news *14*
actuellement nowadays
admirer to admire *
admis, -e admitted
adorable adorable *
adorer to love *
aéroport (*m*) airport *
affectueusement affectionately
affreux, -euse terrible *20*
afin que so that *20*
âge (*m*) age
agent de police (*m*) police officer *
agneau, -x (*m*) lamb *1*
agressif, -ive aggressive
agriculteur (*m*) farmer
agricole agricultural
agriculture (*f*) farming *8*
aide (*f*) help
aider to help *
aïe! ow!
ail (*m*) garlic *7*
aile (*f*) wing *3*
ailleurs elsewhere
aimer to like *
  aimer mieux to prefer *18*

ainsi therefore
aisé, -e well-off financially
ajouter to add
alcool (*m*) alcohol; liquor
algèbre (*f*) algebra
Algérie (*f*) Algeria *4*
algérien, -ienne Algerian *4*
aller to go *
aller (*m*) one-way ticket *
  aller et retour (*m*) round-trip ticket *
allergique allergic
allô hello *
allumer to light
alouette (*f*) lark
alsacien, -ienne Alsatian *7*
amabilité (*f*) kindness
ambassade (*f*) embassy
ambition (*f*) ambition
amende (*f*) fine
américain, -e American *
ami, -e (*m, f*) friend *
amitié (*f*) friendship
amour (*m*) love
amulette (*f*) amulet *8*
amusant, -e amusing
s'amuser to have fun *
an (*m*) year *
ananas (*m*) pineapple *13*
anchois (*m*) anchovy
ancien, -ienne old; former *8*
âne (*m*) donkey *17*
angine (*f*) throat infection
anglais (*m*) English *
animal, -aux (*m*) animal *3*
animation (*f*) liveliness
animé, -e lively
année (*f*) year
anniversaire (*m*) anniversary; birthday *
annuaire (*m*) telephone book *18*
anorak (*m*) ski jacket *

antillais, -e West Indian *13*
apparaître to appear *
appareil (*m*) telephone *18*
appartement (*m*) apartment *
appel (*m*) call *18*
appeler to call *
appendicite (*f*) appendicitis
applaudir to applaud
apporter to bring
apprendre to learn *
s'approcher (de) to approach
après after *
après-demain (*m*) day after tomorrow
après-midi (*m*) afternoon *
aquarelle (*f*) water color
arabe Arab *4*
arabe (*m*) Arabic *4*
arachide (*f*) peanut *8*
arbre (*m*) tree *1*
  arbre de Noël (*m*) Christmas tree *1*
archange (*m*) archangel
architecture (*f*) architecture
argent (*m*) money *
  argent de poche (*m*) pocket money
argot (*m*) slang
armistice (*m*) armistice
arrêt (*m*) stop *5*
arrêter to stop *
arriver to arrive *
arthrite (*f*) arthritis
ascenseur (*m*) elevator *10*
s'asseoir to sit *
assez rather *
  assez! enough! *1*
assis, -e seated *
assister à to attend *
assurance (*f*) insurance *20*
assurer to assure
asthme (*f*) asthma

atelier (*m*) workshop; studio *9
atteindre to reach
attendre to wait for *
attentivement attentively, carefully
atterrir to land *
attirer to attract
attitude (*f*) attitude
attraper to catch
auberge (*f*) inn 2
aubergine (*f*) eggplant
au bord de at the edge of *
au bout de at the end of *
au contraire on the contrary *
aucun, -e none
augmenter to increase
aujourd'hui today *
au revoir good-bye *
ausculter to listen to 21
aussi also *
   aussi...que as . . . as *
auteur (*m*) author 19
autobus (*m*) bus
auto-école (*f*) driving school 20
automne (*m*) autumn 1
   en automne in the fall
autorisé, -e authorized 11
autoroute (*f*) highway *11
autour around *
autre other *
autrefois in the past
avant before
   avant que before 20
avant-hier (*m*) day before yesterday
avec with *
avion (*m*) airplane *
avocat, -e (*m, f*) lawyer
avoir to have *
   avoir envie to want to *18
   avoir faim to be hungry *
   avoir honte to be ashamed
   avoir l'air to seem 9
   avoir lieu to take place
   avoir sommeil to be sleepy
avouer to confess

B

baccalauréat (*m*) university entrance exam
bagages (*m pl*) luggage *
bagagiste (*m*) bellhop
baie (*f*) bay 2

bain (*m*) bath *
balai (*m*) broom 19
balnéaire bathing *
banane (*f*) banana 4
bande (*f*) group
bande dessinée (*f*) comic strip
banlieue (*f*) suburb *
banque (*f*) bank 16
bas, basse low
base-ball (*m*) baseball
basilic (*m*) basil
basilique (*f*) basilica
basket (*m*) basketball
bâtiment (*m*) building
bâton (*m*) pole *
battu, -e beaten
bavarder to talk, to chat *
beau nice (weather) *
beau, bel, belle, beaux beautiful, handsome *
beaucoup much; a lot *
beauté (*f*) beauty
bec (*m*) beak 3
besoin (*f*) need *
beurre (*m*) butter * 7
bicyclette (*f*) bicycle *
bien well; very much *
   bien que although 20
bien sûr of course *
bientôt soon *
bière (*f*) beer *
billard (*m*) billiards, pool 12
billet (*m*) ticket; bank note *16
biologie (*f*) biology
bizarre strange
blanc, blanche white *
blond, -e blond *
blouson (*m*) waist-length jacket *
bœuf (*m*) beef
boire to drink *
bois (*m*) wood; woods 13
boisson (*f*) drink *
boîte (*f*) box; nightclub
   boîte à chansons (*f*) cabaret 6
bon, bonne good; right *
   de bonne heure early
bonbon (*m*) candy 1
bonheur (*m*) happiness
bonjour hello *
bon marché cheap *
bonne (*f*) maid
bord (*m*): **à bord de** aboard *
botte (*f*) boot *
boucherie (*f*) butcher shop *
bouchon (*m*) traffic jam, bottleneck
boum (*f*) party

bouquin (*m*) book
Bourgogne (*f*) Burgundy 7
bouteille (*f*) bottle *
boutique (*f*) shop *
bouton (*m*) push-button 18
bracelet (*m*) bracelet
Bretagne (*f*) Brittany 7
breton, -onne Breton (from Brittany) 7
bretzel (*m*) pretzel
brevet (*m*) certificate
brièvement briefly
briller to shine *
brique (*f*) brick
bronchite (*f*) bronchitis
bronzé, -e tanned *
bronzer to tan *
brosser to brush *
brousse (*f*) the bush (countryside in Africa)
bruit (*m*) noise
brun, -e brown *
bûche (*f*) log 1
butte (*f*) knoll

C

ça that *
cabaret (*m*) cabaret 6
cabinet (*m*) doctor's office 21
cabine téléphonique (*f*) telephone booth 18
cacher to hide 3
cadeau, -x (*m*) gift *1
cadet, -ette younger, youngest
cadran (*m*) dial 18
cage (*f*) cage
cahier (*m*) notebook
caisse (*f*) crate 9; cash register 10; cashier's window *
   caisse d'épargne (*f*) savings bank 16
caissier (*m*); **caissière** (*f*) cashier *16
calculatrice (*f*) calculator 16
calendrier (*m*) calendar
calmer to calm
camarade (*m, f*) friend *
camion (*m*) truck 11
camionnette (*f*) light truck, van 17
campagne (*f*) countryside 20
camping (*m*) camping
canard (*m*) duck
candidat, -e (*m, f*) candidate
canne à sucre (*f*) sugarcane
cantine (*f*) school cafeteria 12

capitale (*f*) capital *8*
capot (*m*) car hood **20*
car since, because
caravane (*f*) trailer ***
carrière (*f*) career
carte (*f*) card; map ***
  carte d' embarquement (*f*)
    boarding pass ***
  carte de crédit (*f*) credit card *10*
  carte postale (*f*) postcard ***
casse-cou (*m*) daredevil ***
cassette (*f*) cassette ***
cataloguer to catalog *3*
cathédrale (*f*) cathedral
cause: à cause de because of *1*
ce, cet, cette, ces this; these ***
ceinture de sécurité (*f*) seat belt
  *20
célébrer to celebrate ***
celui, celle this one, that one *23*
cercle (*m*) circle
c'est-à-dire that is
ceux, celles these, those *23*
chaîne (*f*) channel *14*
chaise (*f*) chair
chalet (*m*) chalet
chaleureusement warmly
chaleureux, -euse warm
chambre (*f*) bedroom **10*
champignon (*m*) mushroom
champ de foire (*m*) fairground *6*
chance (*f*) luck
changer to change
chanson (*f*) song ***
chant (*m*) singing, song
chanter to sing ***
chanteur (*m*); **chanteuse** (*f*)
  singer *6*
chaque each *6*
charbon (*m*) coal
charpente (*f*) framework
chat (*m*) cat ***
château, -x (*m*) castle *6*
châtelain (*m*); **la châtelaine** (*f*)
  lord, lady (of castle)
chaud, -e hot ***
chaume (*m*) thatch *17*
chaussette (*f*) sock ***
chaussure (*f*) shoe ***
chef-d'œuvre (*m*) masterpiece
chemin (*m*) way ***
chemise (*f*) shirt ***
  chemise à manches courtes (*f*)
    short-sleeve shirt *13*
chèque (*m*) check *16*
  chèque de voyage traveler's
    check *16*

cher, chère dear ***
chercher to look for ***
cheval, -aux (*m*) horse ***
cheveux (*m pl*) hair ***
chez at the home of ***
chien (*m*) dog ***
chimie (*f*) chemistry
chirurgien (*m*); **chirurgienne** (*f*)
  surgeon
chocolat (*m*) chocolate
chœur (*m*) choir
choisir to choose ***
choix (*m*) choice
chômage (*m*) unemployment
chorale (*f*) glee club
chose (*f*) thing
choucoune (*m*) type of Haitian
  house *17*
choucroute (*f*) sauerkraut *7*
chouette great ***
chrysanthème
  (*m*) chrysanthemum
cigogne (*f*) stork *3*
ciment (*m*) cement
cimetière (*m*) cemetery
cinéma (*m*) movie theater ***
circulation (*f*) traffic ***
cité universitaire (*f*) students'
  residence halls
citron pressé (*m*) lemonade ***
classe (*f*) class ***
classique classical
clé (*f*) key *10*
clientèle (*f*) clients
clignotants (*m pl*) directional
  signals **20*
clinique (*f*) clinic
coca (*m*) cola
cochon (*m*) pig
code (*m*) **de la route** rules of the
  road
code postal (*m*) zip code ***
coin (*m*) corner **11*
collation (*f*) snack
collège (*m*) junior high school
colon (*m*) colonist
colonie (*f*) colony
coloré, -e colored *1*
combien de how many? ***
commander to order ***
comme as; since ***
comme d'habitude as usual *5*
commémorer to commemorate
commencement (*m*) beginning
comment how ***
  comment allez-vous? How are
    you? ***

comment vas-tu? How are
  you? ***
commerçant, -e (*m, f*) merchant
commerce (*m*) business
compagnon (*m*) companion
complet, complète complete
compliqué, -e complicated
composer to dial (a number) *18*
comprendre to understand ***
comprimé (*m*) pill *21*
compris, -e included ***
compte d' épargne (*m*) savings
  account *16*
compter to count
concert (*m*) concert ***
concierge (*m, f*) caretaker *19*
conducteur (*m*); **conductrice** (*f*)
  driver ***
conduire to drive ***
conduite (*f*) driving *12*
congé (*m*) leave of absence, time
  off *1*
connaître to be acquainted ***
conséquent (*m*): **par**
  conséquent therefore
constamment constantly
construire to build *14*
consulat (*m*) consulate
content, -e happy ***
continu, -e continuous
contractuelle (*f*) meter maid *11*
contraire (*m*) opposite ***
contraste (*m*) contrast
contrat (*m*) contract
contravention (*f*) traffic ticket
  11
contresigner to countersign
contrôleur (*m*) train conductor ***
convention (*f*) standard
convient: il convient it is fitting
copain (*m*); **la copine** (*f*) friend,
  buddy ***
coq (*m*) rooster
coquille Saint-Jacques (*f*)
  scallop *7*
corde (*f*) string
costume (*m*) suit; costume ***
côte (*f*) coast **2*
côté: à côté de next to **11*
  mettre de côté to save (money)
    16
côtelette (*f*) **de porc** pork chop *7*
se **coucher** to go to bed ***
coucher du soleil (*m*) sunset *23*
couleur (*f*) color ***
coup (*m*) **coup de fil** phone call
  18

coup de téléphone telephone call *18*

coupe (*f*) cup *

cour (*f*) courtyard *6*

courgette (*f*) zucchini

cours (*m*) course *12;* exchange rate *16*

course (*f*) see *faire des courses*

court, -e short **13*

couscous (*m*) couscous (type of grain)

cousin, -e (*m, f*) cousin

coûter to cost

coutume (*f*) custom

couvent (*m*) convent

couvert (*m*) place setting; knife, fork, and spoon *

craindre to fear

cravate (*f*) tie *

crayon (*m*) pencil

crème (*f*) cream **7*

crémerie (*f*) dairy store *

crémier (*m*); **crémière** (*f*) dairy keeper *

créole Creole (Caribbean-French) *13*

crier to shout

croire to believe *

croisement (*m*) intersection *11*

cube (*m*) cube

cuisine (*f*) kitchen *

cuivre (*m*) copper

cultiver to grow *8*

culturel, -elle cultural *

curiosité (*f*) curiosity

cyclisme (*m*) cycling *

D

d'accord OK *

dame (*f*) lady

danger (*m*) danger *3*

en danger endangered *3*

dangereux, -euse dangerous *

dans in *

danser to dance *

d'après according to

date (*f*) date *

datte (*f*) date (fruit) *4*

davantage more

début (*m*) beginning

décider to decide *

décor (*m*) setting

décorer to decorate *

décret (*m*) decree

décrire to describe *

décrocher to pick up (the receiver) *18*

dedans inside *19*

défendu, -e forbidden

défense de it is forbidden to

dégoûtant disgusting

dégradation (*f*) damage

dehors outside *19*

déjà already *

déjeuner to have lunch

déjeuner (*m*) lunch *

demain tomorrow

demi-pensionnaire (*m, f*) student who has lunch at school *12*

demoiselle (*f*) young lady

dent (*f*) tooth *

départ (*m*) start, departure

département (*m*) department

dépasser to exceed

se **dépêcher** to hurry *

dépenser to spend *16*

dépôt (*m*) deposit *16*

depuis since *8*

député (*m*) deputy

déranger to bother *13*

dérivé, -e derived

dernier, -ière last

derrière behind *19*

descendre to go down; to get off (bus); to take down * to stay (at hotel) *18*

descente (*f*) descent

désirer to desire **18*

dès maintenant from now on

désolé, -e sorry *19*

dessert (*m*) dessert *

dessin (*m*) drawing *

dessin animé (*m*) cartoon *14*

dessus above

destruction (*f*) destruction *3*

détaché, -e separate

détaillé, -e detailed

détruire to destroy *14*

deuxième second *

devant in front of **19*

développer to develop

devenir to become

devoir (*m*) homework *

d'habitude usual

diamant (*m*) diamond

différence (*f*) difference

difficile difficult *

difficulté (*f*) difficulty

digue (*f*) causeway

diminuer to decrease

dinde (*f*) turkey *1*

dîner to eat dinner *

diplôme (*m*) diploma *15*

dire to say *

disco (*f*) discotheque

discuter to discuss *

disparaître to disappear

disposer de to have available

disque (*m*) record *

dissimulé, -e concealed

distraire to distract

distribuer to distribute *

divisé, -e divided

doigt (*m*) finger *

dommage (*m*) pity *

donc therefore *

donner to give *

donner sur to look out on *10*

dormir to sleep *

dos (*m*) back *3*

douane (*f*) customs

doubler to pass (car) *11*

douceur (*f*) sweetness

douche (*f*) shower *

doué, -e gifted

doute (*f*) doubt

douter to doubt *

droit, -e straight *

tout droit straight ahead *11*

droite (*f*): **à droite** to the right * *11*

dune (*f*) dune

dur, -e hard *23*

durer to last

du tout at all *

E

eau minérale (*f*) mineral water *

échouer to fail *15*

éclairant, -e lighting

école (*f*) school *

écologie (*f*) ecology *3*

écologique ecological *3*

écologiste (*m,f*) ecologist *3*

économiser to save *3*

écouter to listen to *

écrire to write *

écrivain (*m*) writer *19*

édifice (*m*) building *

éducation (*f*) education *15*

effort (*m*) effort

égal, -e; égaux, égales equal

également equally

égalité (*f*) equality

élégant, -e elegant; wealthy *

élémentaire elementary *15*

élève (*m,f*) student *

élevé, -e raised, brought up; high *22*

élever to raise 22
embarquement (m) boarding *
embarquer to load
embêtant, -e annoying
emblème (m) emblem
embouchure (f) mouth (of a river)
embouteillage (m) bottleneck, traffic jam *
embrassade (f) hug, kiss
embrasser to hug, to kiss 22
émettre to broadcast
émission (f) broadcast 14
emmener to take (someone)
empire (m) empire 8
emploi (m) use
employé, -e (m,f) employee *
employer to use *
en in, to, at; of it, from it *9
enchanté, -e delighted 22
encombrement (m) traffic jam *
encore more *
encourager to encourage
s'endetter to go into debt
s'endormir to fall asleep *
endosser to endorse 16
en effet You bet! 8
énergie (f) energy 3
enfant (m,f) child *
enfin finally
énorme huge 6
énormément enormously
en plus besides
enseignant, -e (m, f) teacher
enseigne (f) sign
enseignement (m) teaching
enseigner to teach 15
ensemble together
ensuite then *
entendre to hear *
entouré, -e surrounded 7
entraînement (m) training
entrée (f) entrance *11
entreposer to store 23
entrer to enter *
entretenir to maintain 20
envahisseur (m) invader
enveloppe (f) envelope *
envers toward
environnement (m) environment
envoyer to send *
épargner to save 16
épatant, -e wonderful
époque (f) era
épouser to marry
équipe (f) team *
escalier (m) staircase

escalier mécanique (m) escalator *
escalope (f) veal scallop
escargot (m) snail
espace (m) space
espagnol (m) Spanish language
espèce (f) species 3
espoir (m) hope
esquimau, -x (m) ice cream sandwich *
essence (f) gasoline *20
essuie-glace (m) windshield wiper
étable (f) cowshed 23
étage (m) floor *
étal (m) stall 17
état (m) state
été (m) summer *
étoile (f) star
s' étonner to be astonished 19
être to be *
étroit, -e narrow 2
étude (f) study *15
européen, -enne European
évêque (m) bishop
exactitude (f) exactness
examen (m) test 15
examiner to examine 21
exécuter to fill (a prescription)
exister to exist
expliquer to explain
exploitant (m) farmer
exploitation (f) farm
extérieur, -e exterior
extinction (f) extinction 3
extra great *

F

face: en face de across from *11
fâché, -e annoyed
faim (f) hunger *
faire to do *
  faire attention to pay attention *
  faire beau to be nice weather *
  faire des courses to go shopping *
  faire du camping to camp out *
  faire froid to be cold weather *
  faire la connaissance de to get to know
  faire mauvais to be bad weather
  faire partie de to be part of 8
fait divers (m) news item
famille (f) family *
fana crazy about
fatigué, -e tired

favori, favorite favorite
femme (f) woman *
fenêtre (f) window
fente (f) slot 18
fer (m) iron
férié, -e holiday
fermer to turn off, to close 14
fermier (m); fermière (f) farmer 23
féroce ferocious
fête (f) party *
  fête foraine (f) street fair 1
feu (m) traffic light *11
feuilleton (m) soap opera 14
fiche d'enregistrement (f) registration card 10
fichu (m) scarf 19
fier, fière proud 9
fièvre (f) fever 21
figue (m) fig 4
figure (f) face *
fille (f) girl *
fils (m) son *
fin (f) end
finir to finish *
fleur (f) flower 1
fleurir to bloom
flûte! darn! 9
fois (f) time
folklorique ethnic
fonder to establish
football (m) soccer *
forêt (f) forest
formalité (f) formality 22
forteresse (f) fortress 2
fortification (f) fortification
fortifié, -e fortified
fou, folle crazy
foule (f) crowd *
frais (m pl) expenses 23
français (m) French language *
français, -e French *
franchement frankly
francophone French-speaking 8
fraternité (f) brotherhood
freiner to brake 11
fréquemment frequently 6
fréquenter to visit often
frère (m) brother *
frites (f pl) french fries *
froid, -e cold *
fromage (m) cheese *7
frontière (f) border
fruit (m) de mer shellfish 7
fumeur (m): la section (f) fumeurs smoking section
funiculaire (m) cable railway

G

gagner to win *
galerie (*f*) art gallery; corridor *
gangster (*m*) gangster
garçon (*m*) boy *
garder to keep
gardien, -ienne (*m,f*) caretaker
gare (*f*) train station *
garer to park *11*
gastronomique gastronomical
gâteau, -x (*m*) cake, pastry *
gauche: à gauche to the left *11*
gaz (*m*) gas
gazeux, -euse carbonated
gens (*m pl*) people *
gentil, gentille kind
gentillesse (*f*) kindness
géographie (*f*) geography
géométrie (*f*) geometry
gibier (*m*) game (food)
gigot (*m*) leg of lamb
gilet (*m*) **de sauvetage** life vest
glace (*f*) ice cream *
glacier (*m*) glacier
gorge (*f*) throat *21*
gothique Gothic
goûter to taste
gouvernement (*m*) government *8*
graisse (*f*) grease
grand-mère (*f*) grandmother *
grand-parent (*m*) grandparent *
grand-père (*m*) grandfather *
grange (*f*) barn *23*
gravement seriously
grec, grecque Greek
grillage (*m*) grate
griot (*m*) poet and musician in Africa *8*
grippe (*f*) flu
grossir to gain weight *
groupe (*m*) group
guérisseur (*m*) healer *8*
guerre (*f*) war
  guerre mondiale world war
guichet (*m*) ticket window *
guidant guiding
guide (*m*) guide *
guitare (*f*) guitar *
guitariste (*m, f*) guitar player *6*
gymnastique (*f*) gymnastics *

H

s'habiller to dress *
habitant, -e (*m,f*) inhabitant
habiter to live *

habitude: comme d'habitude as usual *5*
•**haie** (*f*) hedge *3*
•**haïtien, -ienne** Haitian
•**hall** (*m*) lobby, lounge *10*
•**hasard** (*m*) chance
•**haut, -e** high *2*
hectare (*m*) hectare (2.5 acres) *23*
hélicoptère (*m*) helicopter
herbe (*f*) grass, herb
•**héros** (*m*) hero
hésiter to hesitate
heure (*f*) hour *
  à l'heure on time
heureux, -euse happy *
hier yesterday *
histoire (*f*) history *
hiver (*m*) winter *
•**hockey** (*m*) hockey
•**homard** (*m*) lobster *7*
honorer to honor
hôpital, -aux (*m*) hospital
horaire (*f*) timetable *
horoscope (*m*) horoscope
horreur (*f*) horror
hôtel (*m*) hotel; mansion *10*
hôtellerie (*f*) hotel-keeping
huile (*f*) oil *
  huile d'olive (*f*) olive oil *7*
huître (*f*) oyster *7*

I

ici here *
identique identical
igname (*f*) yam *8*
il it
  il est bon que it is good that *18*
  il est essentiel que it is essential that *18*
  il est important que it is important that *17*
  il est impossible que it is impossible that *20*
  il est indispensable que it is essential that *18*
  il est juste que it is right that *18*
  il est nécessaire que it is necessary that *17*
  il est possible que it is possible that *20*
  il est temps que it is time that *18*

• Indicates an aspirate *h.*

il faut que it is necessary that *17*
il vaut mieux que it is better that *17*
île (*f*) island *2*
îlot (*m*) small island *2*
il y a there is, there are *
imaginatif, -ive imaginative *9*
immatriculation (*f*) registration
immigré, -e (*m, f*) immigrant *4*
impatience (*f*) impatience
impératrice (*f*) empress
impoli, -e impolite *22*
impressionnant, -e impressive *2*
imprudent, -e careless
incroyable incredible *
indépendance (*f*) independence *8*
indépendant, -e independent *8*
individuel, -elle individual
indulgent, -e indulgent, easy-going
industrialisé, -e industrialized
infirmier (*m*); **infirmière** (*f*) nurse *21*
influence (*f*) influence
informations (*f, pl*) news *14*
informé, -e informed
s'inquiéter to worry
insulter to insult
intelligent, -e intelligent *
intensif, -ive intensive
intéressant, -e interesting *
s'intéresser to be interested
interlocuteur (*m*); **interlocutrice** (*f*) party (in a telephone conversation) *18*
intermédiaire (*m*) intermediary
international, -aux international *
intervenir to interrupt; to interfere
intime intimate
intimité (*f*) intimacy *22*
invitation (*f*) invitation
inviter to invite

J

jamais never *
jambe (*f*) leg *
jambon (*m*) ham *7*
japonais, -e Japanese
jardin (*m*) garden *13*
  jardin d'enfants (*m*) kindergarten
jazz (*m*) jazz *

je I *
jeans (m) blue jeans *
jeter to throw *
jeton (m) token
jeu, -x (m) game *
jeune young *
jeunesse (f) youth
joie (f) joy
joli, -e pretty *
jongleur (m) minstrel 6
joue (f) cheek 22
jouer to play *
jour (m) day *
    Jour de l'An New Year's Day 1
    Jour des morts All Souls' Day 1
    jour de fête holiday 1
journal, -aux (m) newspaper *
journée (f) day 5
joyeux, -euse merry
juif, juive Jewish 4
jupe (f) skirt *
jusqu'à until, up to 11
    jusqu'à ce que until 20
justement as a matter of fact

K

kilomètre (m) kilometer *

L

là-bas over there *
lac (m) lake
laisser to leave behind *
lait (m) milk *
laitue (f) lettuce
lampe (f) lamp
langouste (f) crayfish 7
langue (f) language *
latin (m) Latin
se laver to wash *
leçon (f) lesson *
légume (m) vegetable *
lentement slowly *
lettre (f) letter *
leur, -s their *
se lever to get up *
lever du soleil (m) sunrise 23
liberté (f) freedom
libre free 5
lieu (m): **au lieu de** instead of
ligne (f) line *
lire to read *
lit (m) bed 10
littérature (f) literature

living (m) living room 14
livre (m) book *
locataire (m, f) tenant 19
loger to lodge
loi (f) law
loin far *11
loisir (m) free time 5
long, longue long *
    le long de along
longtemps long time
louer to rent 10
lui to him, to her *
lune de miel (f) honeymoon
luth (m) lute 6
lutter to fight 3
lycéen, -enne (m, f) high school student *

M

machine (f) machine *
madame Mrs. *
magazine (m) magazine
Maghreb (m) the Maghreb (Morocco, Algeria, and Tunisia) 4
Maghrébin, -e (m, f) person from the Maghreb 4
magnifique magnificent *
maintenant now *
maintenir to keep
maison (f) house *
    Maison des Jeunes (f) youth center 12
maître (m); **maîtresse** (f) **d'école** schoolteacher 15
mal badly *
malade (m, f) sick person 8
malade ill *
malheureusement unfortunately
manche (f) sleeve 13
manège (m) merry-go-round 1
manganèse (m) manganese
manger to eat *
manières (f pl) manners 22
manquer to miss
se maquiller to apply makeup
marche (f) stair, step 2
marché (m) market *
marcher to walk; to work (machine) *
marée (f) tide 2
mariage (m) marriage
Maroc (m) Morocco 4
marocain, -e Moroccan 4
marquer to mark *
marron (m) chestnut 1

match (m) game *
matériel (m) equipment 23
maternelle (f) nursery school
maths (f, pl) math
matin (m) morning *
mauvais, -e bad *
méchant, -e wicked
mécontent, -e unhappy 19
médecin (m) doctor 21
médicament (m) medication
membre (m) member
même same *
menacé, -e endangered 3
ménage (m) household
mener to lead *
menthe (f) mint 4
mer (f) sea *7
merci thank you *
mère (f) mother *
merveille (f) marvel
messe (f) mass 1
météo (f) weather report 14
métro (m) subway *
mettre to put; to turn on (TV) *14
    mettre de côté to save 16
se **mettre à** to begin
mieux better 19
    le mieux the best 19
mignon, -onne cute
mime (m) mime 6
minaret (m) minaret, tower 4
minéral, -e; -aux, -es mineral *
minuit (m) midnight *
misère (f) misery
mixte co-ed
mobylette (f) moped
mode (f) fashion *
modèle (m) model *
moderne modern *
moins: à moins que unless 20
    au moins at least
    moins de less *
    moins...que less than *
monastère-forteresse (m) monastery-fortress 2
monde (m) world *
    tout le monde everyone *
mondial, -e world-wide
moniteur (m); **la monitrice** (f) ski instructor *
monnaie (f) change 16
monsieur Mr., Sir, gentleman *
mont (m) mount *2
montagne (f) mountain *
montagneux, -euse mountainous
monter to pitch (tent); to go up, to take up *

monument (*m*) monument *
moral (*m*): **il n'a pas le moral** he's feeling down *1*
morsure (*f*) bite
mort (*f*) death
mort, -e dead person *1*
mosquée (*f*) mosque *4*
motard (*m*) motorcycle police officer *11*
moteur (*m*) motor *
moto (*f*) motorcycle *
motoneige (*m*) snowmobile *13*
mouche (*f*) fly *13*
moule (*f*) mussel *7*
mourir to die *2*
moustique (*m*) mosquito *
Moyen-Âge (*m*) Middle Ages *6*
muguet (*m*) lily of the valley
multitude (*f*) multitude
municipalité (*f*) town
mur (*m*) wall *17*
musée (*m*) museum *9*
musulman, -e Moslem *4*
mystérieux, -euse mysterious

N

nager to swim *
naïf, naïve unsophisticated
naître to be born *2*
nana (*f*) girl, woman (slang)
nation (*f*) nation, country *8*
nationale (*f*) national highway
naturaliste (*m, f*) naturalist
navire de guerre (*m*) warship
ne: ne...jamais never *
ne...ni...ni neither . . . nor *6*
ne...personne no one *
ne...que only *6*
ne...rien nothing *
né, -e born *2*
néanmoins nevertheless
négligence (*f*) negligence
neige (*f*) snow *
n'est-ce pas? isn't it so? *
nettoyer to clean *
nicher to build a nest
niçois, -e from Nice
nid (*m*) nest *3*
niveau (*m*) level
Noël (*m*) Christmas *1*
noir, -e black *
nom (*m*) name *
nombreux, -euse numerous
nord (*m*) north
normand, -e from Normandy *7*
Normandie (*f*) Normandy *7*

note (*f*) grade; bill *10*
notre, nos our *
nourriture (*f*) food
nous we *
nouveau, nouvel, nouvelle, nouveaux new *
de nouveau again
numéro (*m*) number *
numéro de téléphone telephone number *18*

O

objection (*f*) objection
obligatoire mandatory *15*
obtenir to obtain
occasion (*f*) opportunity
Occident (*m*) West
occupé, -e busy
œuf (*m*) egg *
œuf dur (*m*) hard-boiled egg *1*
offrir to offer *21*
officiel, -elle official *8*
officier (*m*); **officière** (*f*) officer
oignon (*m*) onion
oiseau, -x (*m*) bird *3*
olivier (*m*) olive tree *7*
omelette (*f*) omelet
ongle (*f*) fingernail
opérateur (*m*); **opératrice** (*f*) telephone operator *18*
opinion (*f*) opinion
ordonnance (*f*) prescription *21*
origine (*f*) origin
ornithologue (*m*) ornithologist *3*
ornithologie (*f*) ornithology (study of birds) *3*
ou or *
où where *
oublier to forget *
ouest (*m*) west *
outre-mer overseas
ouvrir to open *21*

P

pain (*m*) bread *
palais (*m*) palace
palmier (*m*) palm tree *13*
panier (*m*) basket *1*
panne (*f*) breakdown *
panneau, -x (*m*) sign *11*
panorama (*m*) scenic view *2*
pantalon (*m*) pants *
papier (*m*) paper *
paquebot (*m*) ocean liner *9*

Pâques (*m*) Easter *1*
paquet (*m*) package
par by *
par conséquent therefore
par terre on the ground
paraître to seem
parc (*m*) park *
parce que because *
parcmètre (*m*) parking meter *11*
pardon excuse me *
pare-brise (*m*) windshield *20*
pareil, pareille similar
parenté (*f*) family relationship
paresseux, -euse lazy
parler to speak, to talk *
parmi among
parquer to confine for preservation
part (*f*): **de la part de qui?** who's calling?
partager to share
participer to participate
particularité (*f*) particularity
partie (*f*) part
partir to leave *
à partir de beginning at
partout everywhere
pas not *
pas mal not bad *
passager (*m*); **passagère** (*f*) passenger *
passeport (*m*) passport *
passer to take (test) *15*; to spend time *
se **passer** to happen
pâtes (*f pl*) pasta (noodles, spaghetti, etc.) *7*
pâtissier (*m*); **pâtissière** (*f*) pastry baker *
patron, -onne (*m, f*) owner *
patte (*f*) paw, foot (of animal)
pâturage (*m*) pasture *7*
pauvre poor *
pauvreté (*f*) poverty
payer to pay *
pays (*m*) country *
péage (*m*) toll *11*
pêcheur (*m*) fisher *7*
pédalo (*m*) pedal boat *
peinard, -e "cool"
peindre to paint
peint, -e painted *17*
peintre (*m*) painter *9*
peinture (*f*) painting *9*
pèlerin (*m*) pilgrim *2*
pèlerinage (*m*) pilgrimage *2*
pelouse (*f*) lawn
pendant during *

pénicilline (*f*) penicillin
pension (*f*) boardinghouse *10*
perdre to lose *
père (*m*) father *
    Père Noël Santa Claus *1*
perle (*f*) pearl
permis de conduire (*m*) driver's
    license *
personne (*f*) person *
    ne...personne no one *
personnel, -elle personal
personnellement personally *
petit, -e short, small *
petit déjeuner (*m*) breakfast *
petit lait whey *4*
pétrole (*m*) oil
peu (*m*) a little *
peur (*f*) fear
peut-être perhaps
phare (*m*) lighthouse *9*; headlight
    *20
pharmacie (*f*) pharmacy
photo (*f*) photograph *4*
physique (*f*) physics
piano (*m*) piano *
pièce (*f*) room *; piece; coin *11*
    pièce de théâtre (*f*) play
piéton, (*m*) pedestrian *11*
pigeon (*m*) pigeon
pique-nique (*m*) picnic
piscine (*f*) pool *
piste (*f*) slope *
pittoresque picturesque
pizza (*f*) pizza
place (*f*) square; seat (train)
plage (*f*) beach *
plaisir (*m*) pleasure
plan (*m*) map *
planche à voile (*f*) wind
    surfboard *
plancher (*m*) floor *17*
plante (*f*) plant *3*
plaque (*f*) license plate *20
plat (*m*) dish *7*
plat, -e flat
plateau, -x (*m*) tray *
plâtre (*m*) plaster
pleuvoir to rain
    il pleut it is raining *1
plongée (*f*) diving *
pluie (*f*) rain *1*
plupart (*f*) majority
plus...que more . . . than *
plutôt rather
pneu (*m*) tire *20
pneumonie (*f*) pneumonia
poche (*f*) pocket

poème (*m*) poem *6*
poids lourd (*m*) heavy truck *11*
poinçonner to punch a hole
poisson (*m*) fish *7*
poivre (*m*) pepper *
poli, -e polite *22*
policier, -ière detective
politesse (*f*) politeness *22*
politique (*f*) politics *8
pollution (*f*) pollution *3*
pomme (*f*) de terre potato
    pommes frites french fries *
port (*m*) port
porte (*f*) gate *
porter to carry
portière (*f*) car door *20*
portrait (*m*) portrait
poser to ask
se **poser** to come up
positif, -ive positive
poste (*f*) post office *
poste (*m*) de télévision TV set
    14
potage (*m*) soup
poterie (*f*) pottery
pouah! yuck!
poubelle (*f*) garbage can *19*
poumon (*m*) lung *21*
pour for *
    pour que so that *20*
pourboire (*m*) tip *
pourquoi why *
poursuivre to pursue *8*
pourtant however
pouvoir to be able *
pratiquer to practice
précision (*f*) detail
préférer to prefer *18*
préfixe (*m*) area code *18*
premier, ière first *
    premier ministre (*m*) prime
    minister *8*
prendre to take *
    prendre la tension to take
    blood pressure *21*
prénom (*m*) first name *22*
préparer to prepare *
près de near *11
présent (*m*) present tense *
présent, -e present
préservation (*f*) preservation
président (*m*) president *8*
presque almost
pressé, -e hurried *17*
pression (*f*) pressure *
prêter to lend
prier to pray

primaire: école
    primaire elementary school
    15
printemps (*m*) spring *1*
pris, -e taken
privé, -e private
prix (*m*) price *10*
problème (*m*) problem
prochain, -e next
se **procurer** to obtain
produire to produce *14*
professer to declare
professionnel, -elle professional
    15
profondément deeply
programmation (*f*) programming
programme (*m*) schedule *
se **promener** to take a walk *
propre clean *10*
propriétaire (*m, f*) landowner
propriété (*f*) property
prospérer to prosper
protection (*f*) protection
protéger to protect
provençal, -e from Provence *7*
proverbe (*m*) proverb
province (*f*) province
public, publique public
publicité (*f*) ad, commercial *14*
puis then
pull (*m*) pullover sweater *
purement purely

Q

quadrupède (*m*) four-legged
    animal
quai (*m*) platform *
quand when *
    quand même nevertheless
quartier (*m*) neighborhood
quel, quelle what; which *
quel âge as-tu? how old are you? *
quelque chose something
quelquefois sometimes
quelques several
quelqu'un someone *23*
qu'est-ce que what *
queue (*f*) line
qui who *
quitter to leave
    ne quittez pas hold on
    (phone) *
quoi what *
quoique although
quotidien, -ienne daily;
    everyday *5*

R

raconter to tell a story
raisin (*m*) grape *7*
raison (*f*) reason
  avoir raison to be right *
ralentir to slow *11*
se **rappeler** to remember
raquette (*f*) racket
se **raser** to shave *
rassurer to reassure
rat (*m*) rat
ratatouille (*f*) vegetable stew
rater to fail (test) *15*
ravi, -e delighted
rayon (*m*) department *
réaliser to fulfill
réaliste realistic
récemment recently
récepteur (*m*) telephone receiver *18*
réception (*f*) registration desk *10*
réceptionniste (*m, f*) desk clerk *10*
réciter to recite *6*
récolte (*f*) harvest *23*
reconstruire to rebuild *14*
recouvert, -e covered
récréation (*f*) free time
refuge (*m*) refuge, safe place
refugié, -e refugee
regarder to look at *
régate (*f*) boat race
règle (*f*) rule
regretter to be sorry *19*
régulier, -ière regular
relier to link
religieux, -ieuse religious
reliure (*f*) bookbinding
remercier to thank
remonter la manche to roll up the sleeve *21*
remparts (*m p*) city walls
remplir to fill out *10*
rencontrer to meet *5*
rendez-vous (*m*) meeting; appointment *22*
rendre visite à to visit (a person) *
renommé, -e renowned
renseignement (*m, pl*) information *14*
rentrée (*f*) opening day *
rentrer to return home *
réparti, -e spread out
repas (*m*) meal *

repasser to press, to iron; to take again (test)
répondre to answer *
repousser to grow back
reprendre to take up
représenter to represent *
reproduire to reproduce
république (*f*) republic
réservoir (*m*) gas tank *20*
résister to resist
respecter to respect *22*
respirer to breathe *21*
restaurant (*m*) restaurant *
reste (*m*) rest
rester to stay *
retenir to reserve
retirer to withdraw (money) *16*; to remove
retourner to go back; to return *11*
retransmission (*f*) rebroadcast
rétroviseur (*m*) rear-view mirror
réussir to succeed, to pass (test) *15*
réussite (*f*) success
réveiller to wake up *
réveillon (*m*) Christmas Eve dinner *1*
revenir to come back *
revenu (*m*) income
rêver to dream
réviser to review
revoir to see again
révolte (*f*) revolt
revue (*f*) magazine
riche rich
rideau, -x (*m*) curtain *19*
rien nothing *
rigide strict
rigoler to joke
rigoureux, -euse rigorous, demanding
rivière (*f*) river
rock (*m*) rock music
rogner to clip
roman (*m*) novel *19*
roman, -e Roman
romancier (*m*); la **romancière** (*f*) novelist *19*
rosbif (*m*) roast beef
roue (*f*) wheel *20*
rouler to be going (in car) *11*
route (*f*) road *
routier, -ière road *11*
roux (*m*), **rousse** (*f*) redhead
rue (*f*) street *
rugby (*m*) rugby

S

sable (*m*) sand *
  sables mouvants quicksand
sac (*m*) bag *
  sac à dos (*m*) backpack *
  sac de couchage (*m*) sleeping bag *
saisissant, -e striking *2*
saison (*f*) season *1*
salade (*f*) salad *
salaire (*m*) salary
salamandre (*m*) salamander
sale dirty *10*
salle (*f*): **salle à manger** dining room *
  salle d'attente waiting room *
  salle de bains bathroom *
  salle de spectacle auditorium
saluer to greet
salut hi! *
salutation (*f*) greeting *
sandwich (*m*) sandwich *
sans without *
  sans que without *20*
satisfait, -e satisfied
saucisson (*m*) sausage *7*
sauf except
sauvage wild
sauver to save *3*
savoir-vivre (*m*) good manners
sciences-po (*f pl*) political science
scolaire school *15*
scolarité (*f*) schooling
sculpteur (*m*); **sculpteuse** (*f*) sculptor *9*
sculpture (*f*) sculpture *9*
sec, sèche dry
secondaire seondary *15*
secret (*m*) secret *19*
section (*f*) section
séjour (*m*) living room *14*; stay *18*
séjourner to stay in
sel (*m*) salt *
selon according to
semaine (*f*) week; weekly allowance *16*
sénateur (*m*); **sénatrice** (*f*) senator
se **sentir** to feel
série (*f*) series *14*
sérieux: au sérieux seriously
serré, -e tight
se **serrer** to shake (hands) *22*
service (*m*) service *
servir to serve *
  se servir de to use

set (m) table setting *
seul, -e alone *
seulement only
sévère strict
si if *
siècle (m) century
siège (m) seat *
signe (f) sign 22
signer to sign 16
signifier to mean
s'il vous plaît please *
ski (m) ski *
　ski nautique (m) water skiing *
skier to ski *
sobriquet (m) nickname
sociabilité (f) sociability 22
société (f) society 22
sœur (f) sister *
soif (f) thirst *
　avoir soif to be thirsty *
soigner to take care of 8
soigneusement carefully
soin (m) care
soir (m) evening *
soirée (f) evening
　soirée dansante dance 12
sol (m) floor 17
soleil (m) sun *
sommet (m) top *
sondage (m) poll, survey
sonner to ring 18
sonnerie (f) ringing 18
sorte (f) kind, sort
sortie (f) exit 11
sortir to go out *
souffrir to suffer 21
souhaiter to wish 18
souk (m) Arab market 14
sous under *
sous-marin, -e underwater *
sous-titres (m pl) subtitles 14
se **souvenir de** to remember
souvenir (m) souvenir
souvent often *6
spectacle (m) sight
　spectacle de variétés
　　(m) variety show 14
sportif, -ive athletic *
stade (m) stadium *
stand (m) stand 1
standard (m) switchboard 18
standardiste (m, f) switchboard
　operator 18
stationner to park 11
statue (f) statue 9
steak (m) steak *
studio (m) studio apartment

stylo (m) pen
subventionner to subsidize
sucre (m) sugar *
suffisant, -e sufficient
suivant, -e following
suivi, -e followed
suivre to follow; to take a course
　in 5, 8
super (m) premium gasoline
superbe superb
supérieur, -e upper-level
sur on *
sûr, -e sure
surgir to rise
surnom (m) family name 22
surpopulation (f) overpopulation
surpris, -e surprised
surprise-partie (f) party *
surtout above all
surveiller to observe 19
survivre to survive 8
survoler to fly over
symbole (m) symbol
sympa nice *
symptôme (m) symptom
synagogue (m) synagogue 4

T

tabac (m) tobacco shop *
table (f) table *
tableau, (m) painting 9
　tableau de bord (m) dashboard
　20
taille (f) size *
talent (m) talent
tant pis too bad
tap-tap (m) small Haitian bus
tard late
taux d'intérêt (m) interest rate
　16
taxi (m) taxicab
teinturerie (f) dry cleaners
télé (f) television *
téléphone (m) telephone *18
téléphonique telephone 18
télésiège (m) chair lift *
téléviseur (m) television set 14
tellement so
température (f) temperature
tempête (f) storm
temps (m) time *
　de temps en temps from time
　to time 6
tenant: d'un seul tenant in one
　piece
tenir to keep to

tension (f) blood pressure 21
tente (f) tent *
tenté, -e tempted
terrain de camping (m)
　campground *
terrasse (f) terrace *
terre (f) earth 17
thé (m) tea 4
théâtral, -e theatrical
théâtre (m) theater *
thon (m) tuna
thym (m) thyme
timbre (m) postage stamp *
toit (m) roof 3
tomate (f) tomato
tombe (f) grave
tomber to fall *
tonalité (f) dial tone 18
torche (f) torch
tort (m) error *
totalité (f) all
toucher to touch (upon)
　toucher un chèque to cash a
　check 16
toujours always; still *
tour (f) tower
tour (m) tour
touriste (m, f) tourist
Toussaint (f) All Saints' Day 1
tousser to cough 21
tout, -e; tous, toutes all, every *
tout: tout de suite immediately
tracteur (m) tractor 23
traditionnel, -elle traditional 1
traduire to translate 14
tragique tragic
train (m) train *
trait (m) feature
tranche (f) slice 7
tranquille quiet
tranquillité (f) quiet 20
transistor (m) transistor radio 14
transpirer to sweat 21
travail (m) work
travailler to work *
traverser to cross *
très very *
tribal, -e tribal
tribu (f) tribe 8
trigonométrie (f) trigonometry
triste sad *
trop de too many
trottoir (m) sidewalk
trouver to find *
se **trouver** to be located
tunique (f) tunic
Tunisie (f) Tunisia 4

tunisien, -ienne Tunisian *4*
tutoiement (*m*) use of *tu* form of address
tutoyer to use *tu* form of address *22*
type (*m*) guy
typique typical

U

unique only
universel, -elle universal
universitaire university-level
université (*f*) university *15*
uranium (*m*) uranium

V

vacances (*f pl*) vacation *
vache (*f*) cow *7*
vainqueur (*m*) winner
valise (*f*) suitcase *
vaste vast
veinard, -e lucky stiff! *8*
vélo (*m*) bicycle
vendeur, (*m*); **vendeuse** (*f*) salesperson *
vendre to sell *
vendredi (*m*) Friday *
venir to come *
  venir de to have just *13*

vent (*m*) wind *
ventre (*m*) stomach *
verbe (*m*) verb
verse: à verse buckets (with *pleuvoir*)
veste (*f*) jacket *
vidéo video *
vif, vive lively
vignoble (*m*) vineyard *7*
vilain, -e wicked
villageois, -e (*m, f*) village inhabitant
ville (*f*) city *
vin (*m*) wine *7*
vinaigre (*m*) vinegar
violon (*m*) violin
visiteur, (*m*); **visiteuse** (*f*) visitor
vite quickly *
vitesse (*f*) speed *11*
vivre to live *8*
voici here is *
voie (*f*) track; lane *11*
  en voie de in the process of
voilé, -e veiled *4*
voiler to veil *4*
voir to see *
voisin, -e (*m, f*) neighbor
voisin, -e neighboring
voiture (*f*) car *
vol (*m*) flight *

volant (*m*) steering wheel *20*
volcan (*m*) volcano
voleur, (*m*); **voleuse** (*f*) robber
volley-ball (*m*) volleyball *
volontiers gladly
vouloir to want *
vouvoiement (*m*) use of *vous* form of address
vouvoyer to use *vous* form of address *22*
voyage (*m*) trip *
voyageur (*m*); **voyageuse** (*f*) traveler
vrai, -e true *
vraiment really
vue (*f*) view

W

wagon-lit (*m*) sleeping car *
wagon-restaurant (*m*) dining car *
week-end (*m*) weekend *

Y

y there, in it, on it *12*

Z

zut! Darn! *

English-French Vocabulary

The English-French vocabulary contains only active vocabulary.

A

able: to be able pouvoir *
accompany accompagner 6
acquainted: to be acquainted with connaître *
across from en face de *
activity activité (f) *
advertising publicité (f) 14
after après *
afternoon après-midi (m) *
age âge (m) *
agricultural agricole 4
airplane avion (m) *
airport aéroport (m) *
Algeria Algérie (f) 4
　　Algerian algérien, -enne 4
all tout, -e; tous, toutes *
allowance semaine (f) 16
All Saints' Day Toussaint (f) 1
All Souls' Day Jour des morts (m) 1
alone seul, -e *
a lot beaucoup *
already déjà *
Alsatian alsacien, -ne 7
also aussi*
although bien que 20
always toujours *
American américain, -e *
animal animal, -aux (m) *
anniversary anniversaire (m) *
to answer répondre *
apartment appartement (m) *
　　apartment house immeuble (m) 6
　　Arab arabe 4
Arabic arabe (m) 4
area code préfixe (m) 18
around autour *
to arrive arriver *
as; since comme *
　　as . . . as aussi...que *
　　as usual comme d'habitude 5
　　at à, dans, en *
　　at the home of chez *
to attend assister à *
author auteur (m) 4
autumn automne (m) 1

B

back dos (m) 3
bad mauvais, -e *
bag sac (m) *
banana banane (f) 4
bank banque (f) 16
barn grange (f) 23
basket panier (m) 2
bath bain (m) *
bathing balnéaire *
bathroom salle (f) de bains *
bay baie (f) 2
to be être *
beach plage (f) *
beak bec (m) 3
beautiful beau, bel, belle, beaux *
because parce que *
because of à cause de 1
bed lit (m) 10
　　to go to bed se coucher *
beer bière (f) *
behind derrière 10
to believe croire *
bellhop bagagiste (m) 10
better meilleur, -e *
best le meilleur, la meilleure *
bicycle bicyclette (f) *
bill note (f) 10; billet (m) 16
bird oiseau, -x (m) 3
birthday anniversaire (m) *
bishop évêque (m) 2
black noir, -e *
blond blond, -e *
blood pressure tension (f) 21
blue jeans jeans (m pl) *
board pension (f) 10
boarding embarquement (m) *
boat barque (f) 2
book livre (m) *
boot botte (f) *
booth stand (m) 1
born né, -e 2
bother déranger 13
bottle bouteille (f) *
boy garçon (m) *
to brake freiner 11
bread pain (m) *
breakdown panne (f) *
breakfast petit déjeuner (m) *

C

Breton breton 7
Brittany Bretagne (f) 9
broom balai (m) 19
brother frère (m) *
brown brun, -e *
brush (countryside) brousse (f) 8
to brush brosser *
buddy copain, copine (m, f) *
to build construire 14
bus stop arrêt d'autobus (m) 5
butcher shop boucherie (f) *
butter beurre (m) 7
to buy acheter *
by par *

C

cabaret cabaret (m); boîte (f) 6
cafeteria (school) cantine (f) 12
cake gâteau, -x (m) *
calculator calculatrice (f) 16
to call appeler *
call appel (m) 18
campground terrain de camping (m) *
candy bonbon (m) 1
car voiture (f) *
　　car hood capot (m) *
　　dining car wagon-restaurant (m) *
　　sleeping car wagon-lit (m) *
card carte (f); fiche (f) 10
cartoon dessin animé (m) 14
cash register caisse (f) 10
cashier caissier, -ière (m, f) *
　　cashier's window caisse
cassette cassette (f) *
castle château, -x (m) 6
to celebrate célébrer *
chair lift télésiège (m) *
channel chaîne (f) 14
to chat bavarder *
cheap bon marché *
cheek joue (f) 22
cheese fromage (m) 7
child enfant (m) *

417

Christmas Noël (m) 1
    Christmas Eve
        dinner réveillon (m) 1
    Christmas tree arbre de
        Noël (m) 1
city ville (f) *
class classe (f) *
to clean nettoyer *
clean propre 10
to climb monter *
coast côte (f) 2
coin pièce (f) 11
cold froid, -e *
    cold weather: to be cold
        weather faire froid *
color couleur (f) *
colored coloré, -e 1
to come venir *
    to come back revenir *
conductor contrôleur (m) *
corner coin (m) 11
costume costume (m) *
to cough tousser 21
country campagne (f);
    pays (m) *
country fair fête foraine (f) 1
course cours (m) 12
courtyard cour (f) 6
cow vache (f) 7
crayfish langouste (f) 7
cream crème (f) 7
credit card carte (f) de crédit
    10
Creole (f) créole 13
crossing croisement (m) 11
to cross traverser *
crowd foule (f) *
cup coupe (f) *
curtain rideau, -x (m) 19
cycling cyclisme (m) *

D

daily quotidien, -enne 5
dairy keeper crémier, -ière
    (m, f) *
dairy store crémerie (f) *
dance soirée dansante (f) 12
to dance danser *
dangerous dangereux, -euse *
darn! zut! *
dashboard tableau (m) de bord
    20
date date (f) *
date (fruit) datte (f) 4
day jour (m) l; journée (f) 5
dead mort, -e 1

dear cher, chère *
to decide décider *
to decorate décorer *
delighted enchanté 22
department rayon (m) *
deposit dépôt (m) 16
to describe décrire *
desk clerk réceptionniste
    (m, f) 10
dial cadran (m) 18
to dial composer 18
dial tone tonalité (f) 18
difficult difficile *
dining room salle (f)
    à manger *
diploma diplôme (m) 15
directional signals clignotants
    (m, pl) 20
dirty sale 10
to discuss discuter *
dish (food) plat (m) 7
to distribute distribuer *
diving plongée (f) *
to do faire *
    doctor médecin (m) 21
doctor's office cabinet (m) 21
donkey âne (m) 17
door (car) portière (f) 20
drawing dessin (m) *
to dress s'habiller *
to drink boire *
to drive conduire *
driver conducteur, -trice
    (m, f) *
driver's license permis (m) de
    conduire *
driving school auto-école (f)
    20
during pendant *

E

each chaque 6
earth terre (f) 17
Easter Pâques (m, pl) 1
to eat manger *
    to eat dinner dîner *
egg œuf (m) 1
elementary primaire 15
elevator ascenseur (m) 10
employee employé, -e
    (m, f) *
endangered en danger;
    menacé, -e 3
English anglais (m) *
enough assez 1
to enter entrer *

entrance entrée (f) 11
    entrance hall •hall (m) 23
envelope enveloppe (f) *
equipment matériel (m) 23
escalator escalier mécanique
    (m) *
evening soir (m) *
every tout, -e, tous, toutes *
everyone tout le monde *
to examine examiner 21
exchange rate cours (m) 16
excuse me pardon *
expenses frais (m pl) 23

F

face figure (f) 1
to fail (test) échouer, rater 15
fairground champ de foire (m)
    6
to fall tomber *
to fall asleep s'endormir *
family famille (f) *
far loin 1; 11
farm ferme (f) 23
farmer fermier, -ière (m, f)
    23; agriculteur (m) 23
farming agriculture (f) 8
fashion mode (f) *
fat: to get fat grossir *
father père (m) *
fever fièvre (f) 21
fig figue (f) 4
to fight against lutter contre 3
to fill out remplir 10
to find trouver *
finger doigt (m) *
to finish finir *
first premier, -ière *
fish poisson (m) 7
fisher pêcheur (m) 7
flight vol (m) *
floor (bare) sol (m) 17
flower fleur (f) 1
fly mouche (f) 13
to follow suivre 8
foot pied (m) *
    on foot à pied *
for pour *
to forget oublier *
former ancien, -ne 8
fortress forteresse (f) 2
free libre 5
free time loisir (m) 5
French français, -e *

• Indicates an aspirate *h*.

french fries pommes frites
  (*f pl*) *
friend ami, -e (*m, f*) *
fun: to have fun s'amuser *

G

game jeu, -x (*m*); match (*m*) *
garbage can poubelle (*f*) 19
garden jardin (*m*) 13
garlic ail (*m*) 7
gasoline essence (*f*) *
gate porte (*f*) *
gift cadeau, -x (*m*) *
girl fille (*f*) *
to give donner *
to go aller *
good bon, bonne *
good-bye au revoir *
good-looking beau, -x;
  belle, -s *
government gouvernement (*m*)
  8
grandfather grand-père (*m*) *
grandmother grand-mère
  (*f*) *
grandparent grand-parent
  (*m*) *
great chouette; extra *
to grow cultiver 8
guide guide (*m*) *
guitar guitare (*f*) *
guitar player guitariste (*m, f*)
  6
gymnastics gymnastique (*f*) *

H

hair cheveux (*m pl*) *
handsome beau, bel, belle,
  beaux *
happy content, -e; heureux,
  -euse *
hard rigoureux, -euse 23
hard (boiled) dur, -e 1
harvest récolte (*f*) 23
to have avoir *
to have just venir de 13
headlight phare (*m*) 20
to hear entendre *
hectare hectare (*m*) 23
hedge •haie (*f*) 3
hello bonjour (*m*); allô *
to help aider *
her lui *
here ici *
  here is voici *

• Indicates an aspirate *h*.

hi! salut *
highway autoroute (*f*) 11
him lui *
history histoire (*f*) *
hold on (phone) ne quittez pas *
holiday jour (*m*) de fête *; 1
homework devoir (*m*) *
horse cheval, chevaux (*m*) *
hot chaud, -e *
hotel hôtel (*m*) 22
hour heure (*f*) *
how comment *
  how are you? comment
    allez-vous?; comment vas-
    tu? *
  how many? combien de? *
  how old are you? quel âge
    as-tu? *
to hug s'embrasser 22
huge énorme 6
hundred cent *
hunger faim (*f*) *
hungry: to be hungry avoir
  faim *
hurried pressé, -e 17
to hurry se dépêcher *
hut choucoune (*m*) 17

I

I je *
ice cream glace (*f*) *
ice cream sandwich esquimau,
  -x (*m*) *
if si *
imaginative imaginatif, -tive
  9
immigrant immigré, -e (*m, f*)
  4
impolite impoli, -e 22
impressive impressionnant, -e
  2
in dans *
included compris, -e *
incredible incroyable *
information renseignements
  (*m pl*) 14
in front of devant 19
inn auberge (*f*) 2
inside dedans 19
intelligent intelligent, -e *
interesting intéressant, -e *
interest rate taux (*m*) d'intérêt
  16
international international,
  -aux *
island île (*f*); îlot (*m*) 2

J

jacket blouson (*m*); veste (*f*) *
Jewish juif, juive 4

K

key clé (*f*) 11
kilometer kilomètre (*m*) *
kitchen cuisine (*f*) *
knapsack sac à dos (*m*) *

L

lamb agneau, -x (*m*) 1
to land atterrir *
lane voie (*f*) 11
language langue (*f*) *
to lead mener *
to learn apprendre *
leave congé (*m*) 1
to leave partir *
  to leave behind laisser *
left: to the left à gauche *
leg jambe (*f*) *
lemonade citron pressé (*m*) *
less moins de *
  less than moins que *
lesson leçon (*f*) *
letter lettre (*f*) *
license plate plaque (*f*) 20
to like aimer *
line ligne (*f*) *
to listen (with a stethoscope)
  ausculter 21
  to listen to écouter *
little petit, -e *
  a little un peu *
to live habiter *; vivre 8
  living room séjour (*m*), living
    (*m*) 14
lobster •homard (*m*) 7
log bûche (*f*) 10
to look for chercher *
to look out on donner sur 21
to lose perdre *
to love adorer *
  luggage bagages (*m pl*) *
  lunch déjeuner (*m*) *
  lung poumon (*m*) 21
lute luth (*m*) 6

M

magnificent magnifique *
to maintain entretenir 20
mandatory obligatoire 15
manners manières (*f pl*) 22
map plan (*m*) *

to mark marquer *
   market marché (*m*); souk (*m*) *
   meal repas (*m*) *
   medicine man guérisseur (*m*)
      8
to meet rencontrer 5
   meeting rendez-vous (*m*) 22
   merry-go-round manège (*m*)
      1
   meter maid contractuelle (*f*)
      11
   Middle Ages Moyen Âge (*m*)
      6
   midnight minuit (*m*) *
      midnight mass messe de
         minuit (*f*) 1
   milk lait (*m*) 7
   mime mime (*m*) 6
   minaret minaret (*m*) 4
   mineral minéral, -e; aux, -es *
      mineral water eau
         minérale (*f*) *
   minstrel griot (*m*); jongleur (*m*)
      8
   mint menthe (*f*) 4
   miss Mademoiselle *
   modern moderne *
   monastery monastère (*m*) 2
   money argent (*m*) *
   more encore *
   more . . . than plus...que *
   morning matin (*m*) *
   Moroccan marocain, -e 4
   Morocco Maroc (*m*) 4
   Moslem musulman, -e 4
   mosque mosquée (*f*) 4
   mosquito moustique (*m*) *
   mother mère (*f*) *
   motor moteur (*m*) *
   motorcycle moto (*f*) *
      **motorcycle police
         officer** motard (*m*) 11
   mound mont (*m*) 1
   mountain montagne (*f*) *
   Mr. monsieur *
   Mrs. madame *
   much beaucoup *
   museum musée (*m*) 9
   mussel moule (*f*) 7

N

name nom (*m*) *
   name (family) nom de
      famille (*m*) 22
   name (first) prénom (*m*) 22
nautical nautique *

near près de 11
need besoin (*f*) *
neither . . . nor ne... ni... ni...
   6
nest nid (*m*) 3
never jamais; ne...jamais *
new nouveau, nouvel, nouvelle,
   nouveaux *
news actualités (*f pl*);
   informations (*f pl*) 14
newspaper journal, -aux (*m*) *
New Year's Day Jour de l'An
   (*m*) 1
next to à côté de 11
nice sympa *
   nice (weather) faire beau *
no one ne...personne; personne
   ne... *
Normandy Normandie (*f*) 7
not ne...pas *
not bad pas mal *
nothing ne...rien; rien ne... *
novel roman (*m*) 19
novelist romancier, -ière (*m, f*)
   19
number numéro (*m*) 18
nurse infirmier, -ière (*m, f*) 21

O

to observe surveiller 19
of course bien sûr *
off: to get off descendre *
to offer offrir 21
official officiel, -ielle 8
often souvent *
oil huile (*f*) *
old vieux, vieil, vieille *;
   ancien, -nne 8
OK d'accord *
on sur *
   on foot à pied *
   on the contrary au
      contraire *
only ne...que 6; seulement *
to open ouvrir 21
operator (telephone)
   opératrice (*f*) 18
opposite contraire (*m*) *
to order commander *
ornithologist ornithologue 3
other autre *
our notre *
outside dehors 19
over there là-bas *
owner patron, -onne *
oyster huître (*f*) 7

P

painter peintre (*m*) 9
painting peinture (*f*) 9
palm tree palmier (*m*) 13
pants pantalon (*m*) *
paper papier (*m*) *
to park garer; stationner 11
park parc (*m*) *
parking meter parcmètre (*m*)
   11
part: to be part of faire partie
   de 8
party fête (*f*); surprise-partie
   (*f*); boum (*f*) *
**party (in telephone
   conversation)** interlocuteur,
   -trice 18
to pass (car) doubler 11
to pass (test) réussir 15
passenger passager, -ère
   (*m, f*) *
passport passeport (*m*) *
pastry baker pâtissier, -ière
   (*m, f*) *
pasture pâturage (*m*) *
to pay payer *
   to pay attention faire
      attention *
peanut arachide (*f*) 8
pedal boat pédalo (*m*) *
pedestrian piéton, -onne
   (*m, f*) 11
people gens (*m pl*) *
pepper poivre (*m*) *
personally personnellement *
photo photo (*f*) *
piano piano (*m*) *
picture tableau, -x (*m*) *
pilgrim pèlerin (*m*) 2
pilgrimage pèlerinage (*m*) 2
pineapple ananas (*m*) 11
platform quai (*m*) *
play pièce de théâtre (*f*) 14
to play jouer *
please s'il te (vous) plaît *
poem poème (*m*) 6
pole bâton (*m*) *
police officer agent de police
   (*m*) *
polite poli, -e 22
politics politique (*f*) *
pollution pollution (*f*) 3
pool piscine (*f*) *
poor pauvre *
pork chop côtelette (*f*) de porc
   7

postage stamp timbre (m) *
postcard carte postale (f) *
to prefer préférer, aimer mieux *
to prepare préparer *
prescription ordonnance (f)
   21
present cadeau, -x (m) 1
present tense présent (m) *
president président (m) 8
pressure:
   blood pressure tension (f)
     21
   tire pressure pression (f)
     des pneus 20
pretty joli, -e *
price prix (m) 10
prime minister premier
   ministre (m) 8
to produce produire 14
professional professionnel,
   -elle *
program émission (f) 14
proud fier, fière 9
to pursue poursuivre 8
push-button bouton (m) 18
to put mettre *
   to put up monter *

Q

quickly vite *
quiet tranquillité (f) 20

R

rain pluie (f) 1
to rain pleuvoir *
   it is raining il pleut *
to raise élever 22
rather assez *
to read lire *
to rebuild reconstruire 14
receiver récepteur (m) 18
reception desk réception (f)
   10
to recite réciter 6
record disque (m) *
registration enregistrement
   (m) 10
to rent louer 10
to represent représenter *
to respect respecter 22
restaurant restaurant (m) *
to return retourner, rentrer *
right: to be right avoir
   raison *
   to the right à droite *

to ring sonner 18
ringing sonnerie (f) 18
road route (f) *
road map carte routière (f) 11
to roll up remonter 21
roof toit (m) 3, 17
room chambre (f); pièce (f) 10
round-trip ticket aller et
   retour (m) *

S

sad triste *
salad salade (f) *
salesperson vendeur, -euse
   (m, f) *
salt sel (m) *
same même *
sand sable (m) *
sandwich sandwich (m) *
Santa Claus Père Noël 1
sausage saucisson (m) 2
to save sauver 3; épargner,
   mettre de côté 16
to say dire *
scallop coquille Saint-Jacques
   (f) 7
scarf fichu (m) 19
schedule:
   class schedule programme
     (m) *
   train schedule horaire
     (m) *
school école (f) *
schoolteacher maître (m),
   maîtresse (f) d'école 15
sculptor sculpteur, -euse (m, f)
   9
sculpture sculpture (f) 9
sea mer (f) *
season saison (f) 2
seat belt ceinture de sécurité
   (f) 20
seated assis, -e *
second deuxième *
secondary secondaire 15
secret secret (m) 19
to see voir *
   see you soon à tout à
     l'heure; à bientôt *
to seem avoir l'air 9
to sell vendre *
series série (m) 14
to serve servir *
to send envoyer *
to shake (hands) se serrer la
   main 22

to shave se raser *
shellfish fruit de mer (m) 7
to shine briller *
shirt chemise (f) *
shoe chaussure (f) *
shop boutique (m) *
shopping: to go
   shopping faire des
     courses *
short court, -e 13; petit, -e *
shower douche (f) *
sick malade 8, 21
sign panneau, -x (m) 11
since comme *; depuis 8
to sing chanter *
singer chanteur, -euse (m, f)
   6
sister sœur (f) *
to sit s'asseoir *
size taille (f) *
ski ski (m) *
   ski instructor moniteur,
     -trice (m, f) *
   ski jacket anorak (m) *
to ski skier, faire du ski *
skirt jupe (f) *
to sleep dormir *
sleeping bag sac de couchage
   (m) *
sleeve manche (f) 13
slot fente (f) 18
slowly lentement *
to slow up ralentir 11
snow neige (f) *
soap opera feuilleton (m) 14
soccer football (m) *
sociability sociabilité (f) 22
society société (f) 22
sock chaussette (f) *
someone quelqu'un 23
son fils (m) *
song chanson (f) *
so that pour que, afin que 20
to speak parler *
speed vitesse (f) 11
to spend (money) dépenser *
to spend (time) passer *
sporting sportif, -ive *
spring printemps (m) 1
square place (f) 6
stable étable (f) 23
stadium stade (m) *
stair marche (f) 2
stall étal (m) 17
stay séjour (m) 18
steak steak (m) *
steering wheel volant (m) 20

still encore *
stomach ventre (*m*) *
stop arrêt (*m*) 5
to **stop** arrêter *
to **store** entreposer 23
stork cigogne (*f*) 3
straight ahead tout droit 11
street rue (*f*) *
striking saisissant, -e 2
student lycéen, -enne (*m, f*);
  élève (*m, f*) 5
studio atelier (*m*) 9
to **study** étudier *
subtitles sous-titres (*m pl*) 14
suburb banlieue (*f*) *
subway métro (*m*) *
to **suffer** souffrir 21
sugar sucre (*m*) *
suit costume (*m*) *
suitcase valise (*f*) *
summer été (*m*) *; 1
sun soleil (*m*) *
  sunrise lever du soleil (*m*)
  23
  sunset coucher du soleil (*m*)
  23
surrounded entouré, -e 7
to **survive** survivre 8
to **sweat** transpirer 21
sweater pull (*m*) *
to **swim** nager *
switchboard standard (*m*) 18
switchboard operator
  standardiste (*m, f*) 18
synagogue synagogue (*f*) 4

T

table table (*f*) *
  table setting set (*m*) *
to **take** prendre *
to **take** (course) suivre 8
to **take** (test) passer 15
to **take care of** (person) soigner
  8
to **talk** bavarder; parler *
tank réservoir (*m*) 20
tea thé (*m*) 4
to **teach** enseigner 15
team équipe (*f*) *
telephone téléphone (*m*),
  appareil (*m*) 18
  telephone book annuaire
  (*m*) 18
  telephone booth cabine
  téléphonique (*f*) 18
  telephone call coup (*m*) de
  fil, coup de téléphone 18

television télé (*f*) *
television set poste de
  télévision (*m*) 13; téléviseur
  (*m*) 18
tenant locataire (*m, f*) 19
tent tente (*f*) *
terrace terrasse (*f*) *
terrible affreux, -euse 20
test examen (*m*) 15
thank you merci *
that ça *
theater théâtre (*m*) *
their leur, -s *
then ensuite *
therefore donc, ainsi *
there is; there are il y a *
thirst soif (*f*) *
thirsty: to be thirsty avoir
  soif *
this; these ce, cet, cette; ces *
this one; that one celui, celle
  23
to **throw** jeter *
ticket billet (*m*) *
  one-way ticket aller (*m*) *
  round-trip ticket aller et
  retour *
  ticket (traffic)
  contravention (*f*) 11
  ticket inspector contrôleur
  (*m*) *
  ticket window guichet (*m*) *
tie cravate (*f*) *
time temps (*m*) *
  at what time? à quelle
  heure? *
timetable horaire (*f*) *
tip pourboire (*m*) *
tire pneu (*m*) 20
today aujourd'hui *
toll péage (*m*) 11
tomb tombe (*f*) 1
tooth dent (*f*) *
top sommet (*m*) *
track voie (*f*) *
tractor tracteur (*m*) 23
traditional traditionnel, -elle
  1
traffic circulation (*f*) *
  traffic jam encombrement
  (*m*); embouteillage (*m*) *
  traffic light feu (*m*) 11
trail piste (*f*) *
train train (*m*) *
  train station gare (*f*) *
to **translate** traduire 14
tray plateau, -x (*m*) *

tribe tribu (*f*) 8
trip voyage (*m*) *
truck camion (*m*); poids-lourd
  (*m*) 11
true vrai, -e *
trunk coffre (*m*) 20
Tunisia Tunisie (*f*) 4
  Tunisian tunisien, -enne 4
turkey dinde (*f*) 1
to **turn off** fermer 14
to **turn on** mettre 14

U

under sous *
to **understand** comprendre *
university université (*f*) 15
unless à moins que 20
up: to get up se lever *
to **use** employer *

V

vacation vacances (*f pl*) *
van camionnette (*f*) 17
variety show spectacle de
  variétés (*m*) 14
vegetable légume (*m*) *
veiled voilé, -e 4
very très *
video game jeu vidéo (*m*) *
view (scenic) panorama (*m*) 2
vineyard vignoble (*m*) 7
volleyball volley-ball (*m*) *

W

to **wait for** attendre *
  waiting room salle d'attente
  (*f*) *
to **wake up** réveiller *
to **walk** se promener *
wall mur (*m*) 17
to **want** vouloir *
to **want to** avoir envie *
to **wash** se laver, laver *
  water skiing ski nautique (*m*) *
way chemin (*m*) *
we nous *
weather: to be nice
  weather faire beau *
  weather report météo (*f*)
  14
well; very much bien *
west ouest (*m*) *
West Indian antillais, -e 13
what qu'est-ce que, que, quoi *

what; which quel; quelle *
wheel roue (*f*) 20
when quand *
where où *
white blanc; blanche *
who qui *
to **win** gagner *
wind vent (*m*) *
   wind surfboard planche à
     voile (*f*) *
windshield pare-brise (*m*) 20
   windshield wiper essuie-
     glace (*m*) 20

wine vin (*m*) *; 7
wing aile (*f*) 3
winter hiver (*m*) *; 1
with avec *
without sans, sans que *; 20
woman femme (*f*) *
wood bois (*m*) 13
wooden house maison en bois
   (*f*) 13
to **work** travailler *
workshop atelier (*m*) *
world monde (*m*) *
to **write** écrire *

writer écrivain (*m*) 19
wrong: to be wrong avoir
  tort *

Y

yam igname (*f*) 8
yesterday hier *
young jeune *

Z

zip code code postal (*m*) *

Index

à cause de 46

adjectives
  agreement with subject in
    expressions using *avoir l'air*
    176
  comparative and superlative of
    bon 325, 356
  demonstrative adjectives 388

adverbs
  comparative and superlative of
    bien 325, 356
  formation of adverbs in *-ment*
    142
  position of 142

aller
  conditional 267, 293
  future 206, 229
  present 7
  subjunctive 315, 352

appeler
  future 192
  present 36
  subjunctive 338

apprendre
  present 18

avoir
  conditional 267, 293
  expressions with 176, 227
  future 206, 229
  present 7
  subjunctive 315, 352
  with *descendre, monter* and
    sortir in *passé composé* 61

boire
  subjunctive 338

celui, celle, ceux, celles 388
celui-ci, celui-là 388
ce qui, ce que 376
cognates 72, 154, 265, 375
  false cognates 265
comparatives
  of *bien* 325, 356
  of *bon* 325, 356
compléter
  subjunctive 338
comprendre
  present 18
conditional
  after *dans ce cas-là* 267, 293
  formation of 266–267, 293

in result clauses following *si* +
  imperfect 280, 293
meanings of **pouvoir** and **devoir**
  in 267
uses of 267
verbs with irregular conditional
  stem 267
conduire
  future, imperfect, *passé
    composé,* present 252
conjunctions
  subordinate conjunctions +
    subjunctive 339, 355
construire
  future, imperfect, *passé
    composé,* present 252
couvrir
  passé composé, present 367

découvrir
  passé composé, present 367
demander à quelqu'un de 389
demonstrative adjectives
  ce, cet, cette, ces 388
demonstrative pronouns
  celui, celle, ceux, celles 388
  with *de* to show possession or
    origin 388
depuis + present 156, 169
descendre
  with *avoir* and *être* in *passé
    composé* 61, 97
détruire
  future, imperfect, *passé
    composé,* present 252
devenir
  conditional 293
devoir
  conditional 267, 293
  future 216, 229
dire
  present 12
  subjunctive 303, 352
direct object pronouns 20, 237–238,
  254, 265, 291
  agreement with past participle
    237
  le, la, les 238, 254
  me, te, nous, vous 237
  moi with affirmative imperative
    265
  reflexive pronouns as 106, 167
  with affirmative imperative
    265, 291

with indirect object pronoun in
  same sentence 238, 254, 291
with infinitive 20, 279
with negative imperative 239,
  254
dormir
  present 17
  subjunctive 303, 352

écrire
  present 19
  subjunctive 303, 352
en (pronoun)
  replacing partitive *de* + noun
    referring to people 194, 228
  uses of 177, 193, 194, 228, 292
  vs. stress pronouns 194, 228
  with expressions of quantity
    193
  with imperative 179, 282, 292
  with numbers 193
  with other object pronouns 282
  with *passé composé* 179, 228
s'endormir 36
envoyer
  conditional 267, 293
  future 216, 229
-er verbs
  conditional 266–267, 293
  future 191, 229
  imperative singular with *en* in
    commands 179
  imperfect 120, 168
  passé composé 25
  present 4
  subjunctive 302, 351
être
  conditional 267, 293
  future 206, 229
  imperfect 122, 168
  in *passé composé* of reflexive
    verbs 104, 167
  subjunctive 315, 352
  use with past participle in *passé
    composé* 57, 59–60, 97
  with *descendre, monter* and
    sortir 61, 97
expressions
  agreements 157
  annoyance 180
  contrasting opinion 180
  courtesy and politeness 375
  dans ce cas-là + conditional
    267, 293

douter que + subjunctive *341*
enough *47*
examination *265*
farewell *3*
impersonal, with infinitive *302*
impersonal, with subjunctive *302*
like **demander à quelqu'un de** *389*
luck *157*
negative *124*
repeated or habitual actions *119*
salutation *3*
seasons *43*
time *25*
with **avoir** *176, 227*
with imperfect *123*

faire
conditional *267, 293*
future *206, 229*
idiomatic expressions with *12*
present *12*
subjunctive *315, 352*
false cognates *265*
farewell expressions *3*
future
expressed with **aller** + infinitive *191*
formation of *191, 229*
si + present and *207*
verbs like **appeler, jeter, mener,** and **lever** *192*
verbs with irregular forms of *206, 216, 229*
with **quand** *208*

greetings *3*

habiter
vs. **vivre** *155*

imperative
affirmative
with **en** *282, 292*
with two object pronouns *265, 291, 292*
with **y** *282, 292*
negative
with **en** *179*
with two object pronouns *239, 254, 291*
with **y** *282*

imperfect
formation of *120, 168*
frequent with certain verbs *141*
of **être** *122*
si clauses with *280, 293*
uses of *121, 123, 141, 168*
vs. **passé composé** *137, 139*
with **passé composé** in same sentence *139*
impersonal expressions
with infinitive *302*
with subjunctive *302, 316, 326*
indirect object pronouns *237–238, 253–254, 265, 279, 291*
lui, leur *27, 253–254*
me, te, nous, vous *20, 237–238*
with affirmative imperative *265, 291*
with direct object pronoun in same sentence *238, 254, 291*
with infinitive *279*
with negative imperative *239, 254*
infinitive
vs. subjunctive *365*
with **aller** *191*
with direct object pronoun *20, 279*
with **en** *279*
with indirect object pronoun *279*
with prepositions *364*
with two object pronouns *279*
with **venir de** *240*
with **y** *279*
interrogative expressions
indirect: **ce qui, ce que** *376*
lequel, laquelle, lesquels, lesquelles *377*
qui, qu'est-ce qui as subject *84, 98*
qui, que as direct object *85, 98*
-**ir** verbs
conditional *266–267, 293*
future *191, 229*
imperfect *120, 168*
passé composé *25*
present *4*
subjunctive *301, 351*
irregular verbs: see individual verbs

jeter
future *192*

lequel, laquelle, lesquels, lesquelles *377*

se lever
future *192*
present *36*
subjunctive *338*
liaison *4, 179*
lire
present *19*
subjunctive *303, 352*

mener
future *192*
monter
with **avoir** and **être** in **passé composé** *61, 97*

negation
ne...ni...ni *124*
ne...que *124*
negative expressions in **passé composé** *124, 167*
negative expressions with infinitive *279*
negative expressions with **personne** and **rien** *217*

offrir
passé composé *367*
present *367*
ouvrir
passé composé *367*
present *367*

parce que *46*
partir
present *17*
subjunctive *303, 352*
partitive *14, 124*
passé composé
of **descendre, monter** and **sortir** *61*
of -**er** verbs *25*
of **être** *25*
of **faire** *25*
of -**ir** verbs *25*
of irregular verbs *31, 44*
of -**re** verbs *25*
of reflexive verbs *104, 167*
vs. imperfect *137, 139*
with direct and indirect object pronouns *73, 74, 97, 237, 253, 254, 291*
with **en** *179, 228*
with **être** *57, 97*

with imperfect in same sentence *139*

with negative *25*

passer un examen *265*

past participle

agreement with direct objects *73, 87*

agreement with subject in ***passé compose*** of reflexive verbs *104, 167*

agreement with subject in ***passé compose*** with ***être*** *57, 104*

irregular *44*

of ***suivre*** and ***vivre*** *155*

with ***en*** *179, 228*

with ***ne...que*** and ***ne... ni...ni*** *124*

with ***y*** *218*

personne ne *217*

poursuivre

present *155*

pouvoir

conditional *267, 293*

future *216, 229*

present *11*

subjunctive *327, 352*

prendre

present *18*

subjunctive *338*

prepositions

with infinitive *364*

produire

future, imperfect, ***passé compose***, present *252*

se promener

present *36*

pronouns

direct object *20, 237-238, 254, 265, 291*

en *177, 179, 193, 194, 228, 282, 292*

indirect object *237-238, 253-254, 265, 279, 291*

interrogative *84, 85, 98, 376, 377*

reflexive *36, 45, 106, 167*

stress *194, 228*

y *218, 230, 282, 292*

pronunciation

liaison *4, 179*

of past participle *74*

quand + future *208, 229*

que (qu')

direct object in questions *85, 98*

qu'est-ce que (qu')

direct object in questions *85, 98*

qu'est-ce qui

subject in questions *84, 98*

qui

direct object in questions *85*

object of prepositions *86*

subject in questions *84*

quoi

object of prepositions *86, 98*

-re verbs

conditional *226-267, 293*

future *191, 229*

imperfect *120, 168*

passé compose *25*

present *4*

subjunctive *302, 351*

recevoir

conditional *267*

future *216, 229*

subjunctive *338*

reconstruire

future, imperfect, ***passé compose***, present *252*

reflexive pronouns *36*

agreement with past participle in ***passé compose*** *106, 167*

as indirect object of sentence *106*

position of *45, 167*

reflexive verbs

negation *45, 104*

passé compose *104, 167*

present *35-36, 45*

reciprocal action in *45*

vs. non-reflexive *38, 45*

rien ne *217*

salutations *3*

savoir

conditional *267, 293*

future *206, 229*

subjunctive *327, 352*

seasons *43*

servir

present *17*

subjunctive *303, 352*

si clauses *207, 280, 293*

sortir

present *17*

sortir de *17*

subjunctive *303, 352*

with ***avoir*** and ***être*** in ***passé compose*** *61, 97*

with direct object *17*

souffrir

passé compose, present *367*

stress pronouns *194, 228*

subjunctive

definition of *301, 351*

formation of *301, 351*

impersonal expressions with *302, 351*

of ***appeler, compléter, lever, prendre, boire, recevoir*** *338, 354*

of ***avoir, être, faire, aller*** *315, 352*

of irregular verbs *303*

of ***pouvoir, savoir, vouloir, venir*** *327*

vs. indicative *301*

vs. infinitive *365*

with expressions of desire, willing, preferring *316, 353*

with expressions of doubt *341, 354*

with expressions of emotion *326, 354*

with expressions of judgment and approval *316, 353*

with subordinate conjunctions *339, 355*

suivre

present *155*

superlatives

of ***bien*** *326, 356*

of ***bon*** *325, 356*

survivre

present *155*

traduire

future, imperfect, ***passé compose***, present *252*

venir

conditional *267, 293*

future *216, 229*

subjunctive *327*

venir de + infinitive *240*

verbs

conditional *266-267, 280, 293*

future *191-192, 206-208, 216, 229*

imperative *179, 239, 254, 265, 282, 291-292*

imperfect *120-123, 137, 139, 141, 168, 280, 293*

infinitive *20, 191, 240, 279, 364-365*

reflexive *35-36, 38, 45, 104, 167*

subjunctive *301-303, 31.*
    326-327, 338-339, 341
    354, 365
(see also *-er, -ir, -re,* and
    individual verbs)
vivre
    present *155*
    vs. *habiter* *155*

518
519
520
522
523
524
525

voir
    conditional *267, 293*
    future *216, 229*
vouloir
    conditional *267, 293*
    future *216, 229*
    present *11*
    subjunctive *327*

y (pronoun)
    seldom used with other pronouns
        282
    uses of *218, 230, 292*
    vs. indirect object pronouns and
        stress pronouns *218, 230*
    with imperative *282, 292*